CETTE PE

DE LA MÊME AUTEURE

Les égarés, Alto, 2017 (CODA, 2018)
La ballade des adieux, Belfond, 2004 (Alto, CODA, 2012)
Un si joli visage, Alto, 2011 (CODA, 2012)
Les Filles, Alto, 2009 (CODA, 2011)

Lori LANSENS

Cette petite lueur

Traduit de l'anglais par
Lori Saint-Martin et Paul Gagné

Alto

Catalogage avant publication de Bibliothèque et Archives nationales du Québec et Bibliothèque et Archives Canada

Titre: Cette petite lueur / Lori Lansens ; traduction, Lori Saint-Martin et Paul Gagné.
Autres titres: Little Light. Français
Noms: Lansens, Lori, auteur. | Saint-Martin, Lori, 1959- traducteur. | Gagné, Paul, 1961- traducteur.
Description: Traduction de: This Little Light.
Identifiants: Canadiana (livre imprimé) 20190040289 | Canadiana (livre numérique) 20190040297 | ISBN 9782896944286 (couverture rigide) | ISBN 9782896944293 (EPUB) | ISBN 9782896944309 (PDF)
Classification: LCC PS8573.A5866 T5514 2020 | CDD C813/.6—dc23

Les Éditions Alto remercient de leur soutien financier
le Conseil des arts du Canada et la Société de développement
des entreprises culturelles du Québec (SODEC).

Gouvernement du Québec — Programme de crédit d'impôt
pour l'édition de livres — Gestion SODEC

Financé par le gouvernement du Canada | Canada

Nous reconnaissons l'aide financière du gouvernement du Canada
par l'entremise du Programme national de traduction pour l'édition du livre,
une initiative de la *Feuille de route pour les langues officielles du Canada 2013-2019 : éducation, immigration, communautés,*
pour nos activités de traduction.

Couverture : Franziska Neubert
franziskaneubert.de

Titre original : *This Little Light*
Éditeur original : Random House Canada
Publié en accord avec Lori Lansens, The Bukowski Agency Ltd., Toronto,
et Anna Jarota Agency, Paris.

ISBN 978-2-89694-428-6

Pour Allegra

CETTE PETITE LUEUR

BILLET DE BLOGUE : Rory Anne Miller	27-11-2024 – 21 h 51

Le buzz de l'heure, c'est nous. Rory Miller. Feliza Lopez. En cet instant, ce soir, nous sommes les filles les plus célèbres des États-Unis.

Les images qui défilent à la télé et sur vos fils d'actualité depuis quelques heures? Deux adolescentes au teint frais, vêtues d'une robe de mariée haute couture, chacune au bras de son papa, à l'occasion du Bal de la pureté américaine? C'est moi et Fee, ma meilleure amie. Les images toutes pixélisées captées par les caméras de surveillance – deux silhouettes en robe blanche qui gravissent la colline enfumée après l'explosion de la bombe à l'école secondaire Sacré-Cœur? Encore nous. Les coupables s'enfuient, c'est vrai. Les gens terrorisés aussi. On nous surnomme les Vauriennes en Versace.

Que dit-on de nous? Mais d'abord… Qui porte du Versace pour son bal de la pureté? Je portais du Mishka. Et Fee, du Prada. Les détails ont leur importance. La vérité – qui ne se situe pas quelque part au milieu, comme les gens coupables se plaisent à le répéter – est vitale. Comme l'oxygène. La vérité, c'est que, ce soir, Fee et moi n'avons pas tenté de faire sauter le bal de la chasteté de Sacré-Cœur. L'objet qu'on a trouvé dans ma voiture? Toujours pas nous. Et nous ne sommes absolument pas impliquées dans le Marché rouge. Nous ne sommes pas les suppôts de Satan que vous vous apprêtez à traquer en chargeant votre carabine achetée au Walmart.

Vous voulez la vérité? Toute la vérité? J'ai passé des heures – tellement que c'en est ridicule – à m'imaginer célèbre, avec des millions d'abonnés. C'est normal, non? Un moyen superficiel de fuir la réalité? Après tout, j'habite en Californie, où la célébrité pollue l'atmosphère et vous pénètre la peau en même temps que les rayons UV. Mais là, ce n'est pas la célébrité. C'est l'infamie. Tu parles. Infâme, oui. Je me sens comme dans ce cauchemar récurrent où je débarque toute nue à l'école: dégoûtante et vulnérable.

Mon vœu se réalise, pour mon malheur. Au lieu d'abonnés, Fee et moi avons des trolls et des poursuivants. Nous sommes écorchées vives par les médias. Mises au ban de la société. Et nous voilà fugitives, terrées dans une remise en ferraille derrière une petite cabane dans les montagnes qui dominent Malibu.

Je ne sais pas ce que je ferais sans ce vieil ordinateur portatif rose – cadeau de Javier, qui nous laisse nous cacher dans sa remise, mais j'y reviendrai. J'ai lu les fausses informations et les tweets haineux. Nous, des dynamiteuses? Des terroristes religieuses? Nous, des coursières du Marché rouge, des trafiquantes de bébés volés? On dirait une blague, sauf que non. Comme pour souligner que tout ça est bien réel, le rockeur évangéliste, le révérend Jagger Jonze, vient d'offrir une récompense d'un million de dollars pour notre capture. Nos têtes sont mises à prix. D'où notre présence dans cette remise. Sans défense. Coincées.

J'ai mal à la gorge à force de ravaler mes cris. Le pire – tout est relatif dans les circonstances –, c'est que

Fee est vraiment malade. Recroquevillée à côté de moi sous une couverture en lambeaux, elle dort à moitié en gémissant. Je ne sais pas ce qu'elle a, mais tout a commencé au bal et, en arrivant ici, elle s'est pratiquement effondrée. Elle a le front brûlant. Le visage blême. Empoisonnement alimentaire? Pourtant, elle n'a presque rien mangé, aujourd'hui. Une grippe? Allez savoir.

Pour rester calme, enfin pour essayer, j'ai décidé d'écrire notre version de l'histoire. J'ai peur qu'on remonte jusqu'à nous si je la publie en temps réel; je vais donc attendre que nous soyons en sécurité. Dieu merci, la batterie de ce vieil ordinateur a été mise à niveau. Je pourrais passer la nuit à taper. Ce ne serait pas la première fois. Ce ne sera pas la dernière. Écrire? C'est le seul moyen que je connaisse de donner du sens à ma vie.

Encore cet après-midi, Fee et moi, en compagnie de nos autres meilleures amies – Brooklyn Leon, Zara Rohanian et Delaney Sharpe, elles aussi élèves de Sacré-Cœur –, nous préparions pour le bal chez Jinny Hutsall. Les Hutsall, qui sont riches à craquer, avaient retenu les services d'une équipe de stylistes: on nous a coiffées, peint les ongles, recourbé les cils et gonflé les lèvres, ce qui ne m'a pas déplu. Nous avons pris des centaines de photos de notre splendeur de jeunes mariées virginales en sirotant le champagne que Jinny avait piqué dans le réfrigérateur – initiative qui, maintenant que j'y pense, ne lui ressemblait pas du tout –, tandis que nos papas en smoking descendaient des manhattans dans le *lanai* de Warren Hutsall. Les autres avaient commencé à glousser, mais moi, en enfilant ma superbe robe Mishka, je n'ai éprouvé que de l'effroi.

Rien à voir avec notre imminent vœu d'abstinence. Mes amies et moi ne le prenions pas au sérieux. Pas vraiment; pas toutes, en tout cas. Le bal de la pureté, c'était surtout une occasion d'être gâtées-pourries, de porter une robe haute couture, de flirter avec la célébrité, de faire des photos. Du moins, c'est ce que nous répétions. Moi? Athée sans la moindre intention de me préserver jusqu'au mariage, j'étais sûre que le bal me fournirait du matériel pour mon blogue. Voilà ce que je me disais, malgré l'effroi dont j'expliquerai la cause plus tard.

En route vers l'école, ce soir, je me suis demandé si j'allais explorer l'ignoble promesse de rester chastes que nous allions faire à nos pères ou pondre un texte plus soft sur le lien père-fille, mais assorti de solides statistiques montrant qu'il ne sert à rien de prôner l'abstinence. Je n'avais pas encore décidé quelle approche me vaudrait le plus de *j'aime*. C'est la vérité. Je n'envisageais pas encore de dénoncer toute cette pourriture. La peur, peut-être?

Maintenant, en tout cas, mon idée est faite. Même si je n'aurais jamais imaginé que je raconterais un jour comment Fee et moi sommes devenues des hors-la-loi retranchées dans une remise de deux mètres sur trois, où s'entassent une tondeuse à gazon graisseuse, deux ou trois souffleuses à feuilles, des cannes à pêche enchevêtrées, trois vieilles valises et quelques gros sacs à ordures blancs vomissant des résidus de pelouse.

En levant les yeux, j'aperçois par les fentes du toit en aluminium la pleine lune et les étoiles qui scintillent, et les feux lointains des avions. Des chasseurs de primes nous recherchent à bord de leur Mini-Héli ou d'un Bricoptère, un de ces engins volants importés de Chine qu'on assemble dans son garage, bien que ce soit strictement interdit. Une vaste traque participative. C'est partout dans les médias.

À l'avant de la remise, une fenêtre s'ouvre sur les falaises accidentées. J'aperçois, à une centaine de mètres, la caravane du voisin – un antique Airstream argenté dont le crochet d'attelage est posé sur trois gros parpaings. La grande bâche bleue qui sert d'auvent ondule sous la brise. Plus tôt, j'ai vu la lueur vacillante d'un écran de télévision à l'intérieur. Mais il n'y a pas de voiture dans l'entrée.

Deux ou trois camédrones sont passés dans le ciel. À notre recherche, assurément. Les nouveaux modèles sont si discrets et agiles qu'ils vous surveillent déjà quand vous les remarquez. Il y a quelques minutes, j'ai aussi observé un UberCopter. Et des hélicoptères de police qui retournaient à Sacré-Cœur, où la bombe a explosé. Avec la prime offerte et le feu nourri des médias, ils seront beaucoup plus nombreux demain, à la lumière du jour. À moins que les vents de Santa Ana se lèvent. La météo annonce de fortes rafales dans la soirée et demain, par intermittence. Je croise les doigts. Elles cloueraient ces engins au sol.

Les chaînes d'information parlent de nous en continu, à la façon d'un cataclysme météorologique – un ouragan, un blizzard ou un incendie californien si vaste et si violent que les médias se sentent obligés de lui donner un nom. Fox News surnomme notre affaire La Chasse – d'où des mèmes rimés insultants. J'ai la tête qui tourne. Naviguer sur Internet est une torture. Mais ne pas savoir est pire encore. On dit qu'il ne faut pas lire la section des commentaires. C'est vrai. J'ai envie de répondre à tous. Par exemple, j'aimerais dire sur Twitter à @D-TESTEFENTESdumal – qui propose d'insérer une bouteille cassée dans nos délicats organes reproducteurs – qu'il n'est manifestement pas sensible à l'ironie.

Et j'aimerais dire à la représentante du Texas qui a tweeté qu'il faudrait «coudre nos paupières en position ouverte et nous obliger à assister à un avortement tardif» qu'elle devrait renvoyer son coiffeur sur-le-champ. Et le type à l'origine du mot-clic #quonlesvioledabord? Il me donne juste envie de pleurer. Et? Par Twitter, le président a invité Jinny Hutsall et le révérend Jagger Jonze à un souper à la Maison-Blanche. Ce serait tordant si ce n'était pas vrai.

Notre «amie» Jinny fait le buzz, elle aussi. On raconte que les événements de ce soir ont déclenché une «Guerre sainte américaine». Salope de Jinny Hutsall. Jusqu'à ce que cette blonde avec ses bras sculptés par le yoga, son cul bien rond et ses cuisses ultrafines sous sa jupe à carreaux s'installe dans la maison voisine, il y a quelques mois, et se joigne à notre classe à Sacré-Cœur, nous étions entre nous. La Ruche. Amies depuis la petite enfance. À présent, deux d'entre nous sont les Nouvelles Cibles de la Guerre sainte. Et l'hôte du bal de ce soir, le révérend Jagger Jonze – celui qui a promis un million de dollars pour notre capture après les événements survenus dans le stationnement pendant le bal? Propulsé dans la stratosphère médiatique. Instantanément. Jagger Jonze est le mal incarné. Mais j'y reviendrai.

D'abord – la bombe. Nous ne l'avons pas posée. Et si quelqu'un avait vraiment voulu faire sauter le bal, pourquoi cibler des toilettes situées à l'autre bout d'un campus de six hectares? Ça n'a pas de sens. C'est de la folie. On nous accuse d'être des «coursières» chargées d'exécuter la sale besogne du Marché rouge. Ma mère a toujours soutenu que le Marché rouge n'existait pas. Selon elle, c'est une invention pure et simple – de la propagande menée par la malfaisante droite alternative. Je ne sais pas ce qu'il faut croire. Longtemps avant que l'avortement soit de nouveau interdit, on parlait déjà du Marché rose. Tout le monde sait qu'il existe un Marché rose qui aide les mineures à accéder aux contraceptifs, à la pilule du lendemain, aux cliniques clandestines et le reste.

Mais le Marché rouge? Une mafia qui volerait des bébés pour alimenter des labos illégaux de recherches sur les cellules souches. Même les médias en parlent au conditionnel. La rumeur veut que des représentants de la loi et des politiciens soient mêlés à ce trafic. Mais même en supposant que ma mère se trompe et que le monde soit effectivement aussi dépravé, Fee et moi ne sommes pas, n'avons pas été et ne serons jamais associées à une horreur pareille.

J'ai peur. Non, je suis terrorisée.

Quand mon père nous a quittées, j'ai eu peur. Je croyais que ma mère allait mourir de chagrin et que j'allais me retrouver seule au monde. L'année dernière, lorsque les incendies se sont rapprochés une fois de plus et que nous avons été évacuées, je me suis fait du souci pour les animaux de compagnie du voisinage et pour Mme Shea, qui vit au bout de la rue, parce qu'elle est sourde et qu'elle prend trop de pilules. Je me souviens de m'être perdue dans la section «épicerie» d'un grand magasin Target quand j'étais petite et d'avoir fixé le motif à chevron du pantalon d'un inconnu. Une sacrée frousse.

Mais là? Cette peur a de longs crocs. Je suis sur le qui-vive comme jamais dans ma vie.

Pourquoi on est des cibles?

Pas pour rien – je suis juive. Née de l'union de deux juifs canadiens, éloignés de leur religion par le droit de naissance et un mariage interreligieux, d'où le fait que je suis plus ou moins juive, moins que plus, en l'occurrence. Mes parents, Sherman et Shelley Miller, ont quitté Toronto pour immigrer (légalement) dans le sud de la Californie après leurs études de droit. Feliza, ma meilleure amie, celle qui partage avec moi l'affiche de ce film d'horreur, est aussi fille d'immigrants. Sa mère est guatémaltèque, son père mexicain. Fee est née à Tijuana la veille du jour où la famille a illégalement franchi la frontière. Autrefois, on appelait les gens dans leur situation les «Dreamers». Désormais, ce sont des *procits,* des citoyens en probation.

Nous vivons à Calabasas, petite ville célèbre *because* les Kardashian. Pour qui n'aurait pas suivi les exploits des Kardashian et lirait ces lignes de l'extérieur de notre bulle, je précise que l'endroit où nous vivons n'est pas une ville au sens usuel du mot. Calabasas est un paradis côtier qui s'étend sur un peu moins de quarante kilomètres carrés: des quartiers à accès contrôlé remplis de grandes demeures nichées dans les plis et replis de la portion nord-ouest des monts Santa Monica, que des routes panoramiques relient à des terrains de golf dignes de la PGA, à des centres commerciaux huppés et à des écoles privées hors de prix. Dans le journal local, le registre du shérif fait état de crimes comme celui-ci: «Des lunettes de soleil d'une valeur de mille huit cents dollars ont été volées dans une Maserati décapotable garée dans le pâté de maisons entre 6000 et 7000 Las Virgenes Road». À Calabasas, la cigarette est interdite. Le styromousse aussi. Les sacs de plastique. Les pailles. La malbouffe. Les déchets dans les rues. Les sans-abri. La laideur, en somme. Les affleurements rocheux, l'horizon flou de la mer et les collines couvertes par le chaparral servent de grandiose toile de fond aux photos que nous publions. Nous en publions beaucoup.

Vus de l'extérieur, nous avons sans doute l'air d'une bande de trous du cul. De l'intérieur aussi, peut-être. Nous avons trop. Nous sommes trop. Dans les écoles, les stationnements réservés aux élèves sont remplis de

BMW, de Bentley, de Mercedes et de Tesla pilotées par les rejetons des vedettes et des athlètes qui se sont établis ici pour profiter de l'air pur et des meilleures écoles – des petits génies de deuxième génération, super beaux, super doués, super riches. Les Kardashian règnent sur nous qui #bénissons à mort nos vacances à Maui et nos rutilantes voitures neuves comme si elles nous avaient été remises en mains propres par le Créateur.

Attendez. Comment se peut-il que nous soyons bénis? Si j'en crois l'éducation biblique que j'ai reçue à Sacré-Cœur, les chrétiens, en principe, reçoivent leurs récompenses au ciel. Comme les martyrs musulmans avec leurs vierges. Et les Croisés du temps jadis. Se pourrait-il que les #bénis tombent de haut en arrivant aux portes du paradis? Qu'ils aient épuisé leurs bénédictions ici-bas et n'aient plus rien à espérer dans l'au-delà?

L'au-delà? J'en ai déjà plein les bras avec le présent.

Internet déraille complètement en multipliant les références aux Kardashian et en accusant Kendal et Kylie Jenner des crimes que nous n'avons pas commis! On laisse entendre que Fee et moi nous sommes acoquinées au supposé Marché rouge *because* besoin d'argent pour soutenir nos habitudes de consommation – nos machins Balmain, nos trucs Blahnik – et rivaliser avec les Kardashian. C'est une théorie qui se tient, j'imagine. On nous compare aux jeunes de l'école secondaire d'Indian Hills qui sont entrés par effraction dans des maisons de vedettes et qui ont volé des vêtements et des bijoux appartenant à Paris Hilton, il y a de cela quelque chose comme mille ans. Pour le moment, les Kardashian s'en tiennent à «pas de commentaire». Par contre, Scott Disick, dans un tweet imbibé d'alcool, a écrit: «La petite Mexicaine est bandante.»

Voici ce que je pense. C'est de la folie, je sais. Mais je m'efforce de remonter le fil de cette histoire et je crois qu'il s'agit d'un vaste coup monté. Par Jinny Hutsall, notre Croisée fanatique chrétienne en résidence. Et l'ami de son père, le révérend Jagger Jonze.

Déjà, Jinny ne me portait pas dans son cœur parce que je suis plus ou moins juive et païenne. Puis je suis devenue une menace totale pour cette folle de Jésus psychopathe. Je connais son secret et je suis presque sûre qu'elle sait que je sais, d'où ma conviction que c'est elle et Jagger Jonze qui ont posé la bombe du bal. Et qu'ils sont aussi responsables de ce qu'on a trouvé dans ma voiture garée près de Sacré-Cœur. C'est la seule explication possible. Et Fee, dans tout ça? Une victime collatérale, ce qui me tue, parce que Fee ne mérite pas ça. La blogueuse athée et opiniâtre, c'est moi. Celle qui n'a pas pu se mêler de ses maudites affaires, c'est encore moi. Mon karma, peut-être. J'ai beau ne pas croire au karma, on se surprend à dire des trucs comme ça, non? Comme il nous arrive à nous, païens, de dire : Dieu merci.

J'ai regardé les photos de nous qui circulent sur Internet, de Fee et de moi, de nos amies, de nos proches – des images que, dans certains cas, je n'avais jamais vues. Dans ma tête, les pensées tournent en boucle. Attendez. Quoi? Un instant. Quoi? Nos amies? Bee? Zee? Dee? Nos meilleures meilleures amies? Elles se sont retournées contre nous. Elles ont pris le parti de Jinny Hutsall et hurlent avec les hordes d'accusateurs qui réclament notre capture. Sur Twitter, elles nous invitent à nous rendre ! Comment peuvent-elles faire une chose pareille? Comment nos meilleures amies peuvent-elles s'imaginer que Fee et moi avons posé une bombe, sans parler de l'autre atrocité? Je les adore, ces filles. Brooky, Zara, Delaney et Fee ont été tout pour moi – ma vie, ma famille ! –, en particulier depuis que mon père… Je croyais en elles. Il y a quelques heures encore, je n'aurais pas hésité à mettre ma vie entre leurs mains. Quelle trahison!

Nous, les filles, sommes plus que des voisines. On est des sœurs. On habite Oakwood Circle dans Hidden Oaks, à Calabasas, depuis l'époque où on bourdonnait en petites Abeilles dévotes – vêtues de t-shirts à rayures jaunes et noires – à la maternelle de Sacré-Cœur, d'où notre surnom: la Ruche. Non sans raison, quelqu'un a dit dans un mème que nous lui faisions penser à «Toutes couleurs unies» de Benetton, une campagne publicitaire antédiluvienne. Brooklyn Leon, la fille noire, superbe, athlétique; Delaney Sharpe, la rose anglaise aux cheveux roux; Feliza Lopez, la Latina sexy; Zara Rohanian, l'Arménienne aux yeux charbonneux; et moi, qui ne ressemble à rien de connu. Il arrive que de vraies personnes, qui ne sont pas mes parents, disent que je sors du lot. Au-dessus du cou, je tiens de mon père – yeux bruns, taches de son, cheveux foncés qui frisent naturellement, genre afro. Sous la cage thoracique, je suis plutôt mésomorphe, unique trait physique que j'ai en commun avec ma mère aux cheveux blonds et aux yeux verts.

Tout ce que nous savons, nous, les filles, nous l'avons appris derrière les portes de nos grandes demeures d'inspiration méditerranéenne, à côté de nos piscines à débordement aux eaux bleues, sous les dattiers en rangs, dans la chaleur du gros soleil incandescent. Nous sommes des «bi-portails»: après avoir franchi une première guérite de sécurité, où des gardiens armés appelés Marcus et Dax veillent au grain, on doit en passer une seconde pour accéder à notre cul-de-sac. Les Kardashian sont les «tri-portails» de Hidden Oaks. *Because* sécurité, le clan au grand complet est retranché dans une enceinte massive au sommet d'une colline. Presque tous les jours, nous voyons des hordes de paparazzis prendre leurs voitures d'assaut. On s'intéresse à eux comme s'ils faisaient partie de notre famille et on suivait *L'incroyable famille Kardashian* depuis quelque chose comme la troisième année lorsque Jinny Hutsall est arrivée dans Oakwood Circle. Elle les surnommait les Karda-chiens. Nous la laissions faire.

J'entends des bruits dehors. Je me dis : Du calme, ma fille, c'est le vent. Mais mon cœur continue de battre la chamade. Je dois avouer que, pour une fille qui ne croit pas en Dieu, mourir dans une guerre sainte serait d'une ironie tragique.

Fee a le souffle court. Je viens de la secouer, et elle a un peu toussé avant de réclamer de l'eau. Elle est complètement déshydratée. J'ai songé à aller cogner à la cabane de Javier, mais il nous a ordonné de ne pas sortir de la remise, et je ne veux surtout pas le contrarier. J'ai aussi eu envie de sortir jeter un coup d'œil aux alentours, mais je crains tous ces yeux dans le ciel.

— Il y a peut-être quelque chose dans la camionnette de Javier, ai-je dit. Une bouteille d'eau. Une boîte de jus.

— Va voir, a répliqué Fee d'une voix rauque.

— Les vents sont censés se lever après minuit. Le trafic aérien va cesser. Je vais en profiter pour sortir.

— Ror?

— Oui?

— On va mourir?

— Non, on ne va pas mourir.

— Ça pue, ici.

C'est vrai. La remise empeste l'essence, les rongeurs… et moi. Le sol est en terre battue, alors bonjour les bestioles. Je reviens à l'ordinateur.

— Qu'est-ce qu'on raconte en ligne, Ror?

Comme elle est trop mal en point pour entendre les détails sordides, je dis :

— *Gloire à Dieu pour les jeunes Américaines* est en tête du palmarès. Pas le palmarès chrétien. Le vrai.

Elle ne répond pas. Elle a de nouveau perdu connaissance. Il faut que je lui trouve quelque chose à boire.

J'ai peine à croire que, depuis que les événements sont devenus viraux, la minable chanson thème du Bal de la pureté américaine de Jagger Jonze soit passée de la quatre cent vingt-neuvième à la première place sur iTunes. Mon Dieu, ces paroles… *Elle est fière, elle a du chien, elle sait distinguer le mal du bien. À la tentation elle sait résister, car elle sait ce qu'il faut penser. Gloire à Dieu pour les jeunes Américaines.* Avant l'arrivée de Jinny Hutsall, nous nous moquions toutes de cette merde sexiste. Si vous n'aviez jamais entendu cette chanson, c'est aujourd'hui chose faite, et vous avez vu des clips tirés de l'émission de télé que le révérend anime le dimanche, *L'heure de la toute-puissance,* où, en t-shirt haute couture et chaussures de sport à mille dollars, il beugle d'autres airs chrétiens nuls à chier. Lucifer en Louboutin. Qui dit mieux?

Je viens de jeter un coup d'œil au site Internet de MSNBC, où on voit un portrait de toute la bande – les cinq familles de notre cul-de-sac réunies dans la cour des Leon pour un barbecue – avec, en bandeau, la mention «Image de la perfection?». En arrière-plan, on aperçoit Miles, le frère aîné de Brooky, et son groupe de musique, Lark's Head, que dirige mon béguin-plus-tellement-secret, Chase Mason. Le garçon aux cheveux longs, aux yeux tragiques et au corps musclé – le jumeau de Jésus-Christ en personne. Récemment, ma mère, selon une vieille habitude, s'est demandé à voix haute si mon béguin pour Chase ne trahirait pas une sorte de glissement freudien et si mes sentiments envers la religion ne seraient pas ambivalents. Non. C'est tout simple. Je croyais. Je ne crois plus.

Chase travaille à temps partiel à la bibliothèque de Calabasas où, depuis la huitième année, je fais du bénévolat les lundis et vendredis. Je suis dans sa *friend zone,* ce qui est le pire. Au barbecue des Leon, je me souviens de l'avoir surpris en train de m'épier derrière son micro, alors j'ai secoué ma crinière puis attrapé le hula-hoop de la petite sœur de Dee avant de me tortiller avec une sorte de, disons, fausse innocence. À bien y repenser, j'ai sûrement eu l'air moins sexy qu'en pleine crise d'épilepsie.

Ma mère, Shelley, qui vit en ermite depuis le départ de mon père, s'était arrachée à son ordinateur pour passer un moment avec nous. Au début, elle avait ri avec les autres mères et s'était chamaillée avec le père de Zara à propos du changement climatique, d'un air normal qui m'avait donné espoir. Mais pas longtemps. Avant le repas, je l'ai vue essuyer des larmes puis s'éclipser par un portail secondaire.

Mme Leon avait empilé tant de victuailles sur la table à buffet – des steaks de Kobe, d'énormes crevettes en brochettes, des salades, des pains artisanaux, des bouquets de fruits en morceaux, tous les desserts possibles et imaginables – qu'elle a craint que ses pieds cèdent. Mais on a à peine touché à la nourriture *because* les calories. Chase et Miles se donnaient à fond avec leur groupe, mais nous, les filles, ne dansions pas *because* les parents. Et quand le père de Delaney, Tom Sharpe, de Sharpe Mercedes Calabasas – une vedette locale en raison des publicités télévisées dans lesquelles on le voit saluer un client au volant d'une Mercedes décapotable en disant: «Vous avez l'air *sharp*[1]!» –, eh bien, quand

---

1. Élégant, soigné (NDT).

il a décrété que le moment était venu de «swinguer», nous avons couru dans la chambre de Dee pour publier toutes les photos de l'après-midi. C'était il y a trois mois à peine. La semaine avant que Jinny Hutsall, tel un serpent, se glisse dans Oakwood Circle.

Je m'aperçois que je porte toujours la bague de perle du bal. Je donnerais tout pour l'enlever, mais je ne sais pas où la mettre – je ne veux pas la laisser dans la remise: elle risquerait de servir de pièce à conviction. Merde. Dommage que, pendant notre fuite, elle ne soit pas tombée dans le ruisseau avec les débris de téléphones.

Fee n'a jamais eu l'occasion de passer la bague de perle à son doigt. C'est le père de Delaney, Tom Sharpe, qui lui servait de papa de substitution. À vrai dire, il lui sert de papa de substitution depuis toujours, vu que Fee n'a pas de père et qu'avec sa mère, Morena, la femme de ménage des Sharpe, elles habitent la maison des invités, derrière la piscine. Je ne suis pas fan de Tom Sharpe, mais, à ce stade-ci, je dirais qu'il est un père pour Fee plus que mon père l'est pour moi. Bref, pendant la cérémonie où on a promis de rester vierges jusqu'au mariage, M. Sharpe a tenté de passer la bague au doigt de Fee, mais la jointure s'est révélée infranchissable. Il a cru qu'il avait pris la bague de Delaney, il les a échangées, mais non. Fee a donc glissé la stupide bague dans sa pochette en métal Gucci, qu'elle a laissée au bord d'un lavabo dans les toilettes de l'école. Nul doute qu'elle a été pulvérisée en même temps que les cuvettes en porcelaine et les carreaux mouchetés. Mais pourquoi s'en faire pour une petite bague de perle?

Pauvre Fee. Elle vient de dégueuler une fois de plus. Je commence à croire qu'elle a été empoisonnée. Est-ce si inconcevable, au fond? Aujourd'hui, elle a semblé en forme jusqu'au bal, où elle a mangé de ces petites truffes en chocolat que Jinny a tenu à nous faire avaler. Et que j'ai refusées. Jinny Hutsall l'aurait-elle empoisonnée? Avait-elle l'intention de m'empoisonner, moi aussi? De m'empoisonner moi, plutôt que Fee? Jinny et Jagger Jonze s'étaient-ils arrangés pour que, au moment de l'explosion, je sois en train de chier et de vomir mes tripes dans les toilettes où elle m'avait expressément donné rendez-vous?

Une rafale pousse des virevoltants contre les murs rapiécés de la remise en métal. Rien de comparable aux vents de Santa Ana, mais des brindilles craquent, des branches crépitent. À chaque bruit, mon cœur s'arrête, et je me demande si on nous a retrouvées. Si ce que j'entends est la brise ou plutôt les bottes furtives d'un grossier membre de la brigade des homicides, d'un plouc armé d'une carabine, ou d'un col blanc muni d'un pistolet qui rêve de toucher la prime.

Je suis aussi aux aguets parce qu'on est en pleine saison des incendies. Enfin, je suppose que c'est *toujours* la saison des incendies, désormais. Aux informations locales, entre deux pauses consacrées aux tweets de la Maison-Blanche et à la guerre au Moyen-Orient, on ne parle que de la sécheresse. En plus de deux ans, nous n'avons reçu que quelques centimètres de pluie. Pendant que nous étions au premier cycle du secondaire, il y a eu un immense incendie dans le canyon derrière Hidden Oaks. Shelley et moi avons vu les flammes se dresser au-dessus des collines, embraser les squelettes noircis des chênes et des sycomores laissés pour morts après le précédent incendie, cinq ans plus tôt. On nous a donné l'ordre d'évacuer et, saisissant les boîtes et les valises que nous laissons toujours dans le placard de l'entrée, nous avons foncé vers la voiture. Nos amis d'Oakwood Circle sont restés – ils restent toujours. Pour ma part, j'étais heureuse que ma mère n'ait pas pris l'ordre d'évacuation pour une simple suggestion. J'étais terrorisée.

Si un feu se déclarait dans les collines ou que quelqu'un cherchait à nous enfumer, nous serions foutues. Je me demande s'il est douloureux de mourir asphyxiée. Si c'est comme une noyade, mais dans de la fumée? Et vous voulez que je vous dise? Le poseur de bombe a eu de la chance de ne pas embraser toute la pente derrière l'école.

Fee a une fois de plus perdu connaissance. On jurerait un cadavre. Ça va mal. Vraiment mal. Elle ira mieux demain matin. Non? On va trouver une issue. L'espoir. C'est tout ce que j'ai, alors je m'y accroche. J'espère que la vérité va triompher – je suis certaine qu'elle va triompher. C'est sûr. Non?

Je viens de jeter un coup d'œil par la fenêtre. Les lumières de la petite cabane en bois rond de Javier, devant la propriété, viennent de s'éteindre. Je me demande comment il peut dormir avec les criminelles les plus recherchées des États-Unis cachées dans sa remise à outils. Dans l'Airstream voisin, le téléviseur est toujours allumé, mais il n'y a pas de lumières. Et toujours pas de voiture ou de camionnette dans l'entrée. Pas de chiens qui aboient. Pas de coyotes qui hurlent. Juste le vent qui siffle en s'infiltrant dans la remise.

Le moment est venu, je suppose, de vous dire un mot sur Javier. C'est le cousin de notre jardinier, lui aussi prénommé Javier, voilà pourquoi je me suis souvenue de son nom. Le Javier qui n'est pas notre jardinier habite dans ce parc d'une demi-douzaine de cabanes et de caravanes sur un plateau de mauvaises herbes dans les collines, à quelques kilomètres de la côte. C'est un ancien client de mes parents et, il y a quelques années, je suis venue ici avec eux pendant qu'ils distribuaient des paniers de Noël.

Autrefois, mes parents étaient avocats spécialisés en droit de l'immigration et ils donnaient gratuitement un coup de main à des *procits,* des citoyens en probation : ils aidaient les nouveaux arrivants à s'installer dans le secteur en recueillant de la nourriture, des vêtements, du matériel électronique, ce genre de choses. Du temps où mes parents étaient des âmes sœurs et faisaient de bonnes actions ensemble, notre chambre d'amis était occupée pendant des semaines par des étrangers à l'odeur poivrée et aux valises poussiéreuses.

Tandis que, dans la voiture, j'attendais que le Cabinet d'avocats Miller répande réconfort et joie, j'ai remarqué que les lieux semblaient familiers. Puis j'ai compris que la cabane se trouvait juste de l'autre côté du pont branlant qui enjambe une profonde crevasse à mi-parcours de notre circuit de cross-country, long d'une douzaine de kilomètres. Mon école se trouve en face. Lorsque la bombe a explosé, Fee et moi avons détalé: on s'est enfoncées de plus en plus profondément dans les broussailles, et la cabane a été le seul endroit auquel j'ai songé.

Une fois, alors que je courais en solitaire, il y a environ un an, je me suis arrêtée derrière la remise où nous nous trouvons en ce moment pour faire pipi. J'ai jeté un coup d'œil à la petite cabane et à la caravane voisine, mais je n'ai vu personne. Pas de véhicules dans l'allée en gravier. Pas d'enfants jouant dans la cour négligée. J'ai baissé mon short et je me suis accroupie, et là, un énorme pitbull noir sorti de nulle part a foncé vers moi en grognant et en aboyant, comme s'il allait me tuer pendant que je pissais. Il était à moins de deux pas de moi lorsque la chaîne rouillée fixée à l'Airstream l'a ramené d'un coup sec vers l'arrière.

Sur le sentier rocailleux qui me ramenait vers l'école à travers les collines, j'ai songé à ce pauvre chien et aux atrocités qu'il avait dû subir pour devenir aussi méchant. Ce soir encore, tandis qu'on s'approchait de la cabane, j'ai pensé à ce pitbull. En traînant Fee sur le pont branlant, puis dans les broussailles conduisant à la clairière, j'ai balayé les environs du regard et tendu l'oreille, mais nous n'avons rien entendu.

Fee et moi n'étions pas chaudes à l'idée de réveiller le cousin de notre jardinier, autrement dit un inconnu, pour lui demander son aide. Alors imaginez notre soulagement quand on a aperçu la lueur d'une télé dans son petit salon.

En m'approchant, j'ai senti une immonde puanteur et j'ai songé: Non, faites que ce ne soit pas le pitbull. Puis je me suis rendu compte que c'était moi qui sentais mauvais – de vilains effluves de transpiration mêlés à l'odeur de casserole en cuivre de mon sang. C'est que je pissais le sang, il dégoulinait sur mes jambes et, sous ma robe, s'accumulait dans mes chaussures de sport. Quelque part entre les cocktails sans alcool et l'explosion, mes règles avaient débuté, preuve peut-être de l'existence de Dieu et du sens de l'humour tordu qu'Elle possède.

Tandis qu'on s'approchait à pas de loup, j'ai craint que les coups de vent ne portent les remugles de mes menstrues aux narines du chien démoniaque. Si cette bête se mettait à aboyer, les voisins allaient sortir et nous apercevoir, ou bien les policiers à nos trousses risquaient de l'entendre.

La porte moustiquaire de la cabane de Javier était ouverte, mais on ne voyait personne à l'intérieur. Plus près, on a entendu des voix en provenance du téléviseur. Le commun des mortels ne s'attend pas à voir sa binette au petit écran et, au moment où j'écris ces lignes, l'incident me semble encore irréel.

J'ai mis une seconde à comprendre que les voix que Fee et moi entendions étaient les nôtres. Sur le seuil de la cabane, à travers la porte moustiquaire, on s'est vues dans un montage photo de la soirée: nos papas en smoking blanc nous serraient contre eux dans nos jolies robes blanches avec, en toile de fond, une chute d'eau. Romantique et tordu *because* papa. Puisant dans les interviews réalisées quelques semaines plus tôt, pendant la séance d'orientation préalable au bal, ils ont montré mon visage en gros plan, taches de son comprises. J'évoquais la popularité grandissante des bals de la chasteté et l'occasion que les cérémonies offraient aux pères et aux filles de se rapprocher. Après m'être entendue, je comprends mieux pourquoi la Ruche me reproche d'affecter un accent britannique quand j'essaie de passer pour une fille intelligente. «Je pense que l'expérience du Bal de la pureté américaine va changer ma vie», ai-je conclu.

Je ne croyais pas si bien dire. Mais quelle hypocrite, quand même.

On a ensuite vu le visage de Jinny Hutsall remplir l'écran, ses longs doigts écarter ses cheveux satinés de ses yeux bleus de poupée en expliquant que le révérend Jagger Jonze et le Bal de la pureté américaine avaient transformé le regard qu'elle posait sur sa vie de femme. Sur ce plan, j'ai des raisons de la croire. Elle a dit: «Le Bal de la pureté américaine m'a donné la force d'être brave à une époque où le pays a, plus que jamais, besoin de héros.» Là-dessus, elle s'est léché les lèvres à la façon d'une star du porno avant d'ajouter: «Mon père est d'avis que je vaux qu'on m'attende. Le vôtre aussi.»

Le présentateur a interrompu la vidéo avec une nouvelle de dernière heure. Un témoin affirmait nous avoir vues monter à bord d'une Honda bleue dans le stationnement d'un Starbucks de West Hills. Un autre nous avait aperçues dans une Escalade noire fonçant sur l'autoroute 405 sud en direction de l'aéroport. On a ensuite vu les dommages causés par la bombe à Sacré-Cœur – des camions de pompiers partout, des hommes en uniforme noir guidant des bergers allemands qui grondaient d'un air féroce autour des ruines fumantes des toilettes. Puis le ruisseau peu profond où on a enterré nos téléphones fracassés est apparu. On se regardait, Fee et moi, l'air de dire : C'est pas vrai, c'est pas vrai. Et pourtant... Nous faisons la manchette. Nous sommes la sensation du moment.

J'ai gratté la porte dans l'espoir que les enfants de Javier ne nous entendraient pas, car nous avions franchement l'air des fiancées de Frankenstein, surtout moi, mais je priais, enfin je souhaitais que sa femme soit debout : en plus de demander à de parfaits inconnus de cacher deux adolescentes accusées d'avoir fait sauter leur école et d'être à la solde du Marché rouge, j'avais besoin de serviettes hygiéniques subito presto.

Puis on a entendu une brindille craquer derrière nous. On s'est retournées lentement. Il y avait un homme armé d'une carabine, l'air nerveux en diable. Voici un aperçu de notre conversation :

— Vous savez qui nous sommes ?

Il s'est contenté de nous fixer.

— *Es tú Javier ? El primo de Javier* le jardinier ?

— *Sí.*

Il a bientôt constaté que nous n'étions pas armées, contrairement à ce qu'on affirmait dans les médias. On n'avait sans doute pas l'air très menaçantes parce qu'il a baissé sa carabine.

— On dit que vous avez *detonado una bomba.*

Nous nous parlions dans un mélange d'anglais et d'espagnol.

— Nous n'avons pas *detonado* de bombe, monsieur. Croyez-moi, *por favor.*

Il avait un accent lourd comme la mort.

— Les Vauriennes en Versace.

Jouant mon unique carte, j'ai dit :

— Sherman et Shelley Miller *son mis padres.*

— *Rory. Te conozco,* a dit Javier en parcourant des yeux les environs, au cas où il y aurait des chasseurs de primes dans les bois ou des véhicules sur la route de montagne.

— *Por qué vienes aquí?*

— Nous ne savions pas où aller.

— Nous n'avons rien fait de ce qu'on nous reproche, monsieur, a dit Fee.

Elle ne parle pas un mot d'espagnol. Sa façon de se rebeller.

— Il faut nous croire.

Il nous a crues. Je l'ai vu sur son visage. Il nous a fait signe d'entrer. Pour qu'au moins on ne nous repère pas du haut des airs.

— Je suis venue ici il y a quelques années avec *mi mami y papi* pour apporter *navideños a su familia,* ai-je dit lorsqu'il a refermé la porte moustiquaire derrière nous. Merci. *Muchas gracias.*

— Non, a-t-il répondu en secouant la tête. Vous n'auriez pas dû venir. *Muy peligroso.* Pour moi. Pour vous. *Ustedes deben entregarse a las autoridades.*

Fee m'a saisie par le bras.

— Qu'est-ce qu'il dit? Qu'est-ce qu'il dit?

— Que nous devrions nous livrer aux autorités.

Secouant toujours la tête, il a ajouté :

— *La recompensa.*

— Nous sommes au courant pour la prime. Nous avons vu ça sur nos téléphones avant de nous en débarrasser.

— Un million de dollars.

Un grand fracas a retenti du côté de la caravane voisine. Un seau en métal emporté par le vent? Un raton laveur? Le pitbull enragé, peut-être? Ou pire, son maître? Javier est resté un long moment silencieux à observer l'Airstream depuis l'embrasure de la porte, jusqu'à être sûr de l'absence de danger immédiat, puis il s'est tourné vers nous et a dit:

— Vous ne pouvez pas rester ici.

— Nous ne pouvons pas nous livrer, monsieur Javier. Avec la prime et tout le reste...? Nous devons attendre que les choses se tassent et que les gens retrouvent leurs esprits, non? Tous ces chasseurs de primes, sans parler des Croisés...

Il a hoché la tête.

— En qui pouvons-nous avoir confiance? La police? *Hay una razón por la que los llaman* les «gâchettes faciles».

Il a hoché la tête.

— S'il vous plaît. Laissez-nous rester. Jusqu'à demain, le temps de décider ce qu'on va faire. Mon amie? *Feliza está muy enferma.* On a *corriendo a través de las colinas para siempre.* On pourrait avoir un peu d'*agua?* Et un téléphone pour appeler ma mère?

— Ta *mamá* est *detenida,* a dit Javier. Arrêtée.

Attends. Quoi?

— La sienne aussi, a ajouté Javier en montrant Fee. Morena Lopez. La Guatémaltèque.

— Pourquoi a-t-on arrêté ma mère? a demandé Fee. Qu'est-ce qu'elles ont fait, nos mères?

Fee était en état de choc.

— *Los documentos de inmigracíon fueron expirados,* a répondu Javier en haussant les épaules.

Rien à ajouter.

— Mon Dieu! s'est écriée Fee. Elle va me tuer.

— Et ma mère?

Après avoir pris le temps d'épier mon visage, Javier a dit:

— On la soupçonne.

— De quoi?

— On dit qu'elle t'a aidée à fabriquer la bombe. On dit qu'elle est impliquée dans le *Mercado rojo*. Le Marché rouge.

— Bon, OK, c'est fou. Complètement fou. Je ne crois pas au Marché rouge. Il n'y a même pas de preuve qu'il existe.

— Je ne la crois pas capable de ça non plus, a dit Javier.

C'est pourtant évident. Doux Jésus, depuis trois ans, c'est à peine si Shelley est sortie de la maison! Est-ce parce qu'elle a accompagné tante Lilly à une manifestation et qu'elle a crié: «Touche pas à mon utérus»? Parce qu'elle a conseillé un organisme qui aide les victimes de viol et d'inceste à se faire avorter? On l'accuse de se livrer au trafic de tissu fœtal et de vendre des bébés au profit du Marché rouge? Sans blague?

— Et mon père? ai-je demandé. Il est détenu, lui aussi?

Javier a secoué la tête.

— La police dit que M. Sherman collabore à l'enquête.

Il collabore à l'enquête? Depuis la huitième année, c'est à peine si j'ai vu mon père. Des sushis quelques fois l'an, uniquement parce que ma mère me soudoie avec des produits Sephora. Je ne peux pas le regarder, lui, l'âme sœur de ma mère – c'est ce qu'il répétait tout le temps –, sans voir le plus grand hypocrite du monde. Je hais les hypocrites par-dessus tout. Et il est le pire de tous. Un menteur congénital. Mon père ne sait plus rien de moi. Comment pourrait-il collaborer à l'enquête?

— Ne prévenez pas mon père, s'il vous plaît, ai-je dit à Javier.

J'étais sûre que Javier était au courant pour mes parents. C'était de notoriété publique. Après la séparation, Sherman a épousé une demi-vedette, et ses noces ont été une demi-nouvelle.

Javier a hoché la tête.

— Je ne vais pas téléphoner à ton papa.

— On peut rester?

Il a montré la cour.

— Dans la remise. Cette nuit seulement. Si quelqu'un vient, si on vous trouve… *Nunca he visto.*

— *Gracias,* ai-je dit. Javier, pardon de… mais il faut que je… Votre femme est debout?

Il m'a dévisagée d'un drôle d'air.

— Ma femme? *No está.* Elle a été expulsée.

Merde. Quelle tristesse. Sans compter que ma prochaine question allait être super embarrassante. Parce que je voyais mal comment faire comprendre à notre sauveur que j'avais un urgent besoin de serviettes hygiéniques et que je me demandais si sa femme expulsée en avait laissé dans la salle de bains.

J'ai jeté un coup d'œil à Fee qui, pâle comme la mort, se tenait le ventre à deux mains. Je pouvais compter sur elle pour me sauver les fesses. Bon, pas exactement les fesses en l'occurrence, mais pas loin. Ensemble, nous avons tenté quelques mots d'espagnol: *femme – chiffon – serviette – sang*. Mais pas dans cet ordre.

Posant sur Fee un regard sévère, Javier a dit:

— Tu ne parles pas espagnol?

Fee a secoué la tête d'un air tragique.

— *No hablo español.*

Je lui ai expliqué la situation en espagnol, mais, pour les besoins de la cause, je vais traduire ici.

— Sa mère est femme de ménage et Feliza a grandi dans une famille anglophone. Avec nous, à Hidden Oaks. Elle ne parle pas beaucoup espagnol.

Quand même, Fee s'est rappelé le mot espagnol pour «pansement».

— *El vendaje,* a-t-elle proposé en me montrant du doigt.

À mon tour, je me suis souvenue d'un mot.

— *Putacachuca.*

Des années plus tôt, mes parents avaient défendu une femme qui avait tiré une balle dans le pied de son mari parce qu'il l'avait traitée de sale *putacachuca*. En entendant le mot, ma mère avait cru qu'il s'agissait d'un terme mignon pour parler d'un chat. Ah, maman.

Pour être bien sûr de ne pas avoir mal entendu, Javier m'a fait répéter – par deux fois:

— *El vendaje para la putacachuca?*

Traduction approximative: un pansement pour ma chatte de putain. Puis Javier a consulté le ciel, noir et vide, hormis la lune et les étoiles, avant d'ouvrir la porte moustiquaire et de montrer la remise.

— Filez.

Nous avons couru.

Il aurait pu être un homme riche. Il n'aurait eu qu'à nous tirer dessus ou à nous ligoter avant de prévenir les autorités, au lieu de nous donner refuge chez lui, même si c'était seulement dans sa remise crasseuse. Il a attendu que l'hélicoptère de recherche décrive un arc de cercle au-dessus de la montagne, puis se dirige vers la plage, avant de courir jusqu'à la remise avec deux vieilles couvertures, un paquet de petits biscuits salés, deux bouteilles d'eau et un rouleau d'essuie-tout sur lequel il ne restait que, allez, cinq feuilles archiminces. Sa femme n'avait donc pas de réserves de *vendaje para la putacachuca*.

Avant de refermer la porte, Javier nous a prévenues qu'il ne fallait, sous aucun prétexte, sortir de la remise. Puis, indiquant l'Airstream argenté du voisin, il a ajouté :

— Il ne faut pas qu'il vous voie.

Fee et moi avons descendu les bouteilles d'eau d'une traite. Fee a aussitôt tout vomi. Un gâchis mousseux s'est formé sur le sol, à côté de nous.

J'étais sur le point de pleurer pour la première fois de la nuit, *because* la remise, les menstruations, la détention de ma mère et le dégueulis de Fee, quand la porte s'est rouverte. J'ai eu une peur bleue. C'était Javier. Il m'a tendu l'ordinateur portable rose sur lequel je tape en ce moment.

— Le signal parvient jusqu'ici. *Puede ver todas las noticias*. Mieux vaut savoir. N'essayez pas de contacter qui que ce soit. *No use sus medio sociales*. On pourrait remonter jusqu'à vous.

Je me suis dit que l'ordinateur appartenait à l'un de ses enfants, *because* rose. En l'ouvrant, j'ai vu un autocollant du Cabinet d'avocats Miller sur lequel le mot de passe était écrit au feutre indélébile. *America321*. Cadeau de Sherm et Shell. Le hasard fait bien les choses.

Fee vient de soulever la tête. Elle m'a demandé de cesser de taper parce que le bruit lui fait mal aux oreilles.

— J'ai tellement soif, Ror.

— Je sais.

— Mais qu'est-ce qui arrive?

Que lui répondre? Aucune idée.

— Tout va bien, Fee. Essaie de dormir. Tu te sentiras mieux demain matin. On va trouver une solution. Je veille toujours sur toi, pas vrai?

Fee a hoché la tête et fermé les yeux. Avant de perdre à nouveau connaissance, elle a chuchoté:

— Malibu Sunset.

J'ai ri, comme toujours à l'évocation de notre secret le plus sombre, puis j'ai eu un haut-le-cœur. Quand nous étions en sixième année, Fee a empoché un rouge à lèvres dans la pharmacie du centre commercial. Nous faisions des courses pour la mère de Fee, qui faisait des courses pour Tom Sharpe. J'ai compris ce que Fee avait fait seulement après que le gardien de sécurité au crâne dégarni nous eut attrapées par le bras et entraînées dans un minuscule cagibi sans fenêtre, au fond du magasin. Il a ordonné à Fee de vider ses poches et elle a posé le tube doré sur le bureau. Le vieux type a saisi le rouge à lèvres, l'a retourné et a lu «Malibu Sunset» sur l'étiquette collée sous le tube. Il a secoué la tête d'un air consterné en disant qu'il n'avait d'autre choix que d'alerter la police et nos parents. C'était la politique du magasin. Il s'est assis derrière son bureau et il a sans doute appuyé sur un bouton, car la porte s'est verrouillée derrière nous.

Tremblantes, nous avons attendu, tandis que le type nous regardait nous liquéfier. Il a fini par dire :

— Je préférerais ne pas vous causer de gros ennuis pour un simple rouge à lèvres, les filles. Vous pourriez faire quelque chose pour m'en dissuader?

J'ai sorti de ma poche le billet de cinquante dollars que j'avais pris dans mon coffre à bijoux avant de sortir. À onze ans, je comprenais déjà très bien l'extorsion.

Le vieux type a mis l'argent dans sa poche de poitrine et a dit qu'il laisserait la police en dehors du coup, mais qu'il allait quand même prévenir nos parents.

— À moins, a-t-il dit, que vous ayez autre chose à m'offrir.

Fee et moi, on a échangé un coup d'œil. On n'a même pas eu besoin de se consulter. Faisant face au vieux cochon, on a soulevé nos chemises et exposé pendant trois secondes nos tendres poitrines sous nos petits soutiens-gorge en coton. Lorsqu'on a baissé nos chemises, le type a appuyé sur le bouton. La porte s'est déverrouillée, et on a détalé. On a traversé en courant la pharmacie et le centre commercial, puis le stationnement, jusqu'à la voiture déserte de Morena où, sur la banquette arrière, on a ri comme des folles en imitant sa façon de prononcer «Malibu Sunset» d'une voix traînante. Le «caca boudin», comme Fee appelait les sentiments, viendrait plus tard. Cette nuit-là, dans mon lit, j'ai pleuré pour avoir trahi mes lolos.

On n'a jamais parlé à nos parents du vieux pervers de la pharmacie. On aurait été obligées de révéler les motifs de notre présence dans le cagibi sans fenêtre. On n'a rien dit aux autres filles: elles auraient jugé Fee. Je n'ai jamais demandé à Fee ce qui l'avait poussée à piquer le rouge à lèvres puisque j'avais de l'argent et que je l'aurais volontiers acheté pour elle. «Malibu Sunset» était devenu le nom de code qu'on utilisait chaque fois que de la merde nous tombait dessus.

Cet ordinateur me sauve la vie. Pouvoir rendre compte de ce qui se passe là, maintenant? En temps réel? Sans parler de l'accès à l'information. Le savoir, c'est le pouvoir, rien de plus vrai. La situation a beau être désastreuse, je n'arrive même pas à imaginer comment je me sentirais si j'étais là dans le noir.

Sherman Miller. Mon maudit père collabore avec les enquêteurs. En ce moment, c'est ce qui m'obsède.

J'ai jeté un coup d'œil en ligne, mais Sherman ne clame pas mon innocence, il ne supplie pas les gens de baisser leurs armes. Comment diable les aide-t-il? En trahissant ma mère sans vergogne, comme lors de la séparation? Car c'est bien ce qu'il a fait. Il l'a trahie, poussée sous une voiture, puis il lui a roulé dessus, marche avant marche arrière, jusqu'à ce qu'elle soit tout aplatie, comme dans les dessins animés.

Je venais d'entrer en huitième année quand mon père s'est éclipsé peu à peu. Il a commencé à s'absenter beaucoup; quand il était à la maison, il se montrait distant et distrait. Le soir, il sortait fumer un cigare sur le patio. J'entrouvrais la fenêtre de ma chambre pour l'entendre se confier à des amis, à des associés, à des clients et à des proches:

— Shelley a perdu la boule. Elle raconte n'importe quoi. Elle m'accuse de la tromper! Celle-là, c'est la meilleure ! À mon avis, c'est la ménopause. Elle ne dort plus. Elle mange à peine. Je me fais du souci pour elle et pour Rory. Tout ça l'affecte, évidemment.

Bref, mon père jouait un jeu tordu, et fascinant.

La vérité, c'est qu'il trompait bel et bien ma mère. Et que, au moment même où il prétendait se faire un sang d'encre pour elle et sa ménopause, il susurrait des mots doux à l'oreille de sa maîtresse. J'ai tout entendu, jusqu'au moindre détail dégoûtant, mais je n'en ai parlé à personne. Pas à ma mère. Ni même à Fee. Je ne voulais pas rompre le charme. Je ne voulais pas que Sherman cesse de roucouler sous ma fenêtre, même si ça m'écœurait et que j'ai ni plus ni moins cessé de m'alimenter. Je voulais savoir la vérité – j'en avais besoin, comme d'une drogue.

Ma mère était au courant. En tout cas, elle avait des soupçons, assez précis pour fouiller dans les tiroirs du bureau de Sherman, ses poches de manteau, son téléphone et son ordinateur pendant qu'il dormait. Elle a ainsi découvert des textos, des photos, des notes d'hôtel et des petits mots parfumés signés Boules en sucre. Je n'ai toujours pas digéré ce surnom répugnant. J'ai entendu ma mère dire au téléphone à Lilly, sa sœur :

— J'ai l'impression que ma vie est un mensonge.

Ces mots m'ont fait l'effet d'un séisme. Si sa vie était un mensonge, la mienne aussi.

Un dimanche matin, tandis que tout le voisinage était à l'église, Shelley a révélé à Sherman qu'elle savait. Depuis le palier, j'ai tout entendu. Mon père s'échauffait tant que j'ai cru que sa fureur embraserait les rideaux. Les preuves étaient étalées devant eux sur la table basse en verre, mais il a traité ma mère de folle. *Folle*. Ce mot. Maintes fois répété. Shelley était cinglée, et Sherman, victime d'une injuste persécution. Le manège a duré des semaines : par la bouche de la climatisation qui reliait ma chambre à la leur, j'ai entendu Shelley poursuivre implacablement son instruction et Sherman se défendre gauchement. Soir après soir, cachée derrière les rideaux de ma fenêtre, je retenais mon souffle pour ne pas sentir l'odeur de ses cigares cubains et la puanteur de ses mensonges. Hystérique/théâtrale/instable/amère. Il a déballé tous les stéréotypes associés à la féminité. « Elle est devenue malveillante. J'ai l'impression qu'elle frôle la psychose. »

Sherman est parti moins de deux mois après que Shelley eut découvert sa non-aventure parce que, comme il l'a claironné à qui voulait l'entendre, les folles accusations de son âme sœur étaient intolérables. Il a aussi dit à ma mère que sa fragilité émotionnelle était mauvaise pour les affaires et il lui a demandé de ne plus venir au cabinet. Elle a obtempéré. Au lieu de réagir en avocate – de faire ce qu'elle aimait, en somme –, elle a élu domicile sur le canapé, où elle buvait de la vodka dans une tasse à café, s'enfilait des reprises de *Dr. Phil* et pleurait sur le sort de toutes les épouses trompées. Après s'être rendu compte qu'elle avait été la dernière à savoir – bonjour le cliché – et en avoir vu la preuve sur les visages des voisins, elle a cessé de les fréquenter. En plus, les papas sont restés copains-copains avec Sherman. Le premier samedi du mois, il revient rôder dans le cul-de-sac pour la soirée de poker qui se tient chez Big Mike Leon. J'ai entendu ma mère demander à tante Lilly pourquoi aucune de ses amies ne l'avait prévenue.

— Ce sont mes amies, Lilly. Si, si, je t'assure.

Ma mère n'a pas fait de psychose. Elle mettait des vêtements propres et peignait ses cheveux presque tous les jours. Elle préparait des repas auxquels ni elle ni moi ne touchions, m'interrogeait sur l'école et la

Ruche, m'emmenait au centre commercial, assurait le covoiturage et faisait les courses quand il le fallait. Mais la plupart du temps, j'avais envie de claquer des doigts pour lui rappeler mon existence. Ou la sienne. Elle était gauche, agitée. Elle ratait des marches, sautait des étapes, comme si son système d'exploitation était bogué. Physiquement, elle ressemblait à ma mère mais, ainsi que tante Lilly l'a constaté un jour qu'elle était venue de Vancouver, la Shelley Miller que nous connaissions s'était éteinte. Il n'en restait qu'une petite étincelle.

Deux ou trois semaines après nous avoir quittées, Sherman a emménagé avec Boules en sucre – l'actrice aux grandes dents qui lèche des culs velus dans des films d'UPtv. Peu après, il a fermé le cabinet pour aller travailler avec le père de l'actrice dans une entreprise chrétienne de divertissement du boulevard Wilshire, une de ces sociétés qui produisent des films édifiants à propos de Dieu. Fait hilarant, mon père athée est allé jusqu'à se convertir au christianisme. Sherman Miller a même été baptisé dans une église de centre commercial d'Orange County. Aussitôt signés les papiers du divorce, ils se sont mariés à Montecito. J'ai refusé d'assister aux noces, et Sherman a accusé Shelley de m'avoir montée contre lui.

Pauvre Shelley. Sa confusion me brisait le cœur. Et, franchement, elle me tapait royalement sur les nerfs à cause de son incapacité à décoder les événements les plus évidents. Au début du trimestre, dans notre cours d'introduction à la psychologie, nous avons appris le terme *dissonance cognitive* – la confusion qui règne chez quelqu'un dont les croyances et la compréhension de la vie ne collent pas avec ce qui se passe sous son nez. L'infidélité de mon père. La Guerre sainte américaine. Dissonance cognitive. C'est bon, j'ai compris.

Tante Lilly, la petite sœur de ma mère, a été sa conseillère et sa thérapeute, car elle a été trompée, elle aussi. Lilly comprend ce qu'elles appellent la Déflagration. Apparemment, il existe un jargon des victimes de trahison. J'espère ne jamais l'apprendre. Tout ce que je veux dire, c'est que, malgré de nombreuses preuves du contraire, les garçons ne sont pas tous des salauds et des tricheurs. Je pense qu'il existe des représentants de l'espèce masculine capables de ne pas tromper leur partenaire. Seulement, je risque de devoir déménager pour en trouver un.

Encore heureux que ma mère ait pu compter sur tante Lilly. Les premiers jours, en particulier, j'ai été soulagée de la voir débarquer chez nous parce que je ne supportais plus que Shelley s'arrête au milieu d'un repas et dise des choses comme :

— Tu te rappelles, Rory, quand ton père prenait mon visage entre ses mains et me disait : « Tu es à moi, Shelley Miller. » Il le faisait, oui ? Non ?

On aurait dit qu'elle ne se fiait plus à la réalité. Que vouliez-vous que je réponde ? Ouais. Je m'en souviens, Shell. Vrai, Sherman faisait tout le temps ce genre de choses. J'adorais ces petits jeux kitsch et cucul entre eux. J'y croyais.

Shelley a passé la première année à pleurer. Elle se mettait à brailler irrépressiblement, sans crier gare. Je l'ai entendue dire à tante Lilly que c'était comme des *pleurgasmes* – des vagues de douleur intense et déchirante qui lui traversaient tout le corps. Mais franchement ? Âme sœur. Âme sœur ? Quelle idée risible, d'une tragique naïveté. De qui se moque-t-on, ici ? *Tu es à moi. Je suis à toi.* Des mots. Mon père voulait le beurre et l'argent du beurre. À la fin, il a préféré le cul de la jeune actrice à celui de l'âme sœur vieillissante.

Tante Lilly, abandonnée par son mari le jour de leur cinquième anniversaire de mariage pour une fille qu'il avait rencontrée en ligne, soutient que les personnes comme Sherman et son ex – toutes les personnes infidèles, et pas uniquement les hommes – se rendent coupables de fraude amoureuse. À son avis, on devrait créer des prisons pour ce genre d'infractions. Au nom de quoi les types qui mentent et trompent en affaires doivent-ils indemniser leurs victimes, tandis que ceux qui trompent leur femme s'en tirent impunément? Je vois où elle veut en venir, mais l'idée d'une prison pour fautes morales m'effraie.

Mais à bien y réfléchir... Sherman a commis un meurtre. Il a tué quelque chose d'essentiel chez ma mère. Incendie volontaire, aucun doute là-dessus. Il a mis le feu à ma famille. Vol qualifié? Il m'a pris mon innocence, qui n'a rien à voir avec ma virginité.

Lorsque Sherman nous a quittées, je me suis tournée vers Dieu. Je croyais encore, à l'époque, comme le reste de ma Ruche. Chaque jour pendant des semaines, je me suis rendue à la chapelle, où j'ai prié pour le retour de mon papa. Pour la guérison du cœur de ma maman. Pour que Boules en sucre caramélise dans une fournaise ardente. Comme mes prières restaient sans réponse, je me suis énervée. J'aurais mieux fait de miser sur des poupées vaudou et de m'en remettre aux dieux durs à cuire de la *santería*. En tout cas, je n'ai pas réussi à me faire entendre par le Dieu des chrétiens. Fidèle à Son habitude, Il était sans doute accaparé par les grandes manifestations sportives.

Au bout d'un certain temps, ma mère et moi avons cessé de parler de mon père, sauf quand elle me priait d'aller manger avec lui dans l'espoir qu'il me tendrait enfin un chèque de pension alimentaire en me raccompagnant après Sushi Planet. Il est un peu mauvais payeur. Il néglige ses responsabilités. Dieu merci, Shell, après le divorce, a obtenu la maison. Dieu merci, elle ne l'a pas vendue. Je sais qu'elle voulait déménager. Tante Lilly ne comprend pas pourquoi nous sommes restées à Hidden Oaks. Elle souhaitait que nous rentrions au bercail. Par «bercail», elle entendait le Canada.

— C'est trop, et c'est trop tôt, avait répondu Shelley.

Si je perdais tout d'un seul coup – mon père, ma maison, mes meilleures amies –, je mourrais, elle en était sûre. Elle m'a fait passer en premier. Comme toujours.

Depuis quelques mois, ma mère travaille à partir de la maison. Elle passe des heures devant son ordinateur. En tout cas, je pense qu'elle travaille. Elle dit qu'elle donne un coup de main à une ancienne collègue en lui fournissant des conseils en droit de l'immigration. Elle ne parle presque jamais au téléphone, sauf à tante Lilly. Dernièrement, je l'avoue, j'ai un peu évité ma mère *because* la tristesse. Je. N'en. Peux. Plus.

Après une pause, je retourne en ligne.

Sur Internet, Jinny Hutsall et Jagger Jonze ont toujours la cote. Personne ne dort ou quoi?

People Online vient de les sacrer «chrétiens les plus sexy du monde». Grâce à ses cheveux, ses lèvres, ses pommettes et sa voix, le révérend Jagger Jonze n'aurait aucun mal à convaincre le monde qu'il est le second avènement du Christ.

Est-ce bien ce qu'il a en tête? *Gloire à Dieu pour les jeunes Américaines* se maintient au sommet du palmarès. Les gens écoutent cette merde par dérision, pas d'autre explication possible. Et Jinny Hutsall? Sur tous ces clichés hyper léchés, dans son éblouissante robe

Monique Lhuillier blanc cassé, toute tachée de sang? «Beauté céleste», «Âme lumineuse», «Jeanne d'Arc des temps modernes». Les médias parlent d'eux comme du «duo divin». Des «élus de Dieu». Des «sauveurs sensuels».

Jinny Hutsall? Cet horrible cauchemar a débuté quand elle a débarqué dans Oakwood Circle, portée par les vents de Santa Ana, surnommés les vents diaboliques. C'était le deuxième dimanche de septembre.

Nous l'avions attendue – la nouvelle fille de notre classe. Pendant des semaines, des camions chargés de caisses, de boîtes, de malles et de meubles protégés par du plastique avaient défilé. Jinny Hutsall était absente des médias sociaux, fait qui nous avait intriguées, mais, par les temps qui courent, de nombreux parents interdisent à leurs enfants d'ouvrir des comptes, et ceux-ci doivent le faire sous de faux noms. On ne s'en est pas inquiétées outre mesure.

Tout ce qu'on savait, c'est que les Hutsall arrivaient de Chicago. Nos parents, ma mère y compris, étaient curieux, surtout après avoir googlé la valeur nette de Warren Hutsall. Super fortune. Super réseau. Le roi de l'import-export, mais aussi un type secret et mystérieux. Ma mère, ayant déclaré qu'il était du genre à avoir trois portails plutôt que seulement deux, s'est demandé ce qui poussait cet homme à vivre en indigent au milieu de la plèbe. Bien vu, maman.

Un dimanche comme tant d'autres, alors que nous, les filles, traînions dans ma chambre, Delaney a jeté un coup d'œil dehors.

— Mon Dieu, les nouveaux voisins, a-t-elle lancé.

On s'est ruées vers la fenêtre pour voir la limousine s'engager dans le cul-de-sac. Il ne s'est rien passé pendant un long moment. On allait devenir folles quand le chauffeur a enfin ouvert la portière arrière côté passager.

Une longue jambe en a suivi une autre, puis Jinny Hutsall est sortie de la voiture. Elle était seule, détail qui nous a semblé un peu bizarre. Tout le reste était irréprochable – longs cheveux blonds, silhouette mince et pulpeuse à la fois, immenses yeux bleus, lèvres roses et charnues, tout petit nez absolument parfait.

— On dirait une poupée gonflable, a chuchoté Brooky.

Le visage plaqué contre la vitre, nous avons vu Jinny jongler avec son grand fourre-tout Louis (le petit nom de Vuitton) et un tas de sacs de boutiques de luxe. Sans doute a-t-elle senti notre présence, car elle a levé les yeux. On a retenu notre souffle. Elle a souri et agité la main.

Zara a ouvert ma fenêtre et a crié :

— Attends !

On n'a pas caqueté à coups de « Oh mon Dieu ! Oh mon Dieu ! » ni pris le temps de discuter de l'accueil, chaleureux ou hostile, qu'on allait lui réserver. Rien sur les conséquences de l'arrivée de Jinny Hutsall sur notre sororité. Zéro stratégie. Les autres ont dévalé les marches de notre escalier en colimaçon et se sont déversées dans la rue. Moi, je suis restée en retrait, freinée par de paralysantes vagues de panique. Le rythme de mes pas était comme souligné par une trame sonore au suspense haletant.

Quand je suis arrivée, les abeilles de la Ruche bourdonnaient déjà autour de la nouvelle. *Nous sommes tellement excitées que tu sois là ! C'est le nouveau fourre-tout Louis ? Laisse-nous te parler de Sacré-Cœur. On va t'aider à rattraper ton retard.* Je suis restée à l'écart pour l'examiner de plus près. Pas de maquillage. Mais ces cils ? Des extensions, pas possible autrement. Et ce teint ! Elle ne sécrète pas d'hormones, cette fille ?

Bouche en cœur. Cheveux soyeux. Pommettes. La Ruche vénère officiellement la beauté et la beauté de Jinny est colossale.

— Pour l'amour du ciel, arrêtez, les filles, a dit Jinny en feignant d'être gênée par tant d'attention.

M'avançant, je les ai présentées, une à une.

— Et je m'appelle Rory Miller.

L'ai-je vue esquisser une légère grimace? C'est peut-être mon imagination qui me joue des tours après coup.

— Jinny Hutsall, a-t-elle répondu.

— Tu vivais à Chicago? lui ai-je demandé.

Question innocente, pour briser la glace.

Jinny a plissé les yeux.

— Pour l'amour du ciel! Ne me dis pas que tu m'as googlée!

— Euh, non. On a seulement entendu dire que ta famille venait de Chicago.

Jetant la tête en arrière, elle a éclaté de rire, à la manière d'une actrice un peu cabotine.

— Tant mieux, parce que je commençais à me sentir violée dans mon intimité.

Les abeilles de la Ruche ont gloussé pour dissiper la tension, même si elles utilisent Google, elles aussi.

— Tu fréquentais une école pour filles? ai-je demandé.

— Je n'ai jamais fréquenté que des écoles pour filles, a-t-elle répondu.

— Des écoles chrétiennes?

— Évidemment.

— À Chicago? ai-je demandé.

— Pour l'amour du ciel! Tu veux aussi mon numéro d'assurance sociale?

Mais je l'avais déjà compris, son petit numéro. Elle était évasive, et fausse, et magnifique, et je la détestais. Je souriais de toutes mes forces.

— Je peux covoiturer avec vous, demain? a demandé Jinny. Ma mère ne sera pas là avant des mois et mon père en a plein les bras avec le déménagement.

C'était la semaine de Shelley. Merde.

— Bien sûr, ai-je dit. Nous partons de chez moi à huit heures. Nous habitons là.

Je lui ai indiqué notre maison.

— J'ai hâte de découvrir Sacré-Cœur, a dit Jinny. J'ai rencontré le pasteur Hanson. Il m'a fait penser à un gros ours en peluche.

Brooky a incliné la tête.

— Le directeur Touche-à-Tout?

Delaney a soupiré.

— Lui, un ours? Un grizzly, peut-être.

— En tout cas, il a les pattes velues, ai-je ajouté. Tu vas t'en rendre compte par toi-même à la chapelle, la semaine prochaine, quand il va te frôler la cuisse par accident en mesurant ta jupe.

La mesure des jupes. Pouah. Aucune école chrétienne n'y échappe. Une rangée à la fois, les filles s'avancent jusqu'à l'estrade et s'agenouillent en ligne, puis le pasteur, armé d'un mètre, mesure la distance entre le sol et l'ourlet, fille après fille. Celles qui exhibent trop de cuisse écopent d'une retenue. Ça commence dès la fin du primaire. En sixième année, une fille est trop stupide pour se rendre compte que le type la tripote. En septième, elle est trop gênée pour avouer qu'elle sait parfaitement ce que c'est. En huitième, on en rit entre copines parce qu'on ne sait pas comment réagir. Après, on en a simplement assez de se faire tripoter. Moi, en tout cas. J'ai parlé à Shelley des mains baladeuses du pasteur Hanson. Je lui ai demandé de faire quelque chose et elle a admis que, depuis peu, Sherman ne payait plus la facture mensuelle de Sacré-Cœur. Il faudrait qu'elle «marche sur des œufs». Ce jour-là, j'ai appris que j'étais boursière, qu'on me faisait la charité.

Le matin où Shelley est allée marcher sur des œufs dans le bureau de Hanson, nous, les filles, avons pris place dans le couloir en tendant l'oreille vers la porte entrebâillée. J'étais tellement fière. Puis Shelley a pris la parole et j'ai regretté de ne pas être seule à espionner. Elle a commencé par remercier le directeur pour son aide financière, détail dont j'avais omis d'informer la Ruche – quelle humiliation. Puis elle a baissé le ton et confié à Touche-à-Tout que, selon certaines rumeurs, les filles éprouvaient un malaise à sentir ses mains nues sur leurs cuisses nues pendant la mesure des jupes.

On a bondi en entendant la chaise du pasteur Touche-à-Tout heurter le sol; il l'avait sans doute renversée en se levant brusquement. Tétanisées, on l'a entendu rappeler vertement que la mesure des jupes était essentielle à la pudeur et à la discipline, que Shelley devait le voir comme un clinicien ou un médecin. L'idée qu'on mette en doute ses motivations le plongeait dans la fureur. Shelley lui a donné l'assurance que c'étaient de simples rumeurs qui avaient circulé lors de la Journée des parents. Il lui avait semblé utile qu'il soit au courant. Je me rends compte que ma mère ne voulait pas que cette confrontation, qui n'en était pas une, se retourne contre moi, mais une partie de moi tenait à ce que ce salaud sache que je l'avais dénoncé. Shelley l'avait calmé en lui suggérant avec d'infinies précautions qu'une façon de faire taire les ragots consisterait à modifier la pratique ou, mieux encore, à la supprimer.

Ma mère est sortie du bureau du pasteur en souriant comme si elle venait de remporter une grande victoire. On s'est contentées de la regarder fixement. Spontanément, on pensait toutes la même chose. Merci, mais pour quoi, au juste? Elle ne l'avait pas traité de pervers, comme il le méritait amplement, et elle était partie sans avoir réglé quoi que ce soit.

Les filles et moi avons réussi à éviter le pasteur Hanson jusqu'au lendemain, à la chapelle. Sachant dans quelle rangée je me trouvais, il m'a ciblée et a attendu que pratiquement toutes les filles aient suivi son regard jusqu'à moi.

— Ici, à Sacré-Cœur, nous nous enorgueillissons d'une longue tradition de générosité envers les moins bien nantis, a-t-il commencé.

Il venait ni plus ni moins de claironner que je bénéficiais de la charité de l'école. Il a ajouté qu'il avait reçu la visite d'une mère: selon elle, la mesure des jupes suscitait un malaise chez les élèves. Nous sommes restées silencieuses. Six cents filles muettes. Combien l'avaient dénoncé? Combien auraient voulu le faire?

Ensuite, l'adjointe de Hanson, Mme Bunty, s'est avancée vers l'estrade, vêtue de sa jupe évasée en polyester et de son chemisier boutonné jusqu'au cou. Nous, les filles, nous nous sommes regardées. Bon, d'accord, peut-être Shelley savait-elle ce qu'elle faisait, après tout. Mme Bunty mesurerait les jupes, désormais? C'était déjà un peu moins dégoûtant. Mais la secrétaire du pasteur a sorti de la poche de son blazer une paire de gants en latex blanc. Elle les a tendus à Touche-à-Tout qui, les yeux rivés sur moi, les a enfilés comme il l'aurait fait avec une capote.

— Rory Miller. Commençons avec ta rangée, d'accord?

Avec les gants, la mesure des jupes était pire qu'avant. Je n'en dis pas plus.

Je n'ai pas raconté toute cette histoire à Jinny Hutsall, mais je lui ai demandé si, à son ancienne école, on mesurait les jupes.

— Bien sûr, a-t-elle répondu.

— OK. Tu trouves donc cette pratique répréhensible, toi aussi.

Jinny a pouffé de rire.

— Tu es tordante. *Répréhensible*. Pour qui te prends-tu? Une avocate?

Brooklyn a expliqué:

— Ses parents sont avocats.

— En plus, elle est écrivaine, a ajouté Fee. Elle aime les mots. Beaucoup. Et la parole. Énormément. Tu vas voir.

— Arrête ça.

Fee me taquinait. Mais j'ai été flattée de l'entendre dire que j'étais écrivaine.

— Rory a écrit un billet de blogue sur la mesure des jupes, a précisé Brooky. Hilarant. Un morceau d'anthologie.

En fait, mon texte, intitulée « Le fémur, ce grand inconnu », n'avait rien de drôle. Puisque tous les corps sont uniques, que les jupes tombent différemment et que les fémurs sont tous différents, y soutenais-je, le mètre ne règle rien, et la mesure des jupes est par définition aléatoire. Je n'y dénonçais pas le pasteur Touche-à-Tout et j'ai même évité toute référence au sexisme. Quand même, cette entrée m'a valu plus de *j'aime* que toutes mes autres publications.

— Le rire, c'est la santé, a déclamé Jinny.

Je n'en croyais pas mes oreilles. Ça sonnait comme la rubrique «Rions un peu» du *Reader's Digest* dans la salle de bains de mes grands-parents.

— En tout cas, à l'école, je te conseille de porter un soutien-gorge rembourré, lui ai-je dit.

— Pourquoi?

— Si on voit tes mamelons à travers ta chemise, Bunty – la secrétaire de Hanson – va t'obliger à porter le poncho de la honte.

— À l'école, je porte toujours un chandail.

Visiblement, le mot *mamelons* l'avait troublée.

— Il fait quelque chose comme mille degrés pendant la moitié de l'année – tu ne voudras pas t'embarrasser d'un chandail. D'ailleurs, tu aurais l'air d'une Croisée. Il y en a des tonnes, à l'école. Méfie-toi d'elles: elles vont tenter de te recruter avec leur «Marche-avec-nous-dans-la-lumière» et toute cette merde. Jamais un mot plus haut que l'autre, surtout pas de jurons. Elles évitent les réseaux sociaux, sauf ceux des Croisés. Disons qu'elles ne sont pas exactement en prise sur la réalité. Elles ont des photos de Kirk Cameron dans leur casier. C'est tout dire.

— Je suis une Croisée.

Elle avait prononcé ces mots d'un air de défi. En fait, elle me défiait vraiment.

— Oh.

Voilà tout ce que j'ai trouvé à répondre.

Jinny Hutsall n'a pas mis de temps à bondir.

— Tu es une détractrice? Une détractrice des Croisés, genre?

— Non.

Je les haïssais. Je les hais toujours.

— Rory, hein?

À son ton, je me suis dit que je figurais sur sa liste noire avant même son arrivée. Maintenant je me dis que bien sûr. Merde.

— Rory Miller.

— Mon père ne connaîtrait pas le tien, par hasard? a-t-elle demandé. Il me semble que oui.

— Je ne sais pas qui Sherman connaît. Il est rempli de surprises.

— Sherman Miller… Oui… Ton père siège au conseil d'administration de l'église de mon oncle, dans Orange County. J'ai entendu parler des Miller. Vous êtes des mégadonateurs. Que Dieu vous bénisse.

Elle a mis ses mains en prière devant moi. Pouah.

— Des mégadonateurs? Euh. Non. Pas moi. Ma mère et moi n'allons pas à l'église. D'ailleurs, je suis juive.

— Juive?

Elle a répété le mot comme si elle l'entendait pour la première fois et qu'elle avait besoin d'explications.

Le trottoir s'est dérobé sous mes pieds, tandis que la Ruche gardait le silence.

— Attends, quoi? Tu es sérieuse? a demandé Jinny en prenant les autres à témoin. Tu es juive? Vous vous payez ma tête, les filles?

— Ben, en fait, mon père était un peu juif, puis athée jusqu'à sa récente conversion, ai-je expliqué. Les parents des parents de ses parents étaient très pieux. Et j'ai, genre, des survivants dans ma lignée. Donc, je suis juive. Ni pieuse ni religieuse, mais quand même.

Pourquoi ai-je ouvert ma grande gueule?

Jinny a promené ses yeux bleus sur mes amies, un joli petit sillon creusé entre ses sourcils épilés à la perfection.

— C'est permis, à Sacré-Cœur?

Brooky a haussé les épaules.

— Tu sais ce qu'on dit des écoles chrétiennes de Californie? Jésus sur les murs. Des juifs dans les couloirs.

— On dit ça?

Jinny semblait *muy* déboussolée.

— On a même des musulmanes, a laissé tomber Fee.

C'est un peu vache de ma part mais, à cet instant précis, j'aurais préféré que Fee ne me mette pas dans le même sac que les musulmanes. Je pense que même les musulmanes comprendraient.

Jinny a plissé son nez.

— Des juives et des musulmanes? Dans une école chrétienne?

— De toute façon, a enchaîné Fee, Rory n'est pas juive-juive. Chez elle, on célèbre Noël.

Zee, qui a toujours eu une dent contre moi, a ajouté:

— Mais il y a une *mathouséla* à sa porte d'entrée. Donc elle est quand même assez juive.

— C'est une *mezouzah,* Zee. Une prière en hébreu qu'on place sur le chambranle de sa porte.

— Mais tu viens de dire que tes parents ne sont pas religieux, a déclaré Jinny.

— Ils ne le sont pas. Mais ils ont grandi avec une *mezouzah* sur la porte, alors…

Jinny a hoché la tête d'un air supérieur.

— Ah! Je comprends. C'est un genre de superstition.

— Ouais, ai-je dit. Au même titre que mettre un crucifix au mur.

— Tu es vraiment tordante, toi! Ça n'a rien à voir! Mais pourquoi, si tu es juive, tes parents t'envoient-ils dans une école chrétienne?

— Je ne suis pas juive… de cette façon-là. Et je ne sais pas ce qui se passe à Chicago mais, ici, je dirais qu'un quart des élèves des écoles chrétiennes ne pratiquent pas. Je fais partie du lot, rien de plus.

— Les voies du Seigneur sont impénétrables, a déclaré Jinny en haussant les épaules. Il n'y a pas d'autres écoles privées où tu pourrais étudier?

Bee m'a prise par la taille.

— On se connaît depuis qu'on est bébés. Rory n'allait tout de même pas être la seule fille du cul-de-sac à aller à King Gillette, l'école publique. Sinon, il y a Hippie High, à Topanga. Non. Crest Point. Non et encore non. New Jew, oublie ça. Ce n'est pas comme si elle allait apprendre l'hébreu.

Jinny semblait toujours plongée dans l'incompréhension.

— Sacré-Cœur est une école progressiste, a raisonné Fee. Rory a tout à fait le droit de la fréquenter.

Alors dites-moi comment on est passées de meilleures amies s'amusant dans ma chambre à militantes réunies dans mon cul-de-sac pour défendre mon droit de fréquenter ma propre école? Que je paie mes frais de scolarité ou pas?

— Une école chrétienne progressiste? s'est étonnée Jinny. C'est une contradiction, non? Jésus était dans le vrai il y a deux mille ans. Il l'est encore aujourd'hui.

— Selon ma mère, a déclaré Zee, Sacré-Cœur est devenue progressiste à cause des gauchistes. Ils ont ruiné l'économie il y a longtemps, et maintenant il faut admettre n'importe qui. Surtout, ne le prends pas mal, Rory.

— Mon Dieu, les filles. Je suis athée, de toute façon. Qu'est-ce que ça change? Bon, et si on parlait d'autre chose?

— On taquine Rory en lui disant qu'elle est notre petite païenne à nous, a lancé Brooky. Mais Rory ne se laisse pas… faire.

Elle allait dire «emmerder», mais elle s'est retenue, *because* Jinny. Déjà, nous nous censurions. Déjà, nous nous transformions.

Dee s'est à son tour portée à ma défense:

— Nous respectons toutes les croyances, a-t-elle déclaré. Rory était une fervente croyante… et elle ne l'est plus. Jésus Lui-même a douté.

— Je ne comprends pas, a insisté Jinny, faussement timide. Tu ne crois même pas au dieu juif?

— Pas de dieu. Sans dieu. A-dieu. C'est ce que veut dire *païenne*.

Le regard de Jinny Hutsall m'a écorchée vive.

— Païenne.

Elle a fait tourner le mot dans sa bouche comme si son goût lui plaisait.

Fee a ouvert les yeux il y a quelques instants. Je l'ai vue regarder la lune par la fenêtre. Je lui ai demandé si elle se sentait mieux et elle a répondu qu'elle avait l'impression d'avoir avalé un oursin. Je lui ai demandé s'il se pouvait que Jinny ait mis quelque chose dans ces petites truffes lors du bal. Elle a fait une drôle de tête, comme si j'avais perdu la boule. Elle a peut-être raison.

Je lui ai demandé ce qui se passait, à son avis. La bombe. Les accusations.

— De toute évidence, Jagger et Jinny y sont pour quelque chose, ai-je affirmé.

Elle a refermé les yeux et recommencé à gémir. C'est officiellement la plus longue nuit de ma vie. J'attends les vents…

En ce moment, c'est l'Heure Shelley sur Internet. Ma mère est partout dans les nouvelles, à cause de nous. Shelley Frumkin recevant son diplôme à l'Université de Toronto. Clips vieux de plusieurs années où elle prend position sur le droit à l'avortement dans des rassemblements féministes. Vidéo de surveillance pendant une marche pour le programme DACA et la défense des Dreamers. Article publié dans le journal local à l'époque où elle s'efforçait de convaincre les habitants de Hidden Oaks de cueillir les fruits – oranges, citrons, pamplemousses, kakis, prunes, pêches, avocats et j'en passe, on compte des milliers d'arbres – qui poussent dans leur cour pour qu'ils servent à nourrir les sans-abri plutôt que les rats noirs. Tout ce que les médias ont «déterré» ne prouve qu'une chose: ma mère a une conscience sociale.

Ses photos. Oh, Shell. Son style n'a pas beaucoup évolué depuis sa première année à l'université. Les mêmes cheveux blonds et longs avec la raie au milieu. La même palette de maquillage: mascara et baume à lèvres. Chemisiers flottants et pantalons kaki informes. À Calabasas, elle s'était toujours démarquée. En décalage avec la mentalité de Hidden Oaks. Elle aime bien les autres mères, ce sont… c'étaient ses amies, mais il y a la barrière de la langue : Shelley ne parle pas boutiques, cheveux, ou manu-pédi-cures. Elle n'entend rien à l'épilation, à l'exfoliation ni aux massages suédois du Four Seasons. Elle achète son hydratant à la pharmacie et ne s'est jamais servie des chèques-cadeaux pour soins du visage et remplissages dermiques offerts à son anniversaire par les autres mères. Moi, j'aime les rides de Shelley, mais ses amies ne comprennent pas pourquoi, à l'ère du Botox, son visage devrait raconter une histoire.

L'idée que ma mère soit en détention m'est insupportable. D'abord, qu'est-ce que ça veut dire ? Est-elle dans une chambre ? Dans une cellule ? Mon Dieu. J'espère que tante Lilly est en route. Enfin, elle *est* en route, impossible autrement. Jamais elle ne nous laisserait tomber. Elle est notre roc. Elle est arrivée à temps pour assister à ma naissance, qu'elle m'a décrite à grand renfort de détails perturbants. Elle a toujours été là pour Noël, pour Thanksgiving, pour nos anniversaires. Elle était présente lorsque j'ai reçu mon diplôme de huitième année. Contrairement à Sherman.

Au lieu d'assister à la cérémonie, mon père a rejoint Boules en sucre sur un tournage à Portland. Je ne voulais pas qu'il soit là, mais je voulais qu'il ait envie d'être là. Et ce n'est pas comme si j'avais dit : Mon papa est un crétin, donc Dieu n'existe pas. Depuis un certain temps déjà, je remettais ma foi en question. En plus, c'est ce jour-là qu'est sortie l'histoire du camp d'esclaves en Afrique, avec toutes ces images d'humains enchaînés et de bébés décharnés sous les mouches. À la chapelle, le pasteur Hanson nous avait invitées à prier pour ces Africains, non sans nous rappeler que tout cela faisait partie du glorieux dessein divin. La volonté de Dieu triompherait.

Non. Ça. Non. Et ce fauteuil vide entre ma mère et tante Lilly pendant la cérémonie? J'ai cherché un mot pour exprimer ce que je ressentais. Mon rejet catégorique de mon père et de la maudite volonté de Dieu. *Païenne* ferait l'affaire.

J'ai compris que le moment était venu de me soustraire à une relation toxique, ce qui m'a valu, je crois, le respect des filles. Elles se fichaient bien de ce que je pensais de Dieu. Sauf Zara, plus à l'aise en présence de personnes qui pensent comme elle, j'imagine. Entre nous, c'était: Ne demande pas, ne dis rien. Comme pour le père Noël, quand tu sais que ton amie y croit encore et que tu évites de dire: Sérieusement, ma vieille? Toutes ces cheminées en une nuit? La vérité, je pense, c'est qu'aucune de mes amies n'a vraiment interrogé sa foi, sauf peut-être Brooky. Mais elles ne sont pas du genre évangélique. Pas de Croisée parmi elles. Elles préfèrent Jésus au Dieu revanchard de l'Ancien Testament. Elles sont favorables au mariage gay et aux droits des LGBTQ. Et nous sommes féministes, en quelque sorte. À travail égal, salaire égal? Absolument. Aucune d'entre nous ne songe à préserver sa virginité jusqu'à sa nuit de noces. Même pas Zee. Jinny Hutsall les a ensorcelées. C'est une sorcière en pleine chasse aux sorcières. *Les Sorcières de Salem* sous le soleil de Californie.

Je voudrais que Fee se réveille. Qu'elle se réveille et se redresse, assez en forme pour me tirer du gouffre. Je dois lui trouver à boire. Je me lève sans cesse pour regarder par la fenêtre. Il y a un tuyau enroulé derrière la cabane de Javier, mais rien à espérer de ce côté. Quand nous étions petites, nous pouvions encore boire l'eau à même le tuyau d'arrosage, mais, désormais, l'eau recyclée qui sert à l'irrigation n'est plus potable. Il n'y a que deux possibilités: l'eau embouteillée ou l'eau du robinet, à condition qu'il soit muni d'un dispositif de filtration. Or de nombreux pauvres n'en ont pas.

Je ne vois pas de bouteille sur le tableau de bord de la camionnette de Javier, mais je me demande s'il y a, fixé au plateau du véhicule, un de ces réservoirs en forme de tonneau. Je devrais sortir jeter un coup d'œil, mais il y a encore trop de lumières qui sillonnent le ciel en tous sens.

Je reste donc dans cette remise crasseuse, où je saigne à tout-va sur ma robe puisque les essuie-tout ont été trempés en deux secondes. Dégoûtée de moi-même, je repense à un billet de blogue où je contestais la logique de la Bible à propos des femmes et de leurs pertes mensuelles. La Bible accable de honte les femmes menstruées en les qualifiant d'*intouchables* et d'*impures,* mais, ai-je soutenu, il s'agit d'une fonction corporelle essentielle à la reproduction. Pourquoi Dieu n'a-t-Il pas enjoint au peuple élu de célébrer la femme qui saigne et, pendant qu'Il y était, de lui offrir des truffes en chocolat et de lui faire couler un bain chaud? En théorie, c'était bien senti, mais là, je me sens vraiment mal.

Shelley a-t-elle un avocat? D'accord, elle *est* avocate, mais est-ce qu'elle *a* un avocat? J'espère qu'elle a pris un chandail parce qu'elle a toujours froid et qu'il lui faut plusieurs couches. J'espère qu'elle a mangé quelque chose: en hypoglycémie, elle devient hargneuse. Je sais qu'elle pense à moi, qu'elle a mal et peur pour moi autant que pour elle-même, et je me dis qu'elle pense à Sherman. S'il ne nous avait pas quittées, rien de tout ça ne serait arrivé. Possible, mais peut-être sans importance.

À l'heure dite, les vents de Santa Ana sont arrivés du désert. Il y a des rafales d'au moins soixante à soixante-dix kilomètres-heure, là-dehors. La bâche bleue de l'Airstream se gonfle comme une voile. Pendant dix minutes, c'est le calme plat, puis le vent surgit de nulle part et soulève tous les objets non arrimés – bang, paf, crac, boum, vlan, tac. C'est effrayant. Surtout quand de grosses branches arrachées du chêne qui agonise à côté de la cabane s'écrasent avec fracas sur le toit.

Avec tout le sang que j'ai laissé dans mon sillage au milieu des collines, je me demande pourquoi la remise n'est pas encerclée par des coyotes. Un peu plus tôt, j'ai entendu une meute hurler sur la crête, mais à présent, rien. J'espère qu'elle a passé son chemin. Les coyotes ont infesté la région et, comme les attaques se sont multipliées, j'ai peur de sortir avec mon endomètre dégoulinant. Les chiens renifleurs de la police vont-ils détecter mon odeur? Je pense que nous les avons déjoués en traversant le ruisseau derrière l'école, mais qui sait? Et le pitbull noir du voisin? Un chien quelconque va bien finir par déceler notre présence. Ce n'est qu'une question de temps.

Non mais regardez-moi ça. Ma Mishka blanche couverte de sang. Je l'aimais tellement, cette robe. Satin coquille d'œuf, corsage cintré, doublure en tulle.

Quand je lui ai dit combien elle allait coûter, Sherman est resté silencieux au bout du fil. Le Bal de la pureté américaine entraînait des dépenses ridicules – des milliers et des milliers de dollars – qui le laissaient sans voix, mais il ne pouvait refuser sans se discréditer auprès des autres papas d'Oakwood Circle. Le fossé entre nous le laissait complètement indifférent, mais si on lui avait interdit de participer chaque mois à la soirée de poker de Big Mike Leon, je pense qu'il se serait roulé en boule pour attendre la mort. Pour mon plus grand plaisir, le bal était source de tensions considérables entre Sherman et Boules en sucre. Par le haut-parleur du téléphone, j'ai entendu celle-ci dire à mon père qu'il n'était pour moi qu'une carte de crédit. Elle n'a pas tort.

En essayant la robe, je me suis juré que ce serait la seule robe de noce que je porterais de ma vie, car je suis bien décidée à ne pas me marier. Sérieusement. Il est hors de question que je me marie. Mais je veux tomber amoureuse. Et je veux coucher avec des garçons. Nous en parlons souvent, entre filles. Nous avons même choisi notre dépuceleur. Jusqu'à Zara qui s'est déclarée prête à céder aux avances du garçon à moitié défoncé de la chaîne Nickelodeon si elle le rencontrait pour de vrai. Pour Brooky, c'est Drake. Il est vieux, mais je comprends. Delaney a jeté son dévolu sur le fils de notre professeur de piano, qui est *caliente,* mais aussi autiste sur les bords. Fee oscille entre le tatoué du comptoir de réparation d'iPhones et le voiturier au dégradé à blanc du Sushi Raku.

Pour ma part, je songe à perdre ma virginité avec Chase Mason depuis la huitième année. C'était un nouveau, alors, fraîchement débarqué. Non-Calabasas sans être anti-Calabasas. En voyant toutes les filles qui se rendaient à la bibliothèque pour passer un moment avec lui dans la salle des médias déserte, j'ai tout de suite compris qu'il était un *joystick,* un pénis ambulant, si vous préférez. Mon béguin était inoffensif – comme il pouvait avoir toutes les filles qu'il voulait, il n'aurait jamais un regard pour moi.

Chase m'a traitée de petite écolière catholique très comme il faut jusqu'au jour où, cette année, je me suis enfin décidée à lui dire que je suis pour ainsi dire juive, mais en réalité athée, et que mon école chrétienne n'est pas catholique. Il semblait ignorer que les deux n'étaient pas synonymes. J'ai tenté de lui expliquer que tous les catholiques sont chrétiens, mais les chrétiens, pas tous catholiques, que la confession, la Vierge Marie et la sainte communion sont les principales différences entre eux.

J'ai senti mon fessier se contracter lorsqu'il a tendu la main pour toucher le crucifix, accroché à une fine chaînette, que je porte au cou.

— Alors pourquoi portes-tu ça?

Je porte encore la chaînette en ce moment. Sherman me l'a achetée quand j'avais quatre ans et demi. Je lui avais demandé un collier en forme de *t*, comme en avaient les autres filles. Je me dis que je le porte de manière ironique. Je n'aime pas penser que je le fais parce que je suis sentimentale à propos de mon père.

— C'est un déguisement? a dit Chase.

J'ai frissonné parce que, en triturant la petite croix dorée, il a effleuré le haut d'un de mes seins du revers de la main, mais aussi parce qu'il m'avait démasquée. C'était un déguisement. Je n'étais pas celle que je prétendais être.

J'ai cherché une réponse aguicheuse.

— Ouais. Je suis déguisée. Programme de protection des témoins. Tu veux que je te dise? Ta vie est en danger, Chase Mason.

— J'ai l'habitude du danger, Rory Miller.

Cette réplique éculée m'a fait grogner.

— Si j'ai des ennuis, je passe te voir. C'est ça?

Il a sorti de sa poche une carte de visite et me l'a tendue. Dessus, il n'y avait que le nom de son groupe, Lark's Head, et l'adresse de son site Web.

— Ta carte? Tu as une carte de visite? C'est drôlement vieux jeu.

— Au cas où, a-t-il répondu.

— Je vais sûrement en avoir besoin, Chase. Je suis super gangster. Toujours en quête d'un mauvais coup.

— Euh. Ouais. D'accord, a-t-il répliqué. En attendant, si tu cherches des musiciens pour une bat-mitsva, un seizième anniversaire ou même seulement une *quinceañera*... Nous en faisons beaucoup.

Malaise. J'ai changé de sujet.

— Pourquoi Lark's Head? Vous auriez pu trouver un nom plus original.

C'est vrai, quoi. Comme nom de groupe, difficile de trouver plus nul. Pas étonnant qu'ils n'arrivent pas à percer au-delà de la scène locale.

— Je me fous de l'originalité, a-t-il dit d'un air vexé. Ce qui compte, pour moi, c'est le sens.

— Lark's Head, ça a du sens?

— Miles et moi, on a écrit notre première chanson chez mon oncle, sur Larkspur.

— Ton oncle qui produit de la musique?

— Ouais. Il nous a laissés répéter chez lui pendant deux ou trois semaines.

— C'est là que vous avez écrit *Mange mon fromage*?

Il était impressionné.

— Tu te souviens de ça?

— Je suis une grande fan des premières chansons du groupe.

— Tu te fous de moi, là.

— *Mange mon fromage.* Des paroles tordantes décrivant des perversions sexuelles dans des mots que les parents ne comprennent pas. Un air accrocheur, bien rythmé.

— Je ne te le fais pas dire.

— Pourquoi Lark's Head? Tête d'alouette?

— Parce que Miles s'est cogné la tête contre la porte du garage en sortant, que Kyle Keyboard n'avait que le sexe en tête et que le batteur avait une grosse caboche. Et parce que *larkspur* est le nom de fleurs aussi appelées delphiniums ou pieds-d'alouette, et qu'on est un groupe de gars.

J'attendais les lundis et les vendredis à la bibliothèque de Calabasas avec plus d'impatience que n'importe quoi d'autre. Si je suis aussi folle de Chase, ce n'est pas uniquement parce qu'il est craquant – ce serait trop superficiel. J'aime son esprit. J'aime parler avec lui de mes lectures et de musique, de nos amis, des idioties qui circulent dans nos fils d'actualité. Une fois que je me vantais des temps réalisés par Brooky à l'occasion d'un championnat d'athlétisme, il m'a dit que sa sœur aînée était une athlète remarquable, et j'ai répondu: «Hein, comment ça…?» Il m'avait dit n'avoir ni frère ni sœur. Il a secoué la tête et j'ai compris que je ne devais plus poser de question.

— Elle est morte dans un accident de voiture.

Plus tard, j'ai googlé la notice nécrologique de la sœur de Chase dans les journaux de Cedar Rapids, en Iowa, où il vivait avant que ses parents s'établissent à Calabasas. Sa mère est technicienne en radiologie à l'hôpital de West Hills. Son père est à la retraite, mais il conduit un Uber et il a une cote de cinq étoiles. Je n'ai rien trouvé d'autre sur les Mason. Des personnes qui ne laissent aucune trace en ligne… J'ai horreur de ça. Comment voulez-vous qu'on se renseigne en douce sur elles? J'aurais vraiment aimé voir une photo de la sœur dont la mort hante mon chéri.

Quand, à treize ans, j'ai commencé à travailler comme bénévole, Chase m'a dit que le livre jeunesse qui dépassait de mon sac était stupide et m'a orientée vers la littérature, qu'il prononçait *littratuuure* pour me faire rire. J'ai été ravie d'apprendre qu'il lisait. Non seulement ça, mais il dévorait des romans écrits par de vieilles femmes noires, des Chinoises décédées et des gens d'autres cultures. Peu après avoir appris que j'étais juive, Chase a pris sur une tablette un exemplaire du *Journal d'Anne Frank*. Je n'ai pas eu le cœur de lui dire que c'était une lecture obligatoire chez moi et que je l'avais déjà lu trois fois. Quand même, je lui ai dit que je connaissais le livre, que j'adorais Anne et son écriture et que, si elle vivait de nos jours, elle serait influenceuse.

— Tu sais, Rory, a répliqué Chase, si Anne Frank vivait aujourd'hui, elle n'aurait pas à se cacher à cause des nazis et sa vie serait complètement différente. Elle n'aurait pas été persécutée.

J'ai failli lui répondre que les juifs n'ont, genre, jamais cessé d'être persécutés, mais je m'en suis abstenue.

Nos conversations avaient beau être profondes, elles ne duraient jamais longtemps. En général, elles étaient interrompues par une blonde vêtue d'un haut serré qui entrait dans le rayon d'histoire locale en se trémoussant, une rousse incendiaire en minishort ou encore une brune maigrichonne de son école qui l'invitait à s'approcher. Il m'adressait un petit sourire – du genre: Que veux-tu que je fasse? – et invitait la fille dans la salle des médias pour un tête à tête. Chaque fois, je mourais un peu. Je n'avais aucun droit sur Chase Mason, mais ça me tuait. Fee soutient que je suis trop bien pour Chase et que mon obsession s'explique uniquement par la répétition d'un scénario – un coureur, un type infidèle? *Daddy issues*. La fille à son papa.

Moi, des problèmes avec mon papa? Sans blague? Dans le stationnement de l'école publique, j'ai vu une fille qui portait un t-shirt sur lequel ces mots figuraient en toutes lettres. Tu parles d'une ineptie à clamer sur tous les toits. Il s'agit manifestement d'une invitation à caractère sexuel doublée d'un aveu: la relation que nous entretenons avec notre père façonne notre rapport aux hommes. Des problèmes avec son papa. Est-ce que vraiment toutes les filles en ont?

Delaney hait Tom Sharpe: après avoir trompé sa mère, il a fini par épouser l'autre, de vingt-cinq ans sa cadette, tout de suite après la mort de sa légitime. Dee a dû prendre du bupropion pour se remettre de toute cette merde. Le père de Zara possède quatre restaurants Pasta Garden et il n'est pratiquement jamais à la maison *because* occupé. Quand ils sont ensemble, Zara se montre odieuse parce qu'elle lui en veut et lui fait payer ses absences. Brooky idolâtre son père, Big Mike, et vit dans la terreur de le décevoir, tellement qu'elle n'ose pas lui dire qu'elle ne veut plus faire d'athlétisme, qu'elle veut aller à l'école de design et non aux Jeux olympiques. Et Fee? Des problèmes avec son papa, elle en a à la pelle. Elle raconte à tout le monde que son père est mort quand elle était bébé. La vérité, c'est que, quand elle avait quelques mois, il est allé au Mexique pour le mariage d'un proche et qu'il n'est jamais revenu, n'a plus jamais donné de nouvelles. Il a disparu, ce qui est pire que de mourir. En plein ce qui se passe avec Sherman.

Depuis seize ans, le temps que deux épouses se succèdent sous le toit du maître de céans, la mère de Fee, Morena, travaille pour Tom Sharpe. Quand le père de Fee a foutu le camp, Morena a perdu l'appartement familial et, puisque les *procits* sans logis risquent l'expulsion, M. Sharpe et la mère de Delaney, Mlle Amber, ont permis à Morena et à bébé Fee de s'installer dans leur maison d'invités à deux étages. Delaney et Fee ont donc grandi ensemble, comme des sœurs, ce qui explique que, dans la Ruche, elles soient celles qui s'entendent le moins bien. Tout le monde, Fee y compris, a eu vent des rumeurs selon lesquelles Tom Sharpe aurait, dans le temps, *schwarzeneggeré* Morena. Dans ce cas, Fee et Dee seraient des demi-sœurs, et Tom Sharpe, le vrai père de Fee, ce qui expliquerait bien des choses.

Une fois, j'ai demandé à Fee si sa mère était malheureuse d'être au service de Tom Sharpe vingt-quatre heures sur vingt-quatre, sept jours sur sept. Levant les yeux au ciel, Fee a récité : M. Tom – ainsi que l'appellent Fee et sa mère – paie les frais de scolarité de Fee à Sacré-Cœur. M. Tom l'a inscrite au soccer, lui a offert des leçons de danse, de piano et d'équitation, lui a acheté des poupées des Patriot Girls, des iPads et des iPhones. M. Tom veille à ce qu'elle ait tout ce qu'ont les autres filles d'Oakville Circle. L'année dernière, il lui a organisé une énorme *quinceañera* ! Morena, malheureuse ? Tu parles. Non, Fee était sûre que Morena avait le sentiment d'être bénie. Je vois bien comment Morena couve Tom Sharpe avec des yeux d'amoureuse transie. J'ai évidemment cherché des similitudes génétiques entre Fee et M. Sharpe. Le nez, peut-être. Quand Fee n'est pas là, la Ruche plaisante – juste un peu – à ce sujet.

Les pères et les filles. Pensez à tous les problèmes avec les papas que le bal de la pureté a fait naître.

Ce soir, Sherman a débarqué chez les Hutsall tandis que nous, les filles, étions dans la chambre de Jinny pour retoucher notre maquillage. Dans le *lanai,* de sa voix qui enterrait celle des autres, il plaisantait et faisait entendre des rires salaces à propos d'allez savoir quoi. Quand la bonne a annoncé que la limousine était arrivée, nous avons lissé le satin et fait bouffer le tulle de nos robes avant de descendre en file indienne.

Dans le vestibule, les papas, dans leur stupide smoking blanc, avaient un petit air retrouvailles d'un *boys band.* À notre apparition, ils ont poussé des acclamations en sortant leurs téléphones pour filmer notre défilé de mode. Sauf Sherman. Il n'enregistrait pas notre descente pour la postérité. Il envoyait un texto. À Boules en sucre, sans doute.

Tandis que les autres filles se pavanaient sous les regards admiratifs de leur papa, j'ai attendu que Sherm lève les yeux de son appareil. Il a semblé ne pas me reconnaître.

— Rory ! s'est-il enfin exclamé.

Puis il a souri de son sourire de faux jeton, si faux que j'aurais donné n'importe quoi pour l'effacer de son visage avec une bonne paire de gifles.

J'allais proférer une remarque déplacée quand Warren Hutsall s'est avancé. Visiblement, le père de Jinny se considère comme un quinquagénaire sexy, genre Apollon grisonnant. À tort, d'ailleurs. Il a une épaisse crinière blanche, mais aussi un gros ventre et de vilains petits yeux de furet.

Sherman a souri pour de vrai quand Warren lui a tapoté l'épaule.

— Ne sont-elles pas adorables?

Mon père a hoché la tête, puis il a pris un air sérieux.

— Je ne te le fais pas dire, Warren. Je suis fier du choix de Rory.

À vomir. Il ne s'imagine quand même pas que ma démarche est sincère? Que je fais vraiment le vœu de rester chaste jusqu'à mon mariage? Depuis que j'ai mentionné le bal, il a eu un seul souci: son portefeuille. Sa fierté? Jamais.

Nous nous dirigions vers la porte quand Jinny m'a agrippée par le bras et demandé d'une voix de bébé si je pouvais «être un ange» et monter en vitesse dans sa chambre chercher son pashmina blanc, car elle devait déjà aller prendre son fourre-tout dans la cuisine.

Mon père m'a fixée en écarquillant les yeux. Je l'ai regardé en écarquillant les miens. Et alors, Warren Hutsall, notant mon existence pour la première fois, m'a doucement poussée vers les marches en disant:

— Bien sûr que tu vas monter prendre le pashmina, n'est-ce pas, ma chérie?

Je n'ai pas vu le châle. Je l'avais aperçu plus tôt, au moment où Jinny en avait fait l'essai devant la glace. Il n'était ni dans la chambre ni dans la penderie. J'ai fini par le trouver dans la salle de bains. Quand je suis enfin ressortie de la maison, la limousine était partie et Sherman se tenait dans l'allée, l'air déboussolé.

Par mégarde, Jinny avait retenu une limousine blanche trop petite, dans laquelle les filles étaient déjà tassées comme des sardines. Elles étaient donc parties. Sans moi. De qu…? Sacré-Cœur est à moins de quinze minutes en voiture, mais là n'était pas la question. Et mes copines… Comment avaient-elles pu me laisser là? Elles savent que j'ai une peur panique de l'abandon.

Sherm s'était fait déposer par une limousine. Ma Prius était garée dans la rue. Pas question d'attendre un Uber, évidemment. Plutôt qu'avec la Ruche, j'ai dû faire le trajet avec mon crétin de père. J'ai démarré en trombe et roulé à toute vitesse dans les rues désertes en mettant Sherman au défi de faire des commentaires. Il n'a pas pu s'en empêcher. Et il n'a pas su non plus tenir sa langue lorsque j'ai omis de signaler un virage, même s'il n'y avait personne à des kilomètres à la ronde. Puis, après avoir éclairci sa voix d'imbécile, il a dit:

— Elle ne serait pas un peu trop petite, ta robe? Je trouve qu'elle te serre à la taille.

Pour le dissuader d'en dire davantage, j'ai mis la radio. Il a baissé le volume. Je l'ai remonté. Au-dessus de la musique, il a crié:

— Ça va?

Non, ça n'allait pas. Et ce genre de question avait de quoi faire chier une fille en train de se faire découper en morceaux. J'ai encore augmenté le volume de la radio. Les vitres en tremblaient. D'une tape, Sherman a écarté ma main du bouton et imposé un peu de calme.

— Bonté divine, Rory.

— Bonté divine? Bonté divine? Quoi? Tu ne dis plus «Jésus-Christ de merde»?

— Ne sois pas grossière. Tu sais bien que j'ai vu la lumière.

— Grossière? Petite, je t'ai entendu dire «Jésus-Christ» au moins mille fois. Et quand ma mère a compris que tu la trompais, tu as crié «Jésus-Christ de merde, tu as complètement perdu la boule, Shell!»

Il s'est raclé la gorge.

— Je n'ai trompé personne.

— Ah bon? C'est tout ce que tu trouves à dire?

— Ça ne te concerne pas, tout ça.

— Euh. Un peu, quand même.

— Je suis ton père et j'ai droit à ton respect.

— Le respect se gagne, Sherm.

— Comme l'argent durement gagné que me coûte le bal? J'en ai pour près de dix mille dollars, tu sais. Tu le comprends, ça? J'ai droit à ton respect et à ta reconnaissance. Je les mérite.

— On n'a pas tout ce qu'on veut dans la vie, faut croire. Ce n'est pas ce que proclament tes Rolling Stones? Et Jagger Jonze?

— Ne va surtout pas me faire honte devant le révérend, Rory.

— Hum. D'accord.

— Qu'est-ce que ta mère t'a fait, Rory? Tu veux bien me dire comment elle t'élève?

— Toute seule.

Il a sifflé entre ses dents:

— Je n'ai consenti à cette soirée que pour me rapprocher de toi.

Entre les miennes, j'ai répliqué:

— Et je te l'ai demandé parce que je n'avais pas le choix.

Il a fait une moue.

— RorRor.

— Je t'interdis de m'appeler comme ça.

— J'aimerais que tu rencontres ma…

— … femme? Je la connais déjà. J'ai consulté son Zipix. Actrice. Épouse. Danseuse spontanée.

— Stop.

— C'est génial, danser tout le temps. Ma mère ne danse plus beaucoup.

— Ce qui s'est passé entre ta mère et moi ne change rien à notre relation à nous deux, Rory.

Là, tu te fourres le doigt dans l'œil jusqu'au coude, Sherman. Ce qui s'est passé entre ma mère et toi t'a démasqué, plus rien n'est comme avant. Ce qui est arrivé a brisé la personne qui compte le plus pour moi. Ce que tu as fait a changé ce que je comprends de l'amour. C'est-à-dire rien du tout. Mais je n'ai rien dit de tel, évidemment.

— Contente que tu aies trouvé la lumière, Sherm. J'espère que tu ne vas pas te brûler.

Nous sommes restés silencieux jusqu'aux abords de l'école, où Sherman, après avoir poussé un soupir, a dit:

— Cette Jinny Hutsall a l'air d'un ange. Tu aurais intérêt à prendre exemple sur elle.

Un ange? Moi, m'inspirer d'elle? Visiblement, il n'a aucune idée de ce que Jinny Hutsall pourrait m'apprendre. J'ai eu très envie de lui raconter ce que je savais sur Jinny Hutsall. Il l'aurait peut-être jugée un peu moins angélique. Puis je me suis dit que si je devais entendre respirer cet homme à côté de moi pendant une seconde de plus, j'allais foncer dans un mur.

Je tremblais lorsque j'ai garé ma voiture à côté de la limousine blanche dans le stationnement adjacent à la salle de bal de Sacré-Cœur. En m'approchant des autres filles, j'ai affecté l'insouciance. Fee était déjà fébrile, maintenant que j'y pense.

— Peux-tu croire que j'ai dû faire le trajet avec le Sherminator? lui ai-je dit à l'oreille.

— C'était stupide, mais on s'en fout.

— Parle pour toi. Ce n'est pas toi qui es restée derrière.

— Tu n'es pas restée derrière, Ror. La preuve, c'est que tu es là. Ne sois pas comme ça, ce soir, a dit Fee.

— Ne sois pas comment?

— Comme toi.

Quelques heures seulement se sont écoulées, mais, compte tenu des événements, tout devrait baigner dans une sorte de flou. Et pourtant, je me souviens dans les moindres détails de tout ce qui s'est passé à partir du moment où nous sommes entrées dans la salle de bal – des guirlandes électriques scintillantes qui semblaient étrangler les colonnes voisines de la scène, les flammes des centaines de chandelles qui vacillaient de part et d'autre de la longue allée où nous prendrions place pour prêter serment, les nappes blanchies et les assiettes étincelantes, les roses blanches comme neige dans leurs vases de porcelaine et les nuées de gardénias de couleur claire dans les piédestaux qui entouraient la piste de danse. Des filles en robe longue. Célestes. Mais avant même que tout dérape, j'ai senti le courant de malveillance qui traversait toute cette blancheur, aussi invisible qu'une lame de rasoir dissimulée sous la neige.

En entrant, Sherman a remarqué que le photographe venait de s'installer dans un coin et qu'il n'y avait pas encore de file d'attente. Nous serions les premiers. En plein ce qu'il aimait. Il m'a donc entraînée vers le stand, où le type nous a plantés devant une chute romantique en toc. Sherman se tenait derrière moi et je sentais son souffle sur ma tête. Le photographe a demandé à mon père de se rapprocher. Il a obéi. Et de passer ses bras autour de ma taille. Il a obéi. Le photographe m'a ensuite demandé de poser mes mains sur celles de Sherman. Je n'ai pas obéi. Il nous a demandé de sourire. Sherman a obéi. Clic. Ça n'a duré qu'une seconde. Maintenant, cette photo est partout sur Internet. Et mon visage dit tout ce qu'il y a à savoir.

Une fois la photo prise, Sherman est parti à la recherche de Warren Hutsall. Quoi qu'il en dise, mon père n'était pas venu dans l'espoir de se rapprocher de moi : il élargissait son réseau. Il m'a tapoté le bras et dit qu'il en avait pour une minute, et que j'aille rejoindre les filles. Je l'ai regardé s'éloigner en regrettant qu'il ne soit pas mort. Je n'ai pas souhaité sa mort. Seulement, il y aurait eu quelque chose de réconfortant à l'idée d'être officiellement en deuil de lui, sans parler de tous les petits plats cuisinés que les voisines nous auraient offerts dans les jours suivant sa disparition. Le père que j'ai connu est mort pour de bon et je n'ai aucune envie de me lier à celui qu'il est devenu.

J'aimerais bien que Shelley y renonce, elle aussi, au lieu de s'efforcer de ressusciter le Sherman d'avant, à supposer que ce soit bien ce qu'elle tente de faire quand ils se disputent au téléphone. Dès que tout sera terminé, je vais trouver le moyen de convaincre ma mère qu'elle doit faire une croix sur son mariage, chercher du travail ailleurs qu'à la maison et s'inscrire sur Tinder.

Main dans la main, Brooky et Big Mike admiraient les clichés pris par le photographe officiel quelques semaines plus tôt à la soirée d'orientation. M. Ro et Zara se servaient des entrées au buffet. Dans la queue, Fee et Delaney attendaient de se faire photographier avec leur papa, mais Tom Sharpe n'était pas avec elles. Jinny n'était nulle part en vue. Fidèle à ma vieille habitude, je me suis donc plantée près d'une des tables de cocktail, au fond de la salle, pour observer la scène.

Plus grand que les autres hommes, Jagger Jonze, remarquable par son t-shirt et son jean, s'était installé dans un coin. À côté de lui se tenait Tom Sharpe, son visage couperosé luisant au-dessus de son smoking blanc, sa bouche frénétiquement agitée. Je me suis dit qu'il était sans doute en train de vanter au révérend les mérites de la Maybach argentée qu'il avait dans sa salle de montre, comme il l'avait fait à Big Mike la semaine précédente.

— Tu observes le défilé de mode? a sifflé Jinny en s'insinuant derrière moi.

Je n'ai guère apprécié le sous-entendu.

— Ouais.

— Ne bouge pas. Je vais nous chercher des entrées.

Je pensais qu'elle allait rapporter du fromage et des biscottes, mais elle est revenue avec trois petites boules en chocolat posées sur une serviette en papier. Drôle d'idée, mais bon. Jinny a mordu dans un de ces trucs et a eu un violent orgasme, mais j'ai dit non merci, parce que j'en avais assez de suivre l'exemple de Jinny. Elle a insisté :

— Il faut que tu en goûtes un, Rory.

Rien ne m'y obligeait.

Sur ces entrefaites, Fee s'était approchée de la table en bruissant, l'air tout sauf extatique dans sa magnifique robe blanche.

— Qu'est-ce qui ne va pas? ai-je demandé.

— Rien.

Ayant aperçu les truffes, Fee en a lancé une dans sa bouche et, après l'avoir avalée tout rond, ou presque, elle a récidivé.

J'ai bien vu que j'avais contrarié Jinny en refusant ses bêtes truffes en chocolat. Que Fee en ait gobé deux ne lui faisait ni chaud ni froid. Quand Dee, Zee et Brooky sont venues nous rejoindre, Jinny n'a pas proposé d'aller chercher d'autres truffes. Près de la table, nous avons attendu le début des festivités en épiant les vierges qui valsaient avec leur papa et en écoutant Jinny faire des remarques désobligeantes.

— Regardez l'autre avec ses nattes. Elle doit bien savoir qu'on voit ses énormes aréoles sous cette hideuse robe en polyester. Elle se croit sexy? Le révérend Jonze a horreur de ça.

Ben non. Le révérend n'a pas horreur de ça. Voilà tout ce qui m'est venu en tête. À la vue des gros mamelons de cette fille, il souillerait probablement son jean, au sens propre. J'ai cherché les yeux de Fee, mais elle fixait le sol.

Dans sa robe légère comme l'air, Jinny ressemblait à une déesse. Maquillage minimaliste, chignon simple. La plus jolie vierge dans la salle, après Feliza Lopez – à mon humble avis. Pourquoi Jinny ne nous foutait pas la paix? En tout cas, je me suis demandé ce qu'elle dirait de moi si je m'éloignais.

Les filles et les papas d'Oakwood Circle ont pris place à la table d'honneur en compagnie du révérend Jonze, et pour ça les autres filles nous en voulaient à mort, ce qui n'est pas toujours désagréable. Être haïe parce qu'on appartient à une espèce rare ou spéciale vous confère une sorte de légitimité, je le dis sans détour. Lorsque nous avons été invitées à nous asseoir, Jagger Jonze n'a regardé aucune de nous dans les yeux – sauf Jinny Hutsall. J'aurais voulu demander aux filles si elles l'avaient remarqué, mais, depuis l'incident de la soirée d'orientation chez les Hutsall, les discussions au sujet du révérend étaient *verboten*.

Les papas, cependant, n'étaient au courant de rien. Pour eux, Jagger Jonze était le prototype de l'homme parfait. Il pouvait parler de sport, de musique, d'économie, de politique et de Dieu. Et quand l'un d'eux allait aux toilettes, le révérend ne risquait pas de faire des avances à sa fille, à sa femme ou à sa sœur. Son célibat le rendait encore plus attachant.

Se penchant vers moi, Fee m'a dit qu'elle éprouvait une drôle de sensation dans son ventre, et j'ai cru qu'elle était triste à la pensée que son vrai père ne soit pas là. J'ai songé à lui proposer de la ramener chez elle, mais c'est le moment qu'a choisi Jagger Jonze pour s'emparer de sa guitare et bondir sur la scène afin d'interpréter *Gloire à Dieu pour les jeunes Américaines,* tandis que des hordes de vierges s'agglutinaient autour de ses baskets griffées.

Les abeilles de la Ruche sont restées à la lisière de la foule, sauf Jinny, qui s'était ruée sur la scène avec les autres et chantait à tue-tête. Spontanément, nous avons préféré demeurer en retrait. Nous considérions le révérend comme un imposteur doublé d'un freak, hormis Jinny, bien sûr. Lors de la soirée d'orientation – de *glorientation,* ainsi qu'il le disait –, sorte de générale avant la cérémonie, il s'était montré à la Ruche sous son vrai visage.

Je n'étais au courant de rien lorsque j'avais décidé de participer au bal. Je m'étais jetée du haut de la falaise pour être avec mes amies, en somme. C'était stupide. Comme Shelley me l'avait répété. J'ai toujours peur de rater quelque chose, c'est vrai ; en plus, je craignais de perdre mes amies au profit de Jinny Hutsall. Prenez ce qui est arrivé ce soir avec Brooky, Delaney et Zara, par exemple. Ça ne s'est pas fait du jour au lendemain, d'accord, mais ça s'est fait quand même, au fil du temps. Bref, j'avais raison de m'inquiéter.

Il faut arrêter le révérend Jagger Jonze. Sauver le monde de sa musique, sauver le monde de ses sombres desseins, dont je vais aussi parler. Pas question que je ferme ma gueule devant des imposteurs et des menteurs.

Ce soir, il a lancé une nouvelle chanson, *Marie-moi, Merilee*. Ça ne s'invente pas. Après les cris et les applaudissements, nous nous sommes préparées à prêter serment. Fee était déjà blême, mais elle a levé le pouce pour indiquer que tout allait bien.

Nous avons formé deux longues colonnes dans l'allée recouverte d'un tapis blanc – les papas d'un côté, les filles de l'autre. Des bébés dans le rôle des mariées et des papas dans celui des mariés, à la lumière romantique des chandelles dansantes. Le révérend Jagger a donné aux papas l'ordre de prendre la main de leur fille. Tom Sharpe s'est contorsionné de manière à saisir la main de Fee dans sa main gauche et celle de Delaney dans sa main droite, puis, à l'oreille de mon père, posté près de lui, il a murmuré :

— Nous sommes bénis, mon frère. Loué soit Dieu.

Mon père a hoché la tête. J'ai réprimé une grimace.

J'étais incapable de regarder Sherman. Cette histoire de vœu de chasteté a beau me donner de l'urticaire, j'ai compris que si je me tournais vers lui et que je décelais en lui une fraction du père qu'il avait été et que, pour être tout à fait franche, je cherchais toujours, je risquais de me mettre à brailler sans pouvoir m'arrêter. Tout ce que je voulais, c'était expédier cette formalité, ne pas toucher au buffet, prendre mentalement des notes pour mon blogue et rentrer. Les paroles de ma mère me revenaient sans cesse à la mémoire. Ma vie me faisait l'effet d'un vaste mensonge.

Fee m'a serré les doigts avant que nous récitions le serment puéril – le mot employé par Shelley – que nous avions appris par cœur au cours des semaines précédentes :

— Je jure de respecter mon Père dans les cieux. Je jure de respecter mon père sur la terre. Je jure de respecter le corps dont Il m'a fait cadeau. Je jure de me traiter, MOI (nous devions alors poser nos mains sur notre cœur), comme un être précieux. Je jure de préserver ma vertu jusqu'à mon lit de noces. De rester chaste dans mon cœur comme dans mon âme. Aide-moi, Père, à rester pure et intègre.

Là, nous nous sommes arrêtées pour serrer notre père dans nos bras avant d'ajouter les derniers mots:

— Tu seras toujours mon papa. Je serai ton bébé. Un jour, tu me partageras avec un autre. D'ici là, je porterai ta perle.

Fee semblait nerveuse, mais peut-être était-elle seulement malade. Elle a cligné des yeux pour se concentrer sur M. Tom, pendant que les papas récitaient à leur tour leur boniment à l'unisson:

— Je jure de t'élever dans le respect de Dieu notre Père et de son Fils Jésus-Christ. Je te promets un foyer sain, exempt de tentations. Tu es ma lumière. Tu es mon amour. Et je promets au ciel qui veille sur nous de te garder pure comme la neige jusqu'au jour où je devrai te laisser partir. Je serai toujours ton papa. Tu seras mon bébé. Un jour, je te partagerai avec un autre, mais, d'ici là, tu porteras ma perle.

Nos papas ont glissé une jolie petite bague sertie d'une perle à notre annulaire. Sauf la bague de Fee qui, comme je l'ai déjà dit, refusait obstinément de glisser sur son doigt. C'est même devenu une source d'embarras. Constatant les difficultés de M. Sharpe, qui multipliait les vaines tentatives, Jagger Jonze a interrompu la cérémonie. M. Sharpe a fini par tendre la bague à Fee d'un air super contrarié.

La symbolique de la bague de perle avait suscité une vraie diarrhée de commentaires sur Twitter. Un utilisateur a écrit que nos papas auraient plutôt dû nous offrir un collier de perles puisque nous n'étions qu'une bande de salopes incestueuses. Son message comprenait un lien vers des images de colliers de perles. Comme je ne saisissais pas l'allusion, j'ai cliqué dessus. Au cas où, comme moi, vous ne seriez pas au courant, l'expression *collier de perles* décrit un chapelet de gouttes de sperme laissé sur le corps d'une autre personne, souvent sur le cou ou le visage. Description assez exacte, à en juger par les images.

Sous l'effet combiné des manhattans servis chez Warren Hutsall et des verres pris au bar, où l'alcool coulait à flots, la plupart des papas sont vite devenus sentimentaux. Fier comme un paon, Big Mike a serré Brooky dans ses bras en reniflant. Les larmes aux yeux, M. Rohanian a fait de même avec Zara. Tom Sharpe a voulu imiter les autres avec Delaney, mais elle s'est esquivée en grimaçant. Fee s'est dirigée vers M. Sharpe, mais celui-ci s'est détourné d'elle pour prendre un autre cocktail sur le plateau d'un serveur. Sherman et moi nous sommes seulement regardés.

Le bal. Les robes. Mon père. La bague de perle. Je suis une merde. Une Cacalabasienne. Laissez-moi dissiper toute ambiguïté : je ne pense pas que tous les habitants de Calabasas sont odieux. Pas du tout. Loin de là. Seulement, les gens qui vivent dans la richesse, les privilèges et la religion, loin du monde réel, finissent invariablement par croire qu'ils méritent les belles choses qu'ils possèdent, ce qui a tendance à en faire de parfaits crétins.

Merde.

Je viens d'entendre un bruit. Et ce n'est pas le vent. Il y a un camion sur la route et il s'approche de nous.

J'ai peine à reprendre mon souffle. Voici ce qui est arrivé…

Le bruit que j'ai entendu? J'ai couru jusqu'à la fenêtre au moment même où une camionnette foncée négociait le virage à toute vitesse avant de s'engager dans l'allée de gravier de la caravane voisine. Fee s'est réveillée, fiévreuse et désorientée.

— C'est quoi, ce vacarme, Ror? a-t-elle demandé.

J'ai dû lui couvrir la bouche de ma main et lui rappeler où nous étions. Le bal. La bombe. La prime. La remise. Chut.

La portière de la camionnette s'est ouverte en grinçant avant de se refermer avec fracas, et on a vu apparaître un homme qui jurait en espagnol. Pendant ce temps, Fee et moi nous serrions les doigts jusqu'à les faire bleuir. J'ai vu la vague silhouette tituber vers la caravane. Était-ce contre lui que Javier nous avait mises en garde? Le maître du chien noir? Qui peut posséder un animal pareil, sinon un type méchant, effrayant? Il a tiré sur la bâche bleue tendue au-dessus du porche, et tout le truc s'est détaché et a volé dans les airs avant de se coincer dans un buisson desséché, non loin de la camionnette.

Le type a juré encore. Il a grimpé les marches en titubant et a tourné la poignée plusieurs fois avant de pousser la porte d'un coup d'épaule. Dans la caravane, il s'est mis à gueuler, furieux:

— Perro ! PERRO !

Fee a tenté de se lever pour jeter un œil par la fenêtre, mais ses jambes l'ont lâchée. Je lui ai dit que c'était juste le voisin complètement soûl qui appelait son chien. Apparemment, celui-ci s'appelait Perro, c'est-à-dire «chien». Original.

— Perro ! Perro ! *Te mataré !* Je vais te tuer, a hurlé l'homme.

Pendant un moment, j'ai effectivement cru qu'il allait faire la peau à ce pauvre animal. Puis la porte de la caravane s'est rouverte et l'homme est sorti en criant:

— Perro. Perro ! *Cabrón ! Ven acá !* Viens ici tout de suite, sac à merde !

Sous le clair de lune, j'ai vu sa silhouette bleutée s'approcher de la remise. Je me suis baissée, puis Fee et moi avons entendu le crissement de ses bottes sur le gravier, le bruissement des hautes herbes. D'un coup sec, Fee a refermé le portable: l'homme risquait d'apercevoir sa lueur par la fenêtre. Je me suis précipitée sur la porte dans l'intention de la bloquer.

L'ivrogne appelait toujours Perro à tue-tête. Il était si proche que je distinguais les postillons qui giclaient de sa bouche. Avant qu'il ait atteint la remise, un craquement a retenti à l'intérieur de la caravane. Perro? Le vent? L'homme a juré de nouveau, puis, faisant demi-tour, il s'est frayé un chemin au milieu des mauvaises herbes.

Je suis revenue à la fenêtre, juste à temps pour le voir claquer la porte derrière lui. Fee a remercié Dieu avec une sincérité manifeste. Je me réjouis de savoir qu'elle a Dieu dans son camp. Je la soutiens à cent pour cent dans ses illusions.

Notre soulagement a été de courte durée. Bientôt, l'homme a recommencé à jurer, puis nous avons entendu des martèlements et des cognements. Sous mes yeux, la caravane tanguait. Il y a eu d'autres cris et des bruits sourds, suivis d'affreux gémissements qui se sont interrompus d'un coup. Cette fois, le silence ne nous a pas apaisées. Avait-il tué le chien? À coups de pied, genre?

— Nous ne partirons pas d'ici sans Perro, a décrété Fee en m'agrippant la jambe.

La télé est toujours allumée dans la caravane. Sinon, tout est tranquille depuis un certain temps. Pas de mouvement. Pendant que l'ivrogne se donnait en spectacle, la cabane de Javier est restée dans le noir. Il faut croire qu'il a le sommeil lourd.

Fee a de nouveau perdu connaissance. Sa respiration est entrecoupée. Merde. J'ai peur, mais je vais sortir quand même. Il lui faut de l'eau. Et vite. Je laisse juste au soûlon le temps de sombrer. Et Perro n'est sans doute pas en état de m'attaquer en ce moment.

Chaque fois que je vais en ligne, comme il y a un instant, j'ai envie de hurler. Comment se défendre contre Dieu? Apparemment, des groupes de Croisés se mobilisent d'un océan à l'autre. Renonçant d'emblée à la prime, ils souhaitent nous capturer à seule fin d'auréoler de gloire la Cause, soit la lutte contre l'avortement – ces gens s'imaginent vraiment que deux adolescentes d'une école chrétienne de Calabasas sont impliquées dans le Marché rouge. La faction la plus radicale de la faction la plus radicale affirme que Dieu a parlé et que nous devons mourir. Bref, nous sommes traquées par des personnes qui entendent la voix de Dieu, lequel réclame notre tête. De mieux en mieux. Dire que ces enculés se moquent des kamikazes islamistes qui tuent pour leur cause et qui, en guise de récompense, s'attendent à être dorlotés au paradis par soixante-douze vierges. Des Croisés. Merde. Quel nom! Ils l'ont choisi en toute connaissance de cause, non? L'histoire et tout ça? Les Croisés étaient motivés par la violence et la haine.

Le retour du balancier dont on parle sans arrêt a débuté avec force à l'époque où j'étais en sixième année. À table, mes parents discutaient des bulletins de nouvelles qu'ils écoutaient en permanence. Puis, comme tout le monde, nous, les filles, avons suivi les accusations et confessions de célébrités découlant du mouvement #MeToo. Sont venues ensuite des mesures touchant l'avortement. Les restrictions relatives aux battements de cœur du fœtus. Les restrictions relatives aux services d'aide. Les restrictions relatives aux échographies. Les quasi-interdictions et les prohibitions pures et simples.

Pour faire court, j'ai entamé mes études secondaires, eu mes premières règles et d'affreux boutons, commencé à voir le monde à travers le prisme des rapports hommes-femmes et à mettre en doute mon christianisme par défaut. Mes hormones ont foutu la merde dans ma foi.

Je sais que je suis parfois chiante avec mes opinions et mes gros mots et que mes amies n'ont pas toujours envie d'entendre mes tirades sur les droits des femmes, en particulier l'avortement, les piètres conditions de vie des Noirs, l'immigration, et j'en passe.

En septième année, Delaney, la plus posée d'entre nous, *because* les vingt milligrammes d'antidépresseur qu'elle avale tous les matins, a affirmé que j'étais déchaînée. Le mot avait surgi dans un test de vocabulaire. *Déchaînée*. Il y a du vrai là-dedans. Je ne la ferme jamais. Je ne renonce jamais. J'ai l'esprit de contradiction. J'ai donc créé mon blogue : *Cette petite lueur*.

Ma mère me soutenait sans réserve, mais elle tenait quand même à lire tout ce que j'écrivais avant publication. Mon premier texte m'a d'ailleurs été inspiré par une conversation que Shelley avait eue avec tante Lilly à propos de Tarana Burke, la femme noire qui a lancé la campagne #MeToo une décennie avant le réveil d'Hollywood. Tante Lilly et Shelley avaient convenu qu'on ne pouvait pas parler de l'oppression des femmes sans reconnaître l'éventail des souffrances subies par les femmes d'autres cultures et d'autres races.

— Si je comprends bien, ai-je dit, cette femme noire a lancé le mouvement, mais c'est seulement quand des vedettes de cinéma ont pris la parole que le monde a écouté?

Shelley a battu des mains et a dit:

— Tu tiens peut-être le sujet de ton premier billet.

Elle m'a aidée à effectuer les recherches et elle a lu mon texte, mais je ne l'ai pas laissée faire de corrections. Je tenais à ce que chaque mot soit de moi. C'est encore vrai aujourd'hui.

J'ai publié le billet sur la mesure des jupes. J'ai écrit un billet satirique sur le code vestimentaire des garçons. Dans un autre, j'ai affirmé que les femmes, pour en finir avec le patriarcat, devraient garder leur nom en se mariant – même si ma mère a avoué qu'elle avait volontiers renoncé à Frumkin au profit de Miller. (Ici et maintenant, je m'engage solennellement à être pour toujours Rory Miller.)

J'ai pondu un texte à propos du jeune Noir au volant d'une Ferrari rouge que des policiers avaient intercepté à Calabasas. Lorsque ceux-ci avaient compris qu'ils avaient affaire au fils d'un joueur intronisé au Temple de la renommée, la quasi-arrestation s'était transformée en séance de *selfies*.

Et j'ai publié un long article sur l'avortement. Je regrette de ne pas l'avoir gardé pour moi, celui-là, car les médias et les réseaux sociaux dissèquent en ce moment tout ce que j'ai écrit et affirment que mes textes renferment des messages codés destinés au Marché rouge. Nom. De. Dieu.

Et maintenant, en ligne, on n'en a que pour le complot juif. Ma religion retient l'attention, c'est le moins qu'on puisse dire, mais les juifs ne sont pas trop empressés de me revendiquer. Je les comprends, remarquez. Des organisations juives prennent leurs distances en affirmant que mon père n'était pas pratiquant, pas plus que son père à lui, d'ailleurs. Vrai. Et que sa mère était une catholique qui ne pratiquait plus. Encore vrai. Et que le père de ma mère, qui ne pratiquait pas non plus, avait épousé une *shiksa*. Toujours vrai. Mes parents et moi ne sommes pas de bons juifs, on est les premiers à l'admettre. Des juifs *light,* comme on dit parfois, en tout respect. Sans trop savoir ce qu'est le judaïsme, j'en fais encore partie.

L'altérité. Notre subtile altérité : voici ce qui nous lie, Fee et moi. Depuis le début, nous formons un duo inséparable au sein de la Ruche. Mais dernièrement, on a commencé à avoir des secrets l'une pour l'autre. Fee, par exemple, a omis de me parler d'un incident pourtant important qui s'est produit lorsqu'elle est allée rendre visite à son *abuela* à Cerritos. Et je ne lui ai pas raconté ce qu'a fait Jinny Hutsall. Je ne lui ai pas dit non plus que c'était – du moins je le crois – la cause du pétrin dans lequel on patauge. Dès qu'elle se réveillera, je lui dirai la vérité. Toute la vérité.

Mais peut-être pas d'un seul coup.

Alors, cette confession? J'ai espionné Jinny Hutsall dans sa chambre. Dès le soir de son arrivée. De la fenêtre latérale de ma chambre, qui domine le patio, j'ai une vue imprenable sur la sienne dans la maison d'à côté. Je ne l'ai pas seulement espionnée, à l'abri de mes rideaux – je l'ai filmée. C'est mal, je sais, mais vous devez comprendre – comme Fee comprendra, du moins je l'espère – que je devais réunir des preuves parce que, dans cette affaire, c'est Jinny Hutsall la criminelle.

Pourquoi sommes-nous ici? Je pense… Je ne peux jurer de rien, mais je pense qu'elle sait que je l'ai filmée avec ma caméra à main, laquelle se trouve derrière ma commode, où je l'ai laissée tomber hier. Et je pense qu'elle en a parlé à Jagger Jonze. Et qu'ils veulent me faire taire.

C'était hier, vraiment? J'ai l'impression que ça fait mille ans.

J'ai failli me péter un orteil en essayant de déplacer ma commode hyper lourde pour récupérer ma foutue caméra. C'est un appareil super miniature avec un objectif super long – cadeau d'anniversaire de tante Lilly. Vaut-il mieux que les autorités la trouvent ou non ? Je n'en suis pas certaine. Si elles ont vu les images, Fee et moi serons innocentées. Peut-être aussi les ont-elles détruites. Si elles n'ont pas mis la main sur l'appareil, je dois trouver quelqu'un de fiable pour se rendre dans ma chambre.

Zee, Bee, Dee – mes copines? Je sens la morsure de la trahison. Quelle merde.

Où sont-elles à présent, Delaney, Brooklyn et Zara? Nos sœurs? La Ruche? Eh bien, tout indique qu'elles passent la nuit en compagnie de Jinny Hutsall et du révérend Jonze, toujours vêtues de leur robe blanche *because* elles sont superbes. Depuis leur petit poste de commandement au fond du cul-de-sac, elles nous expédient des tweets dans lesquels elles nous supplient de nous rendre. Elles ont préparé du café pour les enquêteurs, publié des *selfies* avec des policiers sexy et cité les Écritures à propos des pécheresses, à grand renfort d'émojis de visages tristes, ou fâchés, ou en train de dégueuler. Comme si elles avaient déjà mentionné le livre saint dans des tweets. Traîtresses.

Et mon père, Sherman Miller, continue de « collaborer ». Sherm risque-t-il de se souvenir de la cabane de Javier dans les bois ? De songer que c'est ici que nous avons trouvé refuge ? J'en doute. Aux nouvelles, ils ont montré des photos de lui avec Boules en sucre. Ils sortaient de leur somptueux manoir de Hancock Park. Pour aller où ?

Avant la séparation de mes parents, ma mère avait souvent évoqué la possibilité d'acheter une maison plus modeste dans les environs du marché fermier ou dans Hancock Park. Sherman répondait qu'il se ferait sauter la cervelle plutôt que de déménager, *because* les embouteillages, mais je pense que c'était plutôt l'idée de réduire son train de vie qui le dérangeait : son ego, en effet, réclamait du grand, du huppé, du clinquant. Il voulait plus, toujours plus. Shelley ne s'est jamais sentie chez elle à Calabasas, mais Sherman disait adorer notre mode de vie. Je dois avouer que j'aurais piqué une crise de nerfs aux proportions bibliques s'ils m'avaient forcée à quitter ma Ruche. Non. Jamais. Pas ça.

— On ne peut pas marcher, ici, répétait ma mère.

En fait, il y a des tas d'endroits où faire de la marche – les trottoirs larges et impeccables de Hidden Oaks, sans parler des magnifiques sentiers de randonnée en montagne. Le problème, c'est qu'il n'y a nulle part où aller à pied. Avec son âme de fille de la grande ville, Shelley ne s'est jamais habituée à la banlieue. On dit parfois « se sentir comme un poisson hors de l'eau » sans réfléchir aux implications. Hors de l'eau, un poisson crève. Alors.

Je me demande ce que mes parents ont pensé en débarquant aux États-Unis comme nouveaux immigrants. La Californie accueille plus d'expatriés en provenance du Canada que tout autre endroit dans le monde, mais Shelley a admis qu'elle avait ressenti un certain choc culturel – les voitures, l'argent, les piscines et les vedettes de cinéma agglutinées dans les collines d'Hollywood où mes parents ont d'abord habité. Fille d'une mère et d'un père travailleurs, mes bien-aimés grand-papa et grand-maman, Shelley avait grandi dans une humble maison en rangée de Toronto.

Issu d'une famille riche de Winnipeg, Sherman, lui, rêvait du sud de la Californie – le soleil et les brises océaniques, le golf et le tennis à longueur d'année. À qui voulait l'entendre, il disait que Shelley et lui avaient quitté le Canada parce qu'ils ne supportaient pas le froid. Shelley le reprenait chaque fois :

— C'est toi qui avais horreur du froid, mon chou.

J'ai trouvé que c'était une raison incroyablement superficielle d'abandonner son pays, jusqu'au Noël magique mais cruellement glacial que nous avons passé à Toronto avec ma tante et mes grands-parents.

En commençant son droit, Sherman avait pour but de devenir avocat et de faire fortune en défendant des célébrités hollywoodiennes – c'était son projet de vie. Puis il a rencontré Shelley Frumkin, jeune blonde à la forte poitrine dont les grands yeux verts vous sondaient l'âme sans s'arrêter à votre enveloppe charnelle. Sherman a sans doute aimé sa passion, son enthousiasme et son intelligence, mais je suis sûre de ce qui l'a aussitôt séduit : Shelley Frumkin était le genre de femme qui fait passer les autres en premier, et Sherman avait besoin de passer en premier. Bref, ils étaient faits l'un pour l'autre.

Après avoir gagné à la loterie de l'immigration, mes parents se sont dirigés vers la côte et ont trouvé du travail, ensemble, dans un cabinet qui défendait les immigrants. Bien avant ma naissance, ils ont fondé leur propre affaire, le Cabinet d'avocats Miller. Ils s'y sont investis à fond. Coups de fil. Déplacements en personne. Temps d'écran. Plus ils travaillaient, mieux ils réussissaient; plus ils gagnaient d'argent, plus Sherman était heureux. Shelley, en revanche, ne s'est jamais habituée à l'opulence et n'a jamais renoncé aux magasins à bas prix. Avant même que Sherman nous abandonne, elle s'habillait à Dress for Less. Et elle insistait pour faire du pro bono et aussi du bénévolat. Ils n'ont jamais été sur la même longueur d'onde, j'imagine.

C'est à cause de moi qu'ils ont atterri à Calabasas. Shelley avait presque quarante ans lorsqu'elle est tombée enceinte de moi après des années de fécondations in vitro infructueuses. Ni elle ni mon père ne croyaient en Dieu, mais ils m'ont quand même qualifiée de petit miracle. Quand Shell était enceinte de quelques mois, ils ont quitté les collines d'Hollywood, endroit peu propice à l'éducation des enfants, pour Hidden Oaks, le lieu tout indiqué. Mes parents ont obéi aux mêmes motivations que leurs contemporains. Au premier chef, l'air frais. Shelley ne supportait pas l'idée d'élever son enfant dans le smog couleur corail qui pesait lourdement sur leur maison d'Hollywood. À Calabasas, la pollution était interdite, repoussée par les courants aériens venus de la mer et retenue de l'autre côté de la vallée. Mes parents étaient déterminés à me donner ce qui se fait de mieux. Du bon air. Les meilleures écoles. La proximité de l'océan. Un milieu naturel. Une énorme maison. Un piano. Des leçons d'équitation. Le top du top. Mais je me demande sincèrement si le mieux n'est pas l'ennemi du bien. Dans certains cas.

J'ai abouti à Sacré-Cœur parce que c'était l'école que fréquentaient les enfants des voisins et amis de mes parents – les Leon, les Sharpe et les Rohanian.

Cinq immeubles impressionnants répartis sur six hectares à flanc de colline – la salle de bal et la chapelle du côté sud, les écoles (élémentaire, premier cycle et deuxième cycle du secondaire) au nord, deux piscines olympiques, trois terrains de sport, un programme pédagogique rigoureux. À quatre ans, j'ai supplié mes parents de m'envoyer à Sacré-Cœur avec mes meilleures amies, et Sherman et Shell ont visité l'incroyable campus, rencontré une horde d'enseignants dévoués corps et âme à leurs élèves et bu le maudit Kool-Aid chrétien comme du petit-lait. Que je sois non-chrétienne à Sacré-Cœur ne les inquiétait pas puisque beaucoup d'élèves se trouvaient dans la même situation. Les résidents de Calabasas envoient leurs enfants à la «meilleure» école et tant pis si Jésus la fréquente aussi.

Mes parents ont-ils envisagé que je puisse être happée par le vortex chrétien? Ont-ils compris le genre d'expérience qu'ils tentaient? Ont-ils été simplement soulagés d'avoir réglé la question une fois pour toutes? Rory heureuse avec ses copines. Cochez ici. Le cul-de-sac est un village, et c'est ce village qui m'a élevée pendant que mes parents étaient occupés à sauver le monde, à supposer que ce soit bien ce que faisait Sherman à l'époque. Ils n'étaient pas spécialement absents, surtout pas Shelley, mais ils n'étaient pas toujours présents non plus. Et ils ne se sont jamais sentis coupables à l'idée de travailler tard ou de voyager pour leur travail parce qu'ils me savaient heureuse avec mes amies. Chez moi chez elles, avec les mamans du voisinage qui me faisaient un bisou de bonne nuit. Les bondieuseries? Mes parents devaient se dire que, à quatre ans, j'étais assez grande pour faire la part des choses.

Pas étonnant que je sois perturbée. Mes amies et moi menons des vies bourrées de contradictions. Nous écrivons des dissertations sur l'amour de Jésus pour les pauvres et les laissés-pour-compte avant d'aller chez

Louis et Prada. Nous lézardons au bord de la piscine en nous moquant de ceux qui n'ont rien et en vénérant ceux qui chient l'argent. Toute la journée, nous passons d'un extrême à l'autre – on dirait du saut à deux cordes spirituel – et j'ai sérieusement le vertige. Je ne suis pas dupe. Vraiment pas.

Depuis les premières loges, j'ai assisté à l'éducation de parfaites chrétiennes. Les femmes doivent se taire et n'exercer aucune autorité sur les hommes, elles doivent rester dans leur cuisine et laisser leur mari diriger leur foyer et le monde. En gros, c'est ce que dit la Bible. Sauf que Brooky, Zara, Delaney, Fee et moi n'avons jamais adhéré à cette merde sexiste. Pareil pour un tas d'autres filles. Franchement, je parierais que la moitié des vierges qui ont participé au bal de ce soir auront goûté au fruit défendu avant la fin de leur dernière année. Et certaines d'entre elles, oui, quelques-unes de ces ferventes chrétiennes vont recourir au Marché rose pour obtenir la pilule du lendemain ou un avortement.

J'ai écrit mon blogue sur l'avortement au cours de ma première année, à l'époque où il n'était question que de ça. Des années plus tôt, lorsque j'étais probablement trop jeune pour avoir une telle conversation, ma mère m'avait parlé de *Roe v. Wade* et fait part de son opinion sur les droits des femmes. J'ai vu la situation déraper : les Croisés, devenus plus violents, se sont mis à poser des bombes dans les cliniques d'avortement. Tante Lilly a affirmé que le Marché rose était né d'un coup, *because* les médias sociaux. La nouvelle s'est répandue dans l'éther et, à l'école, les filles en parlaient à voix basse. Voilà le contexte dans lequel j'ai soulevé des questions sur Dieu, la religion et le droit d'une femme à disposer de son corps.

Puis notre école a accueilli un conférencier, un petit prêtre aux allures de farfadet qui a dit s'appeler père

Joe. Il nous a expliqué que le pasteur Hanson l'avait invité à venir nous parler de son «amour de la vie». Mais d'abord, a-t-il dit, il allait nous présenter une vidéo, un montage d'échographies d'une durée de huit minutes où on voyait des fœtus exécuter des sauts périlleux et sucer leur pouce dans le liquide amniotique, tandis qu'un chœur d'enfants interprétait *Amazing Grace*. Nous, les filles de Sacré-Cœur, nous sommes regardées en disant:

— Hein, quoi?

Après le film, le prêtre a saisi le micro et expliqué que le film que nous venions de voir sur le miracle de la vie utérine était tiré de cinquante échographies obligatoires réalisées récemment dans un des États où l'avortement n'était pas encore carrément interdit.

— Cinquante vies innocentes, a enchaîné le père Joe d'une voix brisée. Quarante-neuf anges.

Puis, d'un geste, il a désigné le fond de la salle. Un adorable petit garçon aux yeux bleus et aux cheveux blanc-blond bouclés a couru dans l'allée pour se jeter dans les bras du prêtre. Le père Joe a pris le garçon effrayé dans ses bras et l'a brandi bien haut dans les airs.

— Je vous présente David, le seul survivant.

Les autres filles se sont mises à applaudir comme des folles, tandis que David commençait à pleurer. Moi, je bouillais intérieurement. D'abord, c'est dégueulasse, comme procédé. Nous faire voir des images de fœtus dans le but de manipuler nos émotions et d'embrouiller le débat. Et, surtout, faire monter sur scène cet adorable petit bonhomme terrorisé afin que nous l'acclamions parce que sa mère ne s'était pas fait avorter. Sans compter qu'on nous disait au fond que, malgré l'échographie obligatoire, seulement une femme sur cinquante avait changé d'avis (ce qu'elle aurait peut-être fait, de toute façon). N'est-ce pas une preuve de stupidité? Du genre marquer dans son propre but?

Après l'école, la Ruche s'est réunie dans ma chambre. J'en avais long à dire sur la mise en scène du père Joe. Pour me faire descendre de mes grands chevaux, Zara a déclaré qu'un avortement était un meurtre et que c'était un sujet si bouleversant qu'il valait mieux éviter d'en parler. C'était la première fois que Zara exprimait cette opinion, et l'idée que le truc publicitaire du prêtre l'avait fait changer de camp m'a mise hors de moi. Delaney a dit croire que Dieu comprendrait parfaitement qu'on recoure à l'avortement en cas de viol ou d'inceste, mais elle n'était pas sûre de ce qu'Il en penserait dans d'autres circonstances. Brooky a dit que Dieu nous donnait le droit de choisir et que les gens auraient intérêt à ne pas se mêler des affaires des autres. Fee n'a pas dit que l'avortement était un meurtre, mais elle a affirmé que c'était un geste «égoïste».

— Et l'adoption, dans tout ça?

Because, a-t-elle poursuivi, une grossesse, quoi qu'on en dise, ne dure jamais que neuf mois. Et quel beau cadeau à offrir à un couple incapable de concevoir. C'est Fee tout craché, ça.

La dernière année a été horrible. Toutes ces célébrités qui ont été dénoncées publiquement pour avoir eu recours à des «avortements illégaux» – la veille ou vingt ans plus tôt, c'était du pareil au même… Leurs comptes de médias sociaux ont été bombardés, leur carrière ruinée. Les papas-bébés complices de ces grossesses imprévues? Eux qui ont parfois même financé le crime? Ils haussent les épaules et se désintéressent du nouvel A écarlate, après l'adultère. L'avortement. Merde à l'avortement. Le président semble avoir cru que son appui aux bals de la pureté suffirait à mettre un terme aux relations sexuelles avant le mariage et entraînerait une diminution du nombre d'adolescentes qui se font avorter illégalement. Ces gens-là ont sincèrement cru qu'il suffisait d'obliger à montrer une pièce d'identité avant d'acheter des préservatifs pour que les adolescents renoncent à baiser. Que la quasi-impossibilité de se procurer des pilules contraceptives et la pilule du lendemain permettrait à la société d'évoluer et qu'on pourrait se passer des cliniques de planification familiale et d'avortement légal. Ils ont dit que ces mesures avaient pour but de «repeupler» ou de «repatriotiser» les États-Unis. Pardon? Des rumeurs circulent à propos de filles enceintes expédiées dans des maisons de naissance privées. Mais si ces maisons étaient tenues par des criminels? À bien y penser, le gouvernement a dégagé un créneau pour un groupe style Marché rouge. Peut-être existe-t-il, après tout.

Pour la Ruche, le discours sur l'avortement est purement hypothétique, de toute façon. Ce n'est pas comme si l'une de nous avait besoin de se faire avorter. Ou avait eu des rapports sexuels. Pour nous, il s'agit vraiment d'une notion abstraite. Mais si l'une de nous se retrouvait dans cette situation? Nous tenons de beaux discours, mais comment réagirions-nous si nous tombions enceintes? Même Zara. Qui sait, hein?

Depuis que la responsable de la politique sociale de notre école épluche en douce nos réseaux sociaux, je me garde bien de prendre position pour ou contre l'avortement dans mon blogue, mais j'ai quand même affirmé que les avortements ne cesseraient pas, quelles que soient les opinions exprimées et les lois adoptées par les États. Avec l'aide de ma mère, j'ai cherché dans les archives des histoires d'horreur: des femmes qui se sont jetées du haut d'un escalier ou ont eu recours à une aiguille à tricoter ou à un cintre. La responsable de la politique sociale n'a rien dit à ce sujet, mais la titulaire du cours d'hygiène de vie, Mlle Vogelvort, a dit qu'elle avait lu mon texte et qu'elle prierait pour moi.

Fee gémit à côté de moi. Je ne sais pas pourquoi. Un cauchemar? Merde. Depuis deux ou trois minutes, elle fait un boucan d'enfer. On risque de l'entendre. Double merde. Je vais devoir la réveiller.

J'ai réveillé Fee pour l'empêcher de gémir, mais elle est désorientée et réclame de l'eau en pleurant. Je n'ai pas le choix: il faut que je sorte. Au moins, le vent s'est levé et les appareils qui volent à basse altitude ont déserté le ciel. Pauvre Fee.

J'ai jeté un coup d'œil à la route de terre qui mène à ce petit «quartier» décati. Pas de voitures. Pas de phares. J'ai regardé la caravane du voisin. Le téléviseur est toujours allumé. Il est donc possible que l'ivrogne veille encore. Mais il a plus probablement perdu connaissance. Je me suis rappelé les mots de Javier:

— Il ne faut pas qu'il vous voie.

J'ai eu du mal à ouvrir la porte de la remise à cause des vents de Santa Ana. Ils ont cinglé mon visage et mes bras nus, tandis que je courais vers la camionnette de Javier dans les herbes hautes. Pas de tonneau sur le plateau. Pas de bouteilles à moitié vidées. Une fouille rapide de l'habitacle n'a rien donné.

Je me suis tournée vers la camionnette de l'ivrogne. Il fallait que je vérifie. Pliée en deux, j'ai couru vers elle, les yeux rivés sur la caravane – terrifiée à l'idée que le type me voie. Postée derrière le véhicule, j'ai vérifié le plateau. Pas de carafe ni de bouteille d'eau. Me baissant, je me suis approchée de l'habitacle, plaquée contre la carrosserie. Peut-être que le type y avait oublié quelque chose. Pas possible – une petite bouteille de Gatorade reposait par terre, du côté du passager. Pas seulement de l'eau, mais aussi des électrolytes et du sucre, bref tout ce qu'il faut pour soulager Fee après ses vomissements, pas vrai?

La portière a grincé. Je me suis arrêtée en retenant mon souffle, certaine que l'ivrogne allait sortir de la caravane, un fusil à la main. Et s'il me reconnaît? S'il est au courant pour la récompense? S'il m'a vue à la télévision?

J'ai réussi à ouvrir la portière et à m'emparer de la bouteille de Gatorade. Puis, par une fente de la porte du chien, visiblement brisée, j'ai détecté un mouvement dans la caravane. L'ivrogne? Perro? Malgré ma curiosité, je ne me suis pas attardée. J'ai attrapé la bouteille, refermé doucement la portière et couru jusqu'à la remise. Par la fenêtre, j'ai jeté un coup d'œil à l'Airstream. Personne. Aucun signe de vie. Rien du tout. Je me suis laissée tomber à côté de Fee.

Elle a eu du mal à en croire ses yeux.

— Du Gatorade?

Elle m'a arraché la bouteille, l'a ouverte, l'a portée à ses lèvres et l'a bruyamment sifflée d'un coup. Elle s'est essuyé la bouche du revers de la main. Puis elle m'a dévisagée d'un air de mourante. Je n'ai pas compris tout de suite. Puis la lumière s'est faite dans mon esprit. De la pisse? Mon Dieu, il y avait donc de la pisse dans la bouteille de Gatorade?

Fee a pris deux ou trois profondes inspirations. D'une voix étonnamment calme, elle a dit:

— Tequila.

— Quoi?

— Il y avait de la tequila dans le Gatorade, Rory.

J'ai reniflé la bouteille. Il m'était arrivé une fois ou deux de tremper mes lèvres dans une margarita et je connais l'odeur. Jésus. Juste ça. Jésus.

À ma grande surprise, Fee n'a pas dégueulé, elle qui s'était pourtant déclarée sur le point de le faire. De la tequila, quand même…

— Ma mère va me tuer, s'est-elle contentée de murmurer en posant sa tête sur le sol.

J'ignore combien de tequila il y avait dans la bouteille, mais, en ce moment, Fee est ivre morte. Génial. Je l'observe dans la clarté lunaire diffusée par les fentes du toit. Elle respire par la bouche. Quel effet l'alcool aura-t-il si elle a déjà été empoisonnée? Et si elle est trop malade pour bouger quand Javier viendra nous sortir de là? Alors quoi?

Je suis épuisée, mais je n'ose pas dormir. Les nouvelles et tweets publiés en ligne me rendent complètement folle, mais je ne peux pas m'empêcher de les lire. Debout au milieu de la nuit, ce salaud de pasteur Hanson publie les relevés de nos absences et de nos retenues. Selon lui, je serais une «agitatrice notoire». Oui, il a employé le mot *agitatrice*. Il souligne l'insubordination de Fee et ses nombreuses infractions relatives à la longueur de sa jupe. Il est vrai qu'elle s'est souvent fait prendre, mais c'est seulement parce qu'il arrive que Delaney et elle se trompent de jupe et que Fee porte du moyen et Delaney du petit.

Va. Chier. Pasteur. Hanson. Va. Chier. Sacré. Cœur. Et Dieu? Où diable est-Il? Ne se rend-Il pas compte que Fee souffre, qu'elle est en danger?

Franchement, je pense que je croirais encore en Dieu si je n'avais pas compris jusqu'à quel point Il est mû par la haine. C'est vrai. Ça a commencé à devenir évident dans le cours d'hygiène de vie de Mlle Vogelvort, qui louche depuis que son dernier lifting a mal tourné. Dans sa classe, il n'était question ni de puberté, ni du système reproducteur, ni de nutrition. Non, nous parlions plutôt des gays et de la haine que Dieu et Mlle Vogelvort leur vouaient. J'aurais aimé lui expliquer que Jésus est Dieu et que, tout bien considéré, Il a tout à fait le profil d'un bi. Il a eu des pensées impures pour cette prostituée, je veux bien, mais que penser des apôtres? Je n'arrive pas à croire que le schizophrène le plus génial et le plus influent de tous les temps ait pu haïr qui que ce soit. Ni les gays. Ni les juifs. Ni les musulmans. Ni les hindous. Même pas les mormons – sauf peut-être les trous du cul qui épousent des enfants. Et Il fait peut-être aussi une exception pour les membres de l'Église de scientologie *because* bonjour la secte.

Un jour, Vogelvort nous a invitées à résister à nos «pulsions» grandissantes: la masturbation, en effet, est un péché. Elle a cité un verset biblique, qui ne figure même pas dans la Bible, dans lequel il est question du «gaspillage de semence». Dans une école de filles!

Je méprise Vogelvort. Nous la méprisons toutes. D'une voix de sorcière de dessins animés, Brooky fait une imitation absolument hilarante de Vortie:

— Écoutez-moi bien, les filles. Quand, la nuit, le démon vous tente dans votre lit, pensez à mon visage et vous aurez la peur de votre vie. Imaginez-moi en train de vous observer. Avec mon œil droit. Non, le gauche. Non, le droit. Peu importe. De toute façon, vous irez en enfer!

Brooky a eu raison de dire à Jinny Hutsall, quand nous avons fait connaissance, que c'était uniquement pour être avec mes amies que j'allais à Sacré-Cœur. Un jour que nous nous faisions rôtir à Zuma Beach, j'ai évoqué la possibilité de changer d'école. Les filles ont pouffé de rire à l'idée de quitter Sacré-Cœur, malgré les restrictions stupides et les enseignements bidon. Même Fee a cru que je plaisantais. Après tout, qui renonce à ce qui se fait de mieux? Si tant est que c'est vraiment ce qui se fait de mieux. Ce qui est sûr, c'est que je n'étais pas assez brave pour quitter Sacré-Cœur toute seule, surtout que mes parents venaient de se séparer.

Sacré-Cœur se trouve presque en face de King Gillette, l'école secondaire publique. Chaque matin, nous, les filles, mortes de chaleur sous notre uniforme en laine, tirant sur notre queue de cheval réglementaire, nous massons derrière notre monumental portail en fer forgé pour observer le cirque. Parfois, j'ai la chance de voir Chase Mason sortir de sa jeep, et je le regrette aussitôt parce qu'il est le plus souvent pris d'assaut par une fan de Lark's Head qui lui brandit sa tenue de plage sous le nez *because* pas de code vestimentaire.

Les élèves de l'école publique semblent appartenir à une espèce différente – ils se frottent l'un contre l'autre sur le capot des voitures, s'embrassent à bouche que veux-tu, conduisent dangereusement dans le stationnement. Nos enseignants les qualifient de «sodomites» et, durant notre «conversation matinale avec Dieu», nous prions pour les jeunes égarés d'en face. J'aurais peut-être dû faire partie de cette tribu au lieu d'être un poisson laïque nageant contre le courant chrétien.

Terminé. La mesure des jupes. Le sexisme. Le pasteur Touche-à-Tout. Les Croisés. Dieu. F-i-fi-n-i-ni.

Je quitte Sacré-Cœur.

J'entends sans cesse des bruits dehors. Je regarde par la fenêtre, mais il n'y a personne. Seulement le vent. Quelques hélicoptères sillonnent le ciel, probablement les appareils du service des incendies, seuls capables d'affronter les grands vents, mais ils sont trop loin pour présenter un danger immédiat. Les autorités concentrent leurs recherches sur les plages et les communautés de sans-abri des environs du quai de Santa Monica, les villages de tentes des canyons de Bel Air et les viaducs du centre-ville. Des centaines de personnes disent nous avoir aperçues au milieu des sans-abri. Il paraît que nous distribuons des liasses de billets pour que des migrants nous cachent derrière leur chariot d'épicerie ou leur refuge en carton.

Je ne peux pas m'empêcher de lire les commentaires, évidemment. Merde. Alors. Chaque fois que, d'un clic, je publiais un de mes blogues, j'espérais qu'une centaine de personnes me liraient. Maintenant, des milliers de personnes lisent les niaiseries que j'ai écrites depuis le premier cycle du secondaire, déforment mes propos et les citent à tort et à travers. Et aussi les discussions et les messages échangés sur une appli que nous, les filles, croyions privée? «Ils» – qui ça? – ont tout déterré. Le hic, c'est que j'emploie des gros mots. Nous le faisons toutes. Mais moi plus que les autres. En ce moment, on voit partout des mèmes de moi qui jure. Et les gens se scandalisent de découvrir que des filles qui fréquentent une école chrétienne jurent comme des êtres normaux. Un Croisé a tweeté qu'on devrait arracher ma langue de vipère. D'autres reprochent à Shelley d'avoir élevé une poseuse de bombe mal embouchée qui tue des bébés. C'est gentil, ça. Jagger Jonze fulmine lui aussi, affirme dans ses tweets avoir compris que j'étais une fauteuse de troubles dès qu'il m'a vue à l'occasion de la soirée d'orientation. Pissant. *Because* les événements de ce soir-là.

Ma mère ne jure pas. Elle n'est pas offensée par les gros mots, mais ce n'est pas son genre. Je parie que, ce soir, elle a quand même laissé échapper quelques *merde* ou pire encore. Ma pauvre maman. Les autorités ne précisent pas quand elles entendent la libérer ni même si elles en ont l'intention. Shelley ne sait pas si je suis morte ou vivante. Elle ne croit pas un mot de ce qu'on raconte à notre sujet – ça, j'en suis certaine. Elle a seulement peur pour moi. Et pour Fee. L'idée qu'elle soit seule me rend malade. Et Sherman?! Pourquoi n'émet-il pas un communiqué affirmant que Shelley Miller est une bonne personne et que les accusations qui pèsent contre elle sont fausses?

L'ancien Sherman, celui qui aimait ma mère, était un libéral irréligieux qui citait Confucius et Shakespeare lorsque les autres papas lui servaient des versets des épîtres aux Corinthiens. Où est cet homme, à présent? Mon papa? Celui qui me cueillait dans un de ses bras et serrait ma mère dans l'autre, celui qui, par ce simple geste, faisait de nous une seule entité?

Il nous a quittées il y a trois ans et il nous a quittées à nouveau ce soir. Mais, petit Jésus, il a sûrement entendu la bombe exploser dans les toilettes peu après avoir quitté le bal. J'ai examiné les images tournées sur les lieux de l'explosion dans l'espoir de trouver le visage de Sherman au milieu de la foule, derrière les barricades. Il est plutôt rentré auprès de Boules en sucre, je présume. Pour collaborer à l'enquête. A-t-il seulement envisagé que nous n'avons pas posé la bombe – que nous étions censées mourir dans l'explosion?

Je suis tellement fatiguée. La nuit s'éternise, et il est très bizarre de penser que des milliers et des milliers de personnes passent ces heures sombres à faire une fixation sur nous.

J'espère que tante Lilly est déjà en route vers la Californie. J'espère que ma mère a pu la joindre depuis la prison. Allez, tante Lilly. On a besoin de toi.

Jagger Jonze vient d'annoncer que, demain matin, il va proposer une édition spéciale de cent vingt minutes de son émission, *L'heure de la toute-puissance,* entièrement consacrée à nous et au Bal de la pureté américaine. Marketing de génie pour superstar instantanée. Les affaires de sa franchise explosent. Il a aussi annoncé un concert gratuit, demain soir, sur le quai de Santa Monica. Feux d'artifice à minuit. On attend une foule record. Tout le monde est sûr que nous aurons déjà été appréhendées, ou alors abattues. Le concert célébrera l'accomplissement de la volonté de Dieu.

Rien, absolument rien de tout ça ne serait arrivé si Jinny Hutsall n'était pas venue vivre dans Oakwood Circle. Maudite folle. Je l'imagine bien en extase devant son miroir: Ô miroir mon Dieu, ô miroir mon Dieu sur le mur, suis-je, dis-moi, suis-je la plus craquante, la plus radicale des Croisées? Génial! Je vais répandre ta parole, ô miroir mon Dieu, comme des projectiles d'AK-47, et je sais que tu vas me récompenser en m'accordant ma propre série sur Amazon ou Netflix, un contrat de disque ou un talk-show. Amen.

Sommes-nous coupables ou innocentes? Des sondages éclair révèlent que le pays est divisé: les grandes villes sont pour nous, les États du Sud très majoritairement contre. Cette question ne devrait-elle pas être tranchée à la lumière des faits et non par des maudits sondages? Une torture. À chaque lien que j'ouvre, je m'enfonce un peu plus dans le sol crasseux de la remise. La dissonance cognitive est de retour. Vivons-nous tous dans cet état, désormais?

Selon Internet, Zee serait la jumelle de Khloe Kardashian. Avant, pourtant, personne n'avait jamais relevé la moindre ressemblance entre l'une des Kardashian et Zara Rohanian. Zee est arménienne. Ça devrait suffire, non? On a montré des photos de la famille de Zee – Mme Ro avec ses cheveux noirs semblables à des poils pubiens et son rouge à lèvres écarlate, M. Ro avec son beau visage et ses mains velues.

De toute évidence, Brooky et Delaney ont elles aussi droit à beaucoup d'attention médiatique. Tout le monde souligne que la famille de Brooky semble sortie du *Cali Fashion Daily,* ce qui est la plus stricte vérité. Big Mike a joué brièvement dans la NFL et il est incontestablement le mâle alpha de notre cul-de-sac. La mère de Bee, Verilyn, possède un studio de pilates où s'entraînent des célébrités. Miles s'octroie une année de congé avant l'université pour jouer de la basse dans Lark's Head avec Chase Mason. Miles est bandant à mort, mais on le connaît trop bien pour fantasmer sur lui. C'est plutôt comme un grand frère un peu chiant. Sauf pour Fee, difficile à supporter quand il est dans les parages.

Les journalistes fouillent partout. Parlent à tout le monde. Mais ils se trompent sur toute la ligne. Par exemple, Amber, la mère de Delaney, est morte quand Dee avait onze ans, et non huit – nous, les filles, venions tout juste de commencer le secondaire. Un soir que j'espionnais par la fenêtre de ma chambre, j'ai vu Tom Sharpe enfoncer sa langue dans la bouche d'une rousse facile à bord d'une fourgonnette bleue garée devant la maison des Leon. J'en ai parlé à ma mère. Ma mère en a parlé à Amber. Amber est morte. Ça s'est fait petit à petit. Par étapes.

Une fois son aventure avec la rousse étalée au grand jour, Tom a demandé pardon à Amber devant toute la congrégation à Sacré-Cœur. Elle l'a fait. Ils se sont enlacés et tous ont pleuré et applaudi – je n'étais pas sur place, remarquez, mais disons que j'en ai entendu parler. Les ventes de Sharpe Mercedes ont augmenté de trente pour cent. Vous avez l'air *sharp*! Clic. Les gens adorent les histoires de rédemption. Et les confessions publiques. Je me souviens des conversations que mes parents ont eues autour de la table, à l'époque. Aux quatre coins de la maison, Sherman évoquait la bêtise de son ami en prenant le Messie à témoin. *Jésus-Christ, veux-tu bien me dire à quoi il pensait, Tom? Jésus-Christ, pauvre Delaney. Jésus-Christ, Amber doit être humiliée. Tout ça pour un peu de cul? Jésus-Christ de merde.*

Ma mère avait tellement apprécié l'indignation de mon père que, ce soir-là, j'ai dû mettre trois oreillers devant la bouche de la climatisation pour étouffer les cognements de leur tête de lit. Pouah. La vérité, c'est que moi aussi, je trouvais rassurant le dégoût de mon père pour le comportement de Tom. Jamais Sherman ne courrait le risque de me faire du mal ou d'humilier son âme sœur. Jamais au grand jamais il ne risquerait tout pour un peu de cul.

Tom Sharpe s'est repenti à l'église, mais, en fait, il a continué à fréquenter Kinga, une serveuse de la Sagebrush Cantina âgée de vingt ans, et tout le monde était au courant, y compris la mère de Dee. Par un matin pluvieux, Amber, qui rentrait à la maison après nous avoir déposées à l'école, a reçu une alerte sur son appli d'espionnage: un échange de textos entre Tom et Kinga. Elle a appelé sa psychothérapeute pour une séance téléphonique d'urgence et s'est stupidement crue capable de rentrer au beau milieu de sa crise. Elle a perdu la maîtrise de son VUS Mercedes et s'est retrouvée au fond d'un fossé – elle s'est fracturé les deux jambes et un bras en plus de se cogner la tête sur le tableau de bord. Elle a passé deux semaines en traction. La veille de sa sortie de l'hôpital, elle est morte d'une embolie. Delaney a rejeté la faute sur son père. Elle ignore que c'est mon indiscrétion qui a ouvert la boîte de Pandore. Jusqu'au moment où elle lira ces lignes, si jamais elle les lit. Désolée, Dee. Je m'en veux à mort.

Dee a été démolie par tout ça, mais le bupropion a semblé l'aider. Sa haine de son père bouillonnait, mais elle n'a pas débordé comme la mienne quand la même chose m'est arrivée. Brooky et Zara en ont voulu à Tom Sharpe d'avoir brisé le cœur de notre amie et gâché notre image parfaite. Quand Sherman nous a quittées, Shell et moi, pour Boules en sucre, nous avons toutes accusé M. Sharpe d'avoir transmis à mon père le syndrome du surclassement.

Fee, cependant, n'a jamais pu le haïr vraiment. Elle a toujours été reconnaissante et respectueuse envers M. Sharpe, comme aucune de nous envers son père. Il y a quelques années, elle a dit à la blague qu'elle allait collecter un échantillon de salive et l'envoyer à Paternity.com pour en finir une bonne fois pour toutes avec les rumeurs. Je me demande parfois si elle l'a fait. Et s'il est bel et bien son père.

Les chaînes d'information en continu montrent en boucle une vidéo sur laquelle on voit M. Sharpe qui, vêtu de son smoking blanc dans le stationnement de l'école, brandit une main devant son visage rubicond en disant :

— Sans commentaire.

Ses infidélités lui ont offert une occasion de se racheter, mais maintenant, à cause de ses liens avec les Vauriennes en Versace, certains en appellent au boycottage de sa concession. Il doit être inquiet. Et furieux. Mais quand même… Pourquoi ne défend-il pas Fee ? Père biologique ou pas, il a toujours dit qu'elle était son « autre » fille.

Ici, couverte de sang et dégueu dans cette petite remise crasseuse, j'ai la nostalgie du nuage de mon lit à baldaquin. Ça fait de moi une princesse, je sais bien, et ça m'embête. D'un côté, j'aime beaucoup ma magnifique maison, mes beaux vêtements et mes sacs griffés; de l'autre, je me sens minable de posséder tant de choses. J'en ai parlé à tante Lilly qui, à chacune de ses visites à Calabasas, secoue la tête et résume simplement ses sentiments:

— Vous vivez dans une bulle. Rien à voir avec la vraie vie.

Ma mère lui donne raison.

— C'est vrai. Oakwood Circle et la vraie vie, ça fait deux.

Ayant la double citoyenneté, je me sens particulièrement raffinée. Au moins une fois par année, je me rends seule à Vancouver, chez tante Lilly, pour vivre sa version de la vraie vie. Elle habite un appartement d'une seule chambre à coucher dans un haut immeuble rond qui surplombe la mer. Nous marchons des kilomètres sur la digue et nous mangeons dans des restaurants exotiques – c'est notre activité complice. Et elle m'emmène au cinéma, elle qui gagne sa vie en publiant des critiques en ligne. Nous faisons toujours un saut au Roots de Robson Street, ce magasin d'articles de plein air si canadien, parce que je rapporte chaque fois des t-shirts et des sweatshirts aux abeilles de la Ruche. Une façon d'affirmer mes origines.

Tante Lilly a quinze ans de moins que ma mère et elle n'a pas d'enfant. On parle pendant des heures. De tout. De la religion, c'est-à-dire tout le mal qu'elle pense de mon école. Des garçons, en particulier de Chase Mason. De l'amour, en particulier des cœurs brisés des sœurs Frumkin.

À part moi, Fee est la seule d'entre nous à être sortie de Calabasas, si on ne compte pas les excursions d'un jour, les vacances dans des complexes touristiques et les semaines de ski à Mammoth – et il vaut mieux ne pas les compter. Fee a vu des choses. Tous les étés, elle doit passer quinze jours avec la famille de son père, son *abuela* et quelques oncles à Cerritos, à une centaine de kilomètres d'ici. Elle s'amuse avec ses cousins, sautille dans des jets d'eau comme on le faisait autrefois, fréquente un centre commercial rudimentaire et dort sur un lit pliant dans un porche fermé par des moustiquaires. Elle ne parle pas beaucoup de Cerritos, sauf pour se plaindre du fait qu'on l'oblige sans cesse à s'occuper des plus petits et que sa grand-mère ne l'aime pas parce qu'elle ne parle pas espagnol.

En fait, Fee ne parlait pas beaucoup de Cerritos jusqu'à récemment...

Los Angeles compte la plus importante population de sans-abri des États-Unis; beaucoup d'entre eux sont des sans-papiers ou des *procits*. Fee est au courant. Le monde entier est au courant. Les autres membres de la Ruche, non. En fait, elles sont au courant, mais pas vraiment. On trouve des dizaines de villages de tentes et de campements de sans-abri, certains à quelques kilomètres d'ici, mais ils pourraient tout aussi bien se trouver dans un autre pays, sur une autre planète. Une fois, j'ai laissé entendre que nous pourrions accumuler de précieuses heures de travail communautaire en donnant un coup de main dans une soupe populaire, mais tous les parents, sauf Shelley, s'y sont opposés parce qu'ils croient les rumeurs selon lesquelles les sans-abri transmettent la fasciite nécrosante.

Quand j'étais petite, mes parents m'emmenaient à Los Angeles voir les villages de tentes et la route de terre où les clochards mendient; par une nuit étoilée du mois d'août, nous sommes allés à la plage pour contempler les perséides. Au lieu des étoiles filantes, nous avons fini par observer les petits groupes de migrants qui trompaient la vigilance des gardiens pour se laver dans la mer.

Chaque année, nous, les Miller, avons servi le repas de Thanksgiving aux sans-abri à l'hôtel de ville, jusqu'au jour où la cohue a provoqué une émeute. J'ai été soulagée d'entendre ma mère dire que le repas était annulé et que nous irions chez les Sharpe manger de la dinde avec garnitures. Franchement, les clochards me flanquaient la trouille. Je ne vais pas mentir. Affamés et hagards, puant la pisse et la cigarette, couverts d'une fine couche de poussière qui émoussait leurs contours à la façon d'une appli de filtrage.

J'étais allée chez des clients de Sherman et Shelley, des gens qui vivaient dans toutes sortes d'endroits : des caravanes délabrées sans eau courante, de minuscules remises infestées de cafards et de souris, des cabanes dans lesquelles dix matelas s'entassaient sur le sol, de beaux appartements, propres et bien décorés, et aussi de super belles maisons – celles de personnes arrivées aux États-Unis depuis un certain temps et ayant réussi. Avant chaque visite, ma mère me recommandait de ne rien demander, mais de goûter à tout ce qu'on me proposerait, de ne pas grimacer si les lieux étaient nauséabonds et de m'asseoir sur la chaise qu'on m'indiquerait, même si elle n'était pas propre.

Dans une de ces maisons, on m'a fait attendre dans la cour poussiéreuse en compagnie d'un bébé au visage comme une tomate qui hurlait dans son petit parc. En espagnol, la mère m'avait ordonné de ne pas l'en sortir, puis elle était rentrée avec mes parents pour parler de ses affaires. Le bébé avait un ou deux ans – je ne suis pas très douée pour déterminer l'âge des bébés – et des croûtes sur ses petits bras, de la banane séchée dans ses cheveux noirs et rêches, des taches violettes sur sa robe déchirée. Cette enfant tragique me regardait en pleurant, les bras tendus, et j'ai été incapable de résister. Je l'ai sortie du parc et tenue contre mon épaule en la faisant sautiller jusqu'à ce qu'elle s'endorme enfin. Elle empestait, mais ça ne me dérangeait pas. Je me prenais pour Beth dans *Les quatre filles du docteur March*, que nous lisions dans mon cours de littérature anglaise, une fille exceptionnelle, presque une sainte, puis je me suis souvenue que Beth March avait fini par attraper la scarlatine d'un des bébés dont elle s'occupait et je me suis demandé pourquoi la mère m'avait défendu de prendre la petite et mentalement j'ai pressé mes parents de se grouiller *because* la douche ça urgeait.

Je trouvais ces visites si stressantes qu'au bout d'un moment Sherman et Shelley m'ont permis de les attendre dans la voiture, où je consultais mes médias sociaux et textais mes meilleures amies, leur demandant quand nous commencerions notre prochain jeûne de purification ou je ne sais trop quoi, tandis qu'eux livraient des seaux d'espoir et des caisses de bouteilles d'eau. J'ai fini par accepter que je ressemblais plus à Jo March qu'à Beth.

Ça me fait penser à l'émission stupide que nous regardons – *Hot'n'Homeless*. Des animateurs stridents qui bavassent sur leurs victimes relookées, les ravissantes sans-abri lissées pour la caméra, certaines manifestement atteintes d'une maladie mentale : on les affuble de vêtements griffés, on leur apprend à marcher en talons hauts ou en Florsheim, on leur fait passer un faux entretien d'embauche hilarant. Dès que la caméra s'arrête, elles sont renvoyées à la rue où elles se font probablement piquer leur butin. Merde. Pourquoi regardons-nous cette émission? Pourquoi est-ce que je la regarde, moi? Je ne peux m'empêcher de penser que je suis, de multiples façons, responsable du succès de ce genre de merde.

Je dois m'arrêter de taper. J'ai des crampes aux mains.

Fee est drôlement pâle. Même dans la lueur de la lune, je vois bien que sa peau a pris une teinte grisâtre et qu'elle a d'énormes cernes sombres sous les yeux. Question: est-il acceptable de dire quoi que ce soit sur la couleur de peau d'une autre personne quand on n'est pas soi-même une personne de couleur? Vaut-il mieux éviter toute référence à la couleur de la peau comme si c'était un détail anodin, même si nous savons tous qu'il s'agit d'un aspect capital, dans l'espoir que la société sera un jour vraiment insensible à cet enjeu? À l'école, l'année dernière, par exemple, une nouvelle nous a demandé de lui montrer Brooky dans le stade.

— C'est la grande, a répondu Zee.

— Celle en short bleu, a ajouté Dee.

Comme la fille ne la voyait toujours pas, j'ai précisé:

— C'est la fille noire, près de la fosse de sable du saut en longueur.

Le regard que m'a lancé cette fille? Comme si j'étais une raciste finie? Mais… Quoi? C'est raciste de dire qu'une personne noire est noire? Quand je lui ai relaté l'incident, Brooky a pouffé de rire. J'aurais dû dire africaine-américaine, peut-être? Brooky a secoué la tête.

— Trop de syllabes.

Nous avons une sainte horreur des syllabes.

Le hic, c'est que je n'ai aucune envie de me comporter en grosse tarte. Le racisme? Le privilège d'être blanche? Le féminisme blanc? Je veux comprendre tout ça, ne pas me contenter de quelques mots convenus sur la question, et je voudrais être sans reproche à ce sujet. Il me semble cependant que la marge d'erreur est colossale.

Je me fais du souci pour Shelley, mais la mère de Fee, Morena, est dans de beaux draps, elle aussi. Selon Internet, elle risque d'être renvoyée au Guatemala. Fee en mourrait. La carte de *procit* de Morena vient justement d'expirer, et elle n'a pas réussi à la renouveler en ligne ni à avoir quelqu'un au téléphone. En plus, elle a été complètement débordée à cause du bal de la chasteté et elle n'y est pour rien. Plein de clips la montrent en train de pleurer, le visage enfoui dans ses mains. Comme si la disparition de sa fille et toute cette merde concernant le Marché rouge ne suffisaient pas, on menace maintenant de la renvoyer dans un pays où elle n'a pas mis les pieds depuis vingt-cinq ans, où elle n'a ni famille ni amis. Jésus. Christ. De. Merde.

Autre nouvelle de dernière heure? Miles, le frère de Brooky, est détenu comme témoin important. Quoi? Bon, je conçois qu'on ait des questions à poser aux membres de la Ruche, aux parents et aux participants au bal… Mais Miles? Pourquoi lui? Parce qu'il est noir? Parce qu'il joue de la musique? Parce qu'il a des dreadlocks? Que vient-il faire là-dedans?

Ce n'est pas tout. CNN a interviewé un spécialiste des médias sociaux: selon lui, la participation ouverte, autrement dit le *crowdsourcing*, phénomène qui remonte à l'avènement des téléphones cellulaires, est devenu l'un des outils policiers les plus efficaces. Le type dit avoir mis au point un algorithme qui, compte tenu du montant de la prime, du nombre de personnes qui sont à nos trousses, de la quantité d'internautes qui parlent de nous, du temps d'antenne qui nous est consacré et de la trajectoire probable que nous avons suivie, lui permet d'établir quand nous serons capturées. Demain soir, au plus tard. C'est qui, ce crétin?

Il nous a comparées aux terroristes qui ont fait exploser une bombe dans le métro de Londres, l'année dernière. Les auteurs de l'attentat ont suivi la traque policière sur leurs téléphones, nargué les autorités et réagi aux informations de dernière heure, au fur et à mesure. Où que nous soyons, a ajouté le «spécialiste», nous suivons la situation, nous aussi. Au même titre que les terroristes de Londres, nous serons appréhendées – plus ou moins au moment où s'amorcera le concert gratuit de Jonze.

Je ne peux m'empêcher de consulter la série de photos de la Ruche que quelqu'un a publiées dans InfoNow – nous cinq au magasin mère de Patriot Girls pour le sixième anniversaire de Zee Rohanian, en tenues comme celles des poupées hors de prix assises entre nous sur des chaises en bois autour de la table décorée. Petites, nous n'en avions que pour les Patriot Girls. Pendant des années, nous avons arboré leurs produits rayés-étoilés – du rouge, du blanc et du bleu, en veux-tu en voilà. Je n'ai jamais vraiment aimé ces poupées, malgré les milliers de dollars que mes parents y ont engloutis. Elles ne veulent pas de mamans ni d'amies, seulement être admirées pour leurs douteuses contributions à l'histoire américaine.

J'ai aussi songé aux anniversaires, aux barbecues et aux soirées football organisées dans Oakwood Circle. Allez savoir pourquoi, mais ma famille juive canadienne métissée a toujours été acceptée. Sherm avait coutume de dire que c'était parce que ma mère et lui n'étaient pas marqués racialement et que les Miller, avec leurs taches de son et leurs lunettes, n'ont rien à voir avec les Friedburg aux yeux sombres et au nez aquilin qui habitent dans la rue suivante. Il était beaucoup plus facile pour tout le monde de faire comme si nous appartenions à la même tribu.

Tom Sharpe surnommait affectueusement mes parents «les cocos», et M. Leon a commencé à taquiner ma mère sur son cœur sensible dès qu'elle s'est passionnée pour l'immigration. Après ces fêtes, j'entendais parfois mes parents discuter, Sherman affirmant que Tom Sharpe n'avait pas tout à fait tort à propos de ceci ou de cela, que les arguments de Big Mike concernant les dépenses militaires ou d'autres enjeux économiques l'avaient fait réfléchir. C'est peut-être la politique qui les a perdus, en fin de compte. Peut-être Sherman a-t-il commencé à pencher vers la droite, tandis que Shelley s'est efforcée de le ramener dans le giron de la gauche, et ils ont fini par se détacher l'un de l'autre, un fil à la fois. J'ai hâte que cette nuit soit terminée pour pouvoir passer à un autre sujet. Nous allons devoir tenter quelque chose demain. Javier va vouloir qu'on décampe. Mais quoi, au juste?

Mon Dieu… Quand on se terre dans une remise avec des gens qui vous collent au cul, vos oreilles vous jouent des tours, c'est moi qui vous le dis. J'ai constamment l'impression d'entendre mon nom dans les bruits blancs du vent. J'en ai froid dans le dos. Par la petite fenêtre, je vois seulement la lune et les étoiles et quelques virevoltants poussés par les rafales près de la camionnette de Javier.

En m'écartant de la fenêtre, j'ai fait tomber une des valises posées dans le coin, et j'avoue avoir été soulagée de voir les paupières de Fee s'entrouvrir. J'avais peur qu'elle ait sombré dans un coma à la tequila. Mais elle a soulevé la tête, regardé autour d'elle et croassé:

— De l'eau.

Elle est super déshydratée. C'est pas bon, ça.

— Je vais t'en trouver, Fee. Si le voisin s'en va, je vais entrer par effraction dans l'Airstream. Mais je me demande… Avec ce chien…

— Tu as jeté un coup d'œil dans les ordures?

Elle montrait les sacs entassés dans le coin.

— Il n'y a pas d'eau dans les sacs de poubelle, ma vieille.

— Si nous nous rendons, on va nous donner de l'eau?

— À moins qu'on nous tue d'abord.

— Je meurs de soif.

— Mais non.

— Si, je t'assure.

— On peut tenir trois jours sans eau.

— Je ne crois pas.

— Je vais t'en donner, Fee. Quand tout le monde va dormir. Le matin venu. On va te trouver à boire. Au besoin, je défoncerai la porte de Javier.

— Promis?

— Juré.

— Ror?

— Ouais?

J'ai cru qu'elle allait dire quelque chose, mais elle a plutôt reposé sa tête sur la couverture roulée en boule et fermé les yeux.

Une partie de moi voudrait la prendre sur mon dos et la transporter dans une clinique d'urgence – il y en a une vingtaine qui s'échelonnent le long de la Pacific Coast Highway. Si j'en crois ma mère, les gens, à une époque pas si lointaine, ne se faisaient pas couramment descendre dans la rue, chez eux ou sur l'autoroute. Moi-même, je me souviens d'un temps où il y avait plus de cafés que de cliniques d'urgence.

Avant que je parte chez Jinny pour les préparatifs du bal, Shelley m'a convoquée dans sa chambre. Elle avait déjà sa tête avinée et il était seulement deux heures de l'après-midi. Elle a tapoté le lit et je me suis laissée tomber à côté d'elle.

— Tu sais tout le mal que je pense de ce bal, a-t-elle commencé.

— Oui.

— J'espère quand même que tu vas bien t'amuser. Et prendre plein de photos. Et, tu sais, c'est l'occasion rêvée d'amorcer un dialogue avec ton père. Tu dois te faire une raison, Ror.

Je me suis fait une raison. Je sais à qui j'ai affaire. Je sais ce que je veux et ce que je ne veux pas. J'ai pensé à la fois où, au début, dans le cabinet de la psychothérapeute, Shelley a dit craindre que ses sentiments pour Sherman ne déteignent sur les miens. Que notre relation soit trop fusionnelle. Évidemment que ses sentiments déteignaient sur les miens. Et les miens sur les siens. C'était inévitable. Et à côté de la question. *Fusionnelle*. J'entendais le terme pour la première fois. Le mot m'avait dépossédée de mon libre arbitre. Merde. Fusionnelle, mon cul. Et ce que je n'ai pas pu dire à l'époque, ou ce que j'ai refusé d'admettre, c'est que si j'étais si fâchée contre Sherman, c'était non pas parce qu'il avait abandonné Shelley, mais parce qu'il m'avait abandonnée, moi.

Maman. J'ai tenté de recourir à la télépathie pour lui dire de ne pas s'en faire, que j'allais bien. Il me plaît de croire à des trucs comme la télépathie – qu'on puisse être tellement proche d'une autre personne qu'elle devine vos pensées. Fusionnelle… Ce n'est peut-être pas une si mauvaise chose, après tout.

Le portable rose. Je viens de découvrir quelque chose de tragiquement remarquable à propos de cet appareil.

Il y a quelques minutes, j'ai ouvert les contacts. À la recherche de quoi? De quelqu'un pour nous aider? D'un nom ou d'une adresse électronique que je reconnaîtrais? Je ne connais aucune adresse électronique. Je ne connais aucun numéro de téléphone. Même pas celui de tante Lilly. Tout est dans la mémoire de mon téléphone. Qui se rappelle ces choses-là? Quoi qu'il en soit, je n'ai trouvé aucun contact familier, mais, comme je suis fouineuse, j'ai jeté un coup d'œil aux photos.

J'ai été bête de ne pas faire le lien… Je veux dire… Ce Javier… Je n'avais pas fait le rapprochement avec la petite fille morte dans Hidden Oaks, mais alors sa photo – le visage aplati d'une gamine de six ans dans sa robe blanche de première communiante – est apparue sur la carte souvenir distribuée lors de ses funérailles. Nina Fernandez.

La fille de Javier. Nina. Elle se promenait à trottinette devant la maison où sa mère était femme de ménage, dans la colline en haut de chez nous, non loin du troisième portail de l'enceinte des Kardashian. Elle est tombée et s'est cogné la tête. Un autre enfant témoin de la scène a dit que Nina n'avait même pas pleuré.

Nina s'est relevée et est entrée dans la grande demeure où sa mère lavait les carreaux pour lui montrer sa bosse.

Elle a trébuché sur le seuil, elle a glissé sur le sol mouillé, ou bien elle était étourdie par sa blessure et elle a perdu connaissance, ce n'est pas très clair. Ce qu'on sait, c'est qu'elle s'est fracassé le crâne dans l'entrée et qu'elle est morte au bout de son sang à même le travertin.

Le Cabinet d'avocats Miller a poursuivi la propriétaire de la grande demeure au nom de Javier et de sa femme. Dans Hidden Oaks, l'affaire a suscité une vive controverse et pas mal de conflits. Quelques semaines plus tard, sans même consulter Shelley, Sherman a laissé tomber ses clients en les aiguillant vers un autre cabinet. En fin de compte, c'est l'incompréhension de ma mère devant cette décision qui a révélé l'infidélité de mon père. La propriétaire de la maison où Nina a succombé à une hémorragie? Boules en sucre. C'est ainsi que mon père l'a rencontrée.

Mais avant que Sherman abandonne Javier comme client et prenne Boules en sucre comme maîtresse, mes parents ont tenu chez nous la veillée mortuaire. En principe, je devais y assister. Mais bon, stressée à mort par la rentrée et le cross-country, je me suis déclarée incapable d'affronter pareille tragédie, sans compter que c'était l'anniversaire de Brooky et qu'elle avait prévu une soirée pyjama et une journée au spa. Elle n'allait tout de même pas remettre son anniversaire à un autre jour. Mes parents, qui ne supportaient pas de me voir triste, m'ont dit d'aller chez Brooky, mais de passer offrir mes condoléances à la famille.

Les parents commettent peut-être une grosse erreur en tentant de nous mettre à l'abri de la déception, de la souffrance et du chagrin. Peut-être sommes-nous faits pour en baver, de temps en temps. Peut-être même sommes-nous faits pour en chier, terriblement.

Ce jour-là, par la fenêtre de la chambre de Brooky, j'ai – tout naturellement, du moins pour moi – épié les camionnettes graisseuses des jardiniers qui encombraient le cul-de-sac, les gouvernantes et les femmes de ménage qui faisaient clic-clac sur leurs petits talons aiguilles, les tondeurs et les souffleurs arborant des costumes neufs achetés chez Burlington. Tous avaient à la main des plats recouverts de papier d'aluminium, même si mes parents avaient retenu les services d'un traiteur.

Un type, un vieux monsieur, est resté planté au bout de l'allée en fixant longuement notre maison. Je me suis demandé s'il était trop triste pour entrer. Après un moment, il s'est penché pour arracher une rose fanée dans le buisson devant lui en escamotant les pétales. Puis il a arraché toutes les fleurs mortes en ayant soin de les fourrer dans la poche de son costume pour éviter de souiller notre pelouse manucurée. C'était avant le départ de Sherman et avant que ma mère irrite les habitants du cul-de-sac, sans parler du syndicat des propriétaires de Hidden Hills, en remplaçant le gazon et les fleurs par un amas hétéroclite de plantes supportant la sécheresse, échouées au milieu d'une mer de granit concassé. Elle a cependant laissé dans la cour les huit arbres fruitiers matures. Chaque saison, elle donne à notre jardinier l'ordre de cueillir les fruits jusqu'aux derniers et de distribuer les paniers d'oranges, de pêches et de citrons à ses parents et amis.

Les haut-parleurs entourant la piscine diffusaient de la musique espagnole triste à pleurer. J'avais conscience de devoir mobiliser les filles pour aller dire un mot à notre jardinier et à son cousin Javier ainsi qu'à sa femme, que je ne connaissais pas, mais qui avaient perdu leur fille. Mais j'avais une grosse boule dans la gorge à la pensée de tout ce chagrin, et j'ai été ravie de voir le frère de Brooky s'engager dans l'allée avec les smoothies.

Fee avait supplié Miles d'aller au Jamba Juice et Miles lui avait demandé ce qu'elle lui offrirait en échange.

Fee a dit qu'elle se chargerait de ses corvées domestiques pendant toute une journée. Hum. Friture sur la ligne. Hum. Des corvées? Nous avons toutes dévisagé Fee. On est où, là? Sur une ferme du Kentucky en 1981? À Calabasas, nous avons un service de conciergerie pour les déchets domestiques. Des types viennent prendre vos ordures derrière la maison, les traînent jusqu'à leur camion et rincent les poubelles à l'eau de rose avant de les remettre à leur place. Des jardiniers râtellent les feuilles mortes et taillent les buissons, des femmes de ménage balaient les carreaux et récurent les toilettes, un préposé ramasse les débris dans la piscine et surveille le taux de chlore. Et cætera. Quoi qu'il en soit, Fee a été sciée de découvrir qu'elle était le seul membre de la Ruche à effectuer des corvées. Conscient de l'embarras de Fee, Miles a dit qu'il irait au Jamba à condition qu'elle l'accompagne. Pour un grand frère exaspérant, Miles a ses bons côtés.

Plus tard, j'ai dit à ma mère que nous avions complètement oublié la veillée mortuaire et que nous nous sentions toutes super mal. Elle a laissé la carte souvenir des funérailles sur le comptoir de la cuisine pour que je lise le poème que Nina avait écrit à l'école à propos de toutes les choses qu'elle aimait dans la vie. J'ai ouvert la carte et vu sa petite écriture de travers, mais je n'ai pas réussi à me concentrer sur les mots.

Si tu es là quelque part dans l'éther, Nina, si ton esprit lit ou intercepte cette publication… Je regrette sincèrement de ne pas avoir assisté à ta veillée mortuaire. Je regrette que ta vie ait pris fin trop tôt. J'aurais dû le lire, ton poème. Tu y disais aimer ta mère et ton père? Le portable rose? J'espère sincèrement être dans l'erreur quant à Dieu et au paradis, j'espère que tu y es en ce moment même, occupée à manger de la crème glacée avec ton *abuela* et les autres membres décédés de ta famille. Salue ma grand-maman et mon grand-papa de ma part. Dis-leur que je les aime.

Le soleil va bientôt se lever. Et ensuite? On croupit dans cette remise crasseuse à attendre que Javier nous vienne en aide? Pour l'instant, c'est notre seul espoir. Sous le soleil, cette remise se transformera en étuve. Et Fee risque de mourir de soif pour de bon. Franchement, je me demande si je trouverais quelque chose à boire dans la cabane de Javier, même si je réussissais à m'y introduire en douce. Et Javier? Je mise tout sur un inconnu dont la seule raison de ne pas céder à la tentation de cette énorme récompense est que mes parents se sont autrefois montrés aimables envers lui? Ils ont organisé la veillée mortuaire de Nina, je veux bien. Mais un million de dollars? Allô?

Sans compter qu'il a de toute évidence perdu son procès contre Boules en sucre. Qui dit qu'il n'a pas envie de se venger?

Il y a de quoi devenir claustrophobe dans cette maudite remise.

Mes crampes sont si violentes que je voudrais détaler et les distancer, au sens propre, les laisser en plan comme j'en avais l'habitude en faisant du cross-country, une foulée à la fois. *Allez chier, maudites crampes,* me répétais-je. Après une course, je me sens toujours mieux. Les détenus éprouvent sans doute cette sensation. Le besoin de courir. Et cet endroit, cette remise, me fait l'effet d'une prison.

D'où les mots que je continue d'aligner. Ce n'est plus un blogue : c'est un journal de prison.

C'est le matin. Il est passé six heures. J'étais certaine de ne pas fermer l'œil, mais j'ai dû dormir un peu. Fee est toujours sans connaissance, mais au moins elle respire plus régulièrement. Nous avons survécu.

Le silence qui nous entoure me semble toutefois un peu suspect. Le calme avant la tempête?

La camionnette de Javier n'a pas bougé. Celle de l'ivrogne d'à côté non plus.

Je suis déjà allée en ligne. Évidemment.

Nouveauté intéressante, certains trolls affirment maintenant que tout cela n'est qu'un canular. Que nous n'existons pas vraiment et qu'il ne s'est rien passé au bal, hier soir. En fait, ajoutent-ils, il n'y a même pas eu de bal. Des conspirationnistes? Les gens ont complètement perdu la boule. Mais je donnerais cher pour qu'ils aient raison. Que rien de tout ça ne soit arrivé. Aux informations, ils diffusent en boucle la séquence où je dis: «Le Bal de la pureté américaine va changer ma vie.» Comme si c'était une note de suicide.

Et Miles est de retour chez lui. Ni préjudice ni faute, je suppose. Il a publié une image de Lark's Head et annonce un spectacle la semaine prochaine. Ah bon, la vie continue?

En ce moment, il est beaucoup question des vents de Santa Ana. On parle de l'effet que les courants imprévisibles auront sur la traque: après tout, les hélicoptères sont parmi les outils de recherche les plus efficaces. Depuis le lever du jour, quelques accidents ont été évités de justesse. Des gens décollent pendant une accalmie et, dès que le vent se met à souffler, doivent se poser en catastrophe. À bord de leur Bricoptère, des enculés de chasseurs de primes survolent l'océan et les campements de sans-abri du centre-ville, puis, à la moindre rafale, doivent atterrir d'urgence sur une autoroute ou un terrain de golf. Les drones sont cloués au sol : les vents les emporteraient.

Je suis plus épuisée qu'avant de dormir. Et j'ai soif. J'ai tellement soif. Je n'ai jamais eu le gosier aussi sec de toute ma vie. Je ne peux m'empêcher de penser à tous les sans-abri, aux efforts qu'ils doivent déployer pour trouver de l'eau dans cet environnement quasi désertique. Ils doivent être… crevés… et absolument furieux. Ils vivent dans un des endroits les plus riches du monde et ils n'ont pas accès à l'eau potable ? Le problème est vieux comme le monde. Mais quand on est soi-même en proie au manque… Ou au besoin. Là, on comprend. De l'eau. Seulement… de l'eau.

Et Fee. Que faire de Fee ? Il faut que je nous trouve quelque chose à boire, mais je ne peux pas quitter la remise. Si elle se réveille ici toute seule, elle va être terrifiée. Mais il paraît que les vents vont se calmer sous peu. Le trafic aérien va reprendre.

— Fee ?

-Ö-

Fee a ouvert les yeux. Se redressant légèrement, elle s'est adossée au mur en regardant autour d'elle, l'air de se demander: C'est quoi, cette merde? Puis j'ai vu les souvenirs l'assaillir d'un coup.

— Javier est encore là? a-t-elle demandé.

Je me suis levée pour jeter un œil par la fenêtre.

— Ouais.

— De l'eau?

— Je ne peux pas sortir. Tu entends les hélicoptères? Ils survolent la plage, mais ils peuvent virer de bord à tout moment.

— S'il te plaît, Ror. J'ai trop soif.

— Je sais.

— Quand tout sera fini?

— Ouais?

Elle a seulement haussé les épaules et secoué la tête. Mais j'ai enfin le sentiment qu'elle va s'en sortir. Elle a juste besoin d'eau. Tout de suite.

Jinny Hutsall ne va nulle part sans eau. C'est sa marotte. Le secret de sa peau magnifique, sans doute. Dans son gros fourre-tout Louis, elle a toujours au moins trois bouteilles d'eau – de l'eau hors de prix, vendue en thermos. Il y a trois semaines, on est allées à Beverly Hills faire un premier tour des boutiques pour nos robes de bal, et on a vu un mendiant hyper sale – édenté, pieds nus, couvert d'une épaisse couche de poussière et de crasse. On aurait dit que les vents de Santa Ana allaient lui arracher des particules, l'éroder comme le versant des collines. Affaissé contre le mur en marbre du restaurant qui sert des hamburgers à cent dollars, il tendait sa main noircie, paume ouverte, et répétait :

— *Agua. Por favor. Agua. Por favor.*

Les passants le contournaient en cherchant du coin de l'œil un agent de sécurité. J'ignore comment le mendiant avait abouti là. En général, les policiers interceptent les gens comme lui et les déposent dans un campement, ou en prison s'ils font preuve de la moindre agressivité. Ce type restait planté là avec un air tragique. J'ai eu de la peine pour lui : il faisait quelque chose comme mille degrés et le pauvre diable avait soif. Et là, comme je n'ai pas d'eau sur moi, je demande à Jinny de lui donner une de ses bouteilles. Elle me regarde comme si j'avais perdu la raison. Et elle s'efforce de m'entraîner avec elle. Si je n'ai pas d'eau, je vais au moins lui donner de l'argent *because* humanité. Tant pis si Jinny s'énerve. Je fouille dans mon sac, mais je n'ai dans mon portefeuille que l'argent que j'ai reçu pour mon anniversaire, la semaine précédente : seulement des billets de cent dollars. J'ai la main dans mon sac, et la paume crasseuse du type est dans mon visage, ses yeux enfoncés rivés sur moi. Je demande à Zee de me prêter quelques dollars et elle répond non. Non? Le type attend, visiblement inquiet à l'idée d'être laissé en plan. Fee et Delaney disent qu'elles n'ont pas d'argent. Seulement des cartes. Bon, pas moyen de faire autrement. Je vais donner au vieillard un de mes billets de cent. N'est-ce pas? Je m'exécute. L'homme éclate en sanglots.

Devant lui, Jinny déclare :

— Pour l'amour du ciel, Rory. Si tu lui offres de l'argent, pourquoi se donnerait-il la peine de chercher du travail et de gagner sa vie?

— Comme nous gagnons la nôtre, Jinny?

— Si personne ne leur donnait d'argent, il n'y aurait plus de mendiants, dit-elle. Ils sont comme les goélands sur la plage, Rory. Tu les nourris et ils s'incrustent.

— C'est une attitude profondément antichrétienne, Jinny.

— Tu es tordante, Rory.

— La compassion, Jinny, tu connais? Tu ne sais rien de ces gens. Des circonstances qui les ont conduits dans la rue.

— Des immigrants illégaux, je parie, dit Zee.

Elle se tourne vers Fee et ajoute :

— Désolée.

Pendant que nous examinions des robes dans la boutique Prada, j'ai vu un agent de sécurité s'emparer du vieillard et le pousser à l'arrière d'une fourgonnette, tel un animal errant. Je suis sûre qu'il lui a piqué son billet de cent. Tous des salauds.

Chut! Mon Dieu! La porte de la cabane.

J'ai attendu.

Les bottes de Javier dans l'allée.

J'ai attendu.

Le bruit du moteur.

Il ne va même pas venir voir comment nous allons? Nous apporter de l'eau? D'autres craquelins? De l'espoir? Des directives? Quelque chose? N'importe quoi?

J'étais sur le point de m'arrêter de taper pour jeter un coup d'œil par la porte quand Javier a crié distinctement, très distinctement :

— Bonjour !

À qui? Pas à nous, en tout cas. Je n'ai pas saisi de réponse, mais il y avait peut-être quelqu'un dehors, l'ivrogne ou un autre? Était-ce le moyen qu'avait trouvé Javier de nous dire de ne pas bouger? Des hélicoptères à l'horizon, peut-être, ou encore des drones dans les environs? Ni plaintes, ni gémissements, ni aboiements en provenance de l'Airstream. J'espère que le vieux va bientôt partir au travail.

Nouvelle de dernière heure : des agents fédéraux ont créé un site Web où les gens peuvent fournir des signalements ou des indices : www.CalabasasAVB.gov.org. À cause des milliers et des milliers de renseignements, le site a planté vers cinq heures du matin. On nous a vues dans des gares d'autocars, des aéroports et des cafés des quatre coins du pays. Selon les médias, un réseau de sympathisants, constitué grâce aux médias sociaux, aurait inondé le site de faux signalements, question d'envoyer les autorités sur de fausses pistes. Des images sont venues de partout dans le monde. Des femmes en robe de mariée qui, par la grâce de Photoshop, s'enfuient au milieu des flammes et de la fumée. Des images ont été publiées au Royaume-Uni, en France, en Italie et même au Brésil ! Des gens croient en nous – ne serait-ce que par défaut, parce qu'ils vouent une haine terrible à nos accusateurs – et tentent de distraire nos poursuivants. Nous avons donc des partisans. Espoir? Je te vois.

Merci aussi à vous, vents de Santa Ana. D'habitude, je déteste le vent *because* les incendies, sans parler de ses effets sur mes cheveux, mais là, je dis : Soufflez, démons, soufflez. Les appareils volants sont cloués au sol. Les gens ont horreur de la circulation, dans les airs comme sur les autoroutes. Ils ne se font pas coincer dans des embouteillages aériens, mais tous ces appareils empiètent sur leur vie privée. Je me souviens d'avoir réfléchi à cette question pas plus tard que cet été, un jour que nous lézardions au bord de la piscine des Leon en buvant des margaritas sans alcool. On lève les yeux en pensant avoir aperçu un oiseau, mais c'est un camédrone. Nous a-t-il photographiées? Et l'intimité? Ça existe?

La récompense. Un million de dollars. Une somme alléchante, j'en suis consciente. C'est beaucoup d'argent. Et Javier? Pendant qu'il passe sa journée à souffler des feuilles mortes ou à tailler les buissons d'un autre sous un soleil de plomb, va-t-il finir par se dire: «Au diable tout ça, je les dénonce»? Il ne ressusciterait pas sa petite fille, mais il pourrait faire revenir sa femme du Mexique. Ou encore aller là-bas et vivre comme un prince. On peut faire un million de choses avec un million de dollars. Je me demande comment je réagirais, moi, à sa place.

Brooky vient de publier une vidéo montrant des hommes en costume qui sortent de chez moi avec des ordinateurs, des boîtes de documents et d'autres choses encore. Ont-ils trouvé ma caméra? J'en doute, ma commode pèse des tonnes. «La mère de Rory est dans la *&%# jusqu'au cou. Toujours interrogée sur ses liens avec le Marché rouge.»

Brooky? Pourquoi accabler ma mère à ce point? Même si elle est engagée dans certaines causes à titre de militante, tu sais très bien que le Marché rouge n'en fait pas partie. Sans compter que ton arrière-grand-père était dans les Black Panthers, merde! Ma mère n'a jamais eu que des égards et de la tendresse pour toi et les autres membres de la Ruche. Comment peut-on se retourner aussi facilement contre ses proches? Dès que tout sera terminé, j'écrirai un texte-fleuve sur l'amitié, son sens et ce qu'on est en droit d'attendre de la part d'une personne qu'on considère comme une amie.

Shelley Miller est la meilleure humaine que je connaisse. Le genre de personne qui enlève son collier pour vous en faire cadeau si vous avez le malheur de dire qu'il vous plaît. Elle était toujours là pour ses amis. Bon, elle n'a plus vraiment d'amis, mais quand elle en avait, elle était du genre à les laisser s'épancher ou à leur prodiguer un petit conseil juridique, même si elle était morte de fatigue ou souffrait d'une rage de dents. Ça ne la dérangeait pas. Contrairement à Sherman, qui s'énervait quand on lui demandait un petit avis impromptu – sauf s'il s'agissait de femmes baisables, je suppose. Maman? Je regrette tellement que tu sois mêlée à cette affaire.

Je ne sais pas pourquoi, mais je reste convaincue que la justice va triompher. Mais, petit Jésus, rien de ce qu'on dit sur les sites Internet et les chaînes d'information ne correspond à la réalité. En plus, Internet n'a aucune idée des répercussions de l'arrivée de Jinny Hutsall dans Oakwood Circle. Il y a tant de données à déterrer à propos de Jinny, de Jagger et de nous, sans oublier les soirées en cause. J'ai donc décidé de tout déballer ici. La chronologie risque d'être un peu embrouillée. Disons quand même qu'il s'agit de ma déposition.

Le premier jour, celui où nous avons fait connaissance dans le cul-de-sac, Jinny, après m'avoir battu froid devant la Ruche pour être la païenne juive que j'étais, nous a invitées dans sa nouvelle maison – autrefois propriété d'un couple de riches d'un certain âge qui prenaient des bains de soleil en tenue d'Adam et Ève dans la cour (les voyeurs ne font pas de discrimination). Aussitôt, elle a annoncé qu'il y avait dans la cuisine un pichet de limonade et des brownies à peine sortis du four. Il faisait une chaleur extrême, nous n'avions rien à faire et nous étions curieuses. Les filles étaient partantes. Moi? Peur de rater quelque chose, comme toujours.

Nous entrons dans cette magnifique cuisine inondée de soleil et, naturellement, il y a là un énorme pichet de limonade rempli de glaçons étincelants et une immense assiette recouverte d'absurdes brownies avec glaçage que, en d'autres circonstances, nous aurions regardés sans y toucher. Sauf que Jinny en a pris un et l'a avalé en trois bouchées, et nous l'avons bêtement imitée. En suiveuses. Attendez. Quoi? Jinny venait à peine de descendre de la limousine qui l'avait déposée devant son nouveau chez-elle. Ses parents n'étaient pas à la maison. Qui avait préparé la limonade et les brownies? Comment cette personne savait-elle que nous viendrions?

— D'où vient la limonade? ai-je donc demandé.

Jinny m'a dévisagée.

— Tu en poses, des questions, toi!

— C'est juste que tes parents ne sont pas là, que les glaçons n'ont pas fondu et que...

— Pour l'amour du ciel, à quoi on joue, là? À soumettre la nouvelle voisine à un interrogatoire en règle?

— Non, non... C'est juste que les glaçons...

— Ce que tu peux être tordante, toi, s'est écriée Jinny avant de s'excuser pour aller au «petit coin».

Ma grand-mère appelait la salle de bains le «petit coin», pudeur que je jugeais adorable. Dans la bouche de Jinny Hutsall, les mots m'ont donné envie de vomir.

Pendant qu'elle était loin, j'ai dit à voix basse:

— Une Croisée, les filles? Vraiment?

— Elle est super gentille, Ror, a répliqué Zee.

— Mon Dieu, Rory, tout ce qu'elle dit, c'est que tu es drôle ! a lancé Fee. Franchement… C'est un compliment ! C'est quoi, ton problème ?

— C'est une Croisée. Tout est dit.

— Ouais, et alors ? Rien ne nous oblige à la voir tous les jours, a raisonné Delaney. Mais là, elle vient d'arriver.

— Petit Jésus, Ror, a ajouté Zee.

— Petit Jésus ? Tu ne viendrais pas d'invoquer le nom du Seigneur en vain, par hasard, Zee ? Qu'en penserait Jinny Hutsall ?

Zee m'a gratifiée d'un doigt d'honneur.

— Essaie d'être gentille, c'est tout, a renchéri Fee.

Avec la Ruche, j'avançais en terrain miné. Les filles allaient mettre toutes mes réserves à propos de Jinny Hutsall sur le compte de la jalousie.

— Il y a quelque chose chez elle qui cloche, ai-je dit. Ne me dites pas que vous ne voyez rien, les filles.

Mais elles ne voyaient rien. Ou alors elles préféraient ne rien voir.

— Tu juges les gens, Rory, a dit Zee. Tu détestes quand les autres le font, mais ça t'arrive d'être pire qu'eux.

— Oui, mais là, je juge quelqu'un qui juge tout le monde. C'est une Croisée. Vous vous rendez compte ?

— Des fois, tu exagères, Ror, a laissé tomber Bee.

— Toi non plus, ça ne te dérange pas, Bee ? Franchement ? Les Croisés haïssent les juifs et les païens, et ils n'aiment pas beaucoup les Noirs non plus. Tu te souviens des Croisés qui brandissaient le drapeau américain lors de ce rassemblement, l'année dernière ? Pas beaucoup de personnes de couleur parmi eux.

— Les filles? a alors lancé Jinny. Venez que je vous présente mes frères!

Nous l'avons retrouvée dans le majestueux vestibule. Et c'est à ce moment que les cinq frères de Jinny – un pour chacune de nous? – sont apparus en haut de l'escalier en colimaçon, on aurait dit un soir de première des Chippendales. Cinq garçons d'âge universitaire au corps d'athlète, cinq garçons qui n'avaient aucune raison d'être à la maison ce jour-là – je ne m'en rends compte que maintenant – ont descendu les marches, bâtis comme des dieux et vêtus comme des rois, les dents étincelantes, la mâchoire taillée au ciseau.

Et, comme Jinny, ils étaient tellement *gentils*. Les frères nous ont posé toutes sortes de questions sur nos vies à Sacré-Cœur, Calabasas, nos familles, les autres filles du coin… Quand j'y pense, un des frères, Garth, m'a bombardée de questions sur ma mère. Pourquoi s'intéressait-il tant à Shelley? Quoi qu'il en soit, nous avons gloussé, rougi et fourni des réponses détaillées *because* garçons. Au bout d'un moment, le plus grand des frères, Joel, s'est tourné vers Jinny:

— Tu leur as parlé du BPA? a-t-il demandé.

Jinny a secoué la tête et l'a regardé d'un drôle d'air, genre Ne fais pas ça, mais, en réalité, elle voulait nous en parler, elle en brûlait d'envie.

— Tu devrais, Jin, a insisté un des frères.

— Ah, les frères, je vous jure! s'est-elle exclamée en feignant l'exaspération.

— Quel BPA? a demandé Zee. Tu as participé à un BPA?

Nous, les filles, savions de quoi il s'agissait, évidemment. Les bals de la chasteté étaient désormais monnaie courante, mais les Bals de la pureté américaine, la franchise de Jagger Jonze, étaient les plus populaires.

Sauf que, je le répète, l'idée nous avait toujours semblé ridicule. Je ne sais pas ce qui m'a pris, mais, en faisant les yeux doux au frère de Jinny, sexy en diable, j'ai dit:

— L'année dernière, une fille de Sacré-Cœur a voulu en organiser un, mais il y a eu un gros incendie et l'école a été fermée pendant des semaines. L'air est resté irrespirable si longtemps que nous avons dû porter des masques jusqu'à la fin du trimestre. Bref, l'atmosphère n'était pas propice. En tout cas…

J'ai laissé entendre que c'était regrettable.

Jinny s'est écriée qu'elle s'apprêtait à assister à un bal parrainé par son église en banlieue de Chicago, et qu'elle était fin prête – robe Monique Lhuillier, sandales Lacroix, pashmina – quand son père avait décidé de transplanter sa famille en Californie. Pauvre princesse.

— Vous devriez en organiser un ici, les filles, a proposé Garth.

Zara l'a regardé en battant des cils.

— Ce serait cool.

Hypocrite. Même Zee, la plus chrétienne de la Ruche, a toujours été franchement hostile à l'idée de ces bals. Le serment de chasteté l'avait beaucoup fait rire. On épouse notre père ou quoi?

— Vous voulez voir ma robe, les filles? a crié Jinny.

Notre premier aperçu de la chambre de Jinny Hutsall. En fait, je l'avais vue depuis la fenêtre latérale de ma chambre à moi, d'où, à l'abri des rideaux, j'avais mille fois espionné les propriétaires qui s'y étaient succédé. Je n'y avais jamais surpris d'ébats sexuels, malgré la vue imprenable que j'avais sur le lit et le ventilateur monumental qui planait au-dessus. Essentiellement, j'avais vu de vieux obèses dormir et des femmes de ménage passer l'aspirateur, secouer la couette, épousseter les commodes.

Les meubles surdimensionnés de Jinny étaient dignes d'une reine. Tout y était trop gros, trop... trop. Et sa penderie? Pendant que je regardais ailleurs, quelqu'un y avait rangé sa stupéfiante collection de vêtements griffés. Dans sa penderie, devant ses tablettes où, du sol jusqu'au plafond, s'alignaient chaussures, bottes et sacs à main, rangés suivant un code de couleurs, nous avons poussé des oh! et des ah! Et c'est là que nous l'avons vue, sertie dans une housse en plastique accrochée derrière la porte. Jinny a descendu la fermeture éclair et sorti la robe diaphane. Une robe de mariée. Voilà ce que c'était. Le Saint Graal. Du crack pour filles. Nous voulions toutes la même. Jinny nous rendrait accros, telle une revendeuse de drogues.

Le temps de le dire, nous étions assises par terre dans le coin salon de sa chambre où, sur l'écran plat, passait une mielleuse vidéo promotionnelle dans laquelle des filles de notre âge, vêtues d'ahurissantes robes de mariée griffées, affirmaient que le Bal de la pureté américaine avait changé leur vie. D'aussi loin que je me souvienne, nous avions toujours hurlé de rire à la vue d'images montrant des papas et des filles semblables à de minimariées complètement tordues. Mais quelque chose avait changé.

Puis, comme appât, Jinny a révélé que son père était un bon ami de Jagger Jonze et que, même si Jonze ne participait presque jamais à ses bals franchisés, elle était relativement certaine que son père réussirait à le convaincre de faire une exception. Après tout, il habitait Beverly Hills.

Un des frères a cogné à la porte et nous a demandé si nous voulions nous baigner.

— J'ai un filet de volley, a-t-il dit.

Dee a ouvert la porte et je crois bien avoir vu ses genoux fléchir. Elle a un faible pour les types musclés, et les frères semblaient gavés de stéroïdes. Celui-ci, Garth, arborant un mignon maillot, se tenait dans le couloir, fruit d'un métissage entre le David de Michel-Ange et le rappeur Diggie Dawg. Nous étions toutes prêtes à nous jeter à l'eau avec cet étudiant athlétique, bronzé et gonflé où ça comptait.

— Les filles contre les garçons, a-t-il dit en souriant.

On a toutes des piscines. Mais on ne se baigne pas. Jamais. Pas depuis la fin de l'école primaire, en tout cas. Pourtant, nous avons sauté sur l'occasion de plonger dans l'eau avec les séduisants frères de Jinny. Comme elle ne voulait pas rompre le charme en nous laissant sortir, elle a ouvert un tiroir rempli de hauts et de bas de bikinis griffés. Dix minutes plus tard, nous jouions au volleyball dans la piscine. Le pire, c'est que c'était amusant. Comme dans l'ancien temps. Comme quand nous ne nous souciions pas de l'apparence de nos cheveux mouillés ou de notre ventre moins plat que nous l'aurions souhaité. Les frères, aussi sexy soient-ils, n'ont pas flirté avec nous, n'ont rien dit d'inconvenant. Plutôt agréable, comme situation.

Après, nous nous sommes allongés sur les chaises longues en tek réparties autour de la piscine. Les frères se sont vite esquivés. Par la suite, c'est devenu beaucoup moins intéressant. C'est alors que cette chose bizarre s'est produite. Je veux dire… Je fixais les lolos de Jinny, je suppose, *because,* je l'aurais juré, implants. Jinny m'a prise en flagrant délit. J'aurais voulu mourir parce qu'elle s'est méprise sur mes intentions et est devenue nerveuse. J'ai failli faire l'éloge des boucles bleues qui ornaient son haut, mais j'ai pensé que j'allais seulement aggraver mon cas.

Dans le vestibule, nous nous sommes mises en file pour faire un câlin à notre nouvelle meilleure amie et lui donner l'assurance que nous l'adorions déjà. Car ainsi font les *chicas*. Serrée contre elle, j'ai failli m'évanouir : ses seins sont on ne peut plus réels.

Dehors, avant de nous séparer pour rentrer chacune chez soi, nous nous sommes attardées un moment dans le cul-de-sac qui s'assombrissait.

— C'était bizarre, ai-je déclaré.

— Tu reluquais ses boules, a dit Zara. Alors ouais.

— N'importe quoi, ai-je répliqué.

— Je t'ai vue, a dit Zee. Ils sont vrais, en passant.

— Si tu le dis. Elle est bizarre. Nous n'allons tout de même pas aller à ce bal, hein, les filles? ai-je demandé.

Brooky a souri.

— On devrait y aller. À la blague. Pour rire.

— Pour de vrai?

— Pourquoi pas? a ajouté Zee.

— Parce qu'on ne croit pas à ces histoires d'abstinence avant le mariage, peut-être?

— Mais qu'est-ce que ça change, Ror? a demandé Dee. En un sens?

— Ça ne devrait pas changer quelque chose, justement?

— À mon avis, il ne faut pas prendre ça trop au sérieux, a raisonné Brooky. Il y a une différence entre ce qu'on dit et ce qu'on fait.

C'était rempli de bon sens. En quelque sorte.

— Penses-y, a insisté Brooky. Robe griffée et chaussures Jimmy Choo. Une photo avec Jagger Jonze. Pense aux publications. Pense aux *j'aime*.

Très juste. Publier des photos de soi avec des célébrités, même obscures, génère de nombreux *j'aime*. Franchement, nous sommes toutes obsédées par nos photos et nos *j'aime*.

Fee a haussé les épaules.

— On s'amuserait peut-être.

— Je suppose que oui.

Je ne voyais pas comment. Mais je n'ai jamais pensé que nous irions jusqu'au bout.

Ma peau pelait à cause du chlore de la piscine des Hutsall, j'avais les cheveux frisés et emmêlés, un poids dans la poitrine : je me rendais bien compte que Jinny Hutsall et cette histoire de bal allaient sonner le glas de la Ruche telle que nous la connaissions. J'ai compris, dès ce moment-là, qu'il faudrait que je m'accroche.

À la maison, Shelley m'a demandé ce que je pensais de la nouvelle venue, si elle ferait une recrue de choix pour la Ruche. Euh. Peut-être. Euh. Non.

Je suis montée dans ma chambre et j'ai foncé vers la fenêtre. J'espérais que Jinny serait dans sa chambre et que je pourrais l'espionner. Elle y était, allongée sur son lit géant, d'où elle fixait le ventilateur. Elle était flambant nue, son petit bikini roulé en boule sur la couette, à côté d'elle. D'un ennui mortel. Quand même, j'ai tenu à regarder.

Là – et c'est la partie la plus bizarre –, elle s'est mise à parler. Je n'entendais pas ce qu'elle disait, mais je me suis demandé : Il y a quelqu'un avec elle ? Brusquement, elle se redresse et s'agenouille au milieu du lit, lève les yeux au plafond et continue de converser. Elle attend une réponse, ajoute quelque chose, rit aux éclats. Bon, d'accord. C'est moi qui avais raison. Jinny Hutsall est complètement folle. Nue comme un ver, elle discute avec le ventilateur accroché au plafond de sa chambre.

Avec Dieu, en fait. J'ai aussitôt compris qu'elle causait avec Dieu. Et ça m'a paru lourd de menaces.

Je n'ai parlé à personne de ce que j'avais vu. Impossible. On aurait dit que c'était moi, la folle. Jinny priait, et alors? Dieu lui répondait? Pourquoi pas? Et quel mal y a-t-il à être nue dans sa chambre? Nous le faisons toutes. Entendu. Sans compter qu'elles m'en auraient voulu de jouer les espionnes. Je n'avais aucune envie de passer pour une voyeuse en plus de tout le reste. Mais, ce soir-là et la plupart des soirs suivants, bien cachée derrière mes rideaux, j'ai continué d'observer Jinny jusqu'à ce qu'elle s'endorme ou échappe à mon regard de perverse en quittant la pièce.

Le lendemain, Jinny Hutsall a fait le trajet jusqu'à l'école avec nous. Son père, a-t-elle dit, avait déjà joint Jagger Jonze, qui avait accepté de présider le bal et la soirée d'orientation. Les membres de ma Ruche ont poussé des acclamations de groupies. Nous y étions. Glissement sismique. Et au lieu de rester seule avec mon éthique et mes opinions, au lieu de jouer le rôle de la juive mise sur la ligne de touche (car c'est ainsi que je me sentais en présence de Jinny Hutsall), j'ai proposé, pour la semaine suivante, une virée dans Rodeo Drive, question de se préparer. Shelley m'a regardée de travers. Hein, quoi?

— Tu devrais peut-être d'abord en parler à ton père, a-t-elle dit.

En route vers l'école, les filles, excitées au possible, ont parlé robes, coiffures et j'en passe. Moi, je pensais à Jinny et à son ventilateur. J'ai remarqué que Fee était silencieuse, elle aussi. Delaney a fait le même constat. Je l'ai entendue murmurer à l'oreille de Fee:

— Mon père va t'acheter la même chose qu'à moi.

— Je sais, a répondu Fee. Mais disons qu'il me paie la robe et le reste, et que moi, je lui promette ma virginité… Ce serait louche, non?

Ma mère n'a rien dit, mais elle a hoché la tête. Louche, en effet. Au carré.

Fee a rouvert les yeux et j'ai donc cessé de parler de la stupide Jinny dans mon blogue, mon journal de prison, mes mémoires, ma déposition, quelle que soit la forme que le texte a prise.

Je… Je ne voudrais surtout pas crier victoire trop vite, mais Fee a la bouche couverte de miettes de biscuits salés. Elle ne vomit pas. Et elle a meilleure mine. Le poison – si c'est bien du poison qu'elle a pris – a été éliminé. Pareil pour la tequila. À présent, elle souffre seulement de déshydratation sévère. Et elle est morte de peur.

Elle m'a demandé si j'avais écrit toute la nuit et j'ai avoué que oui. Elle a voulu savoir si j'avais été en ligne. Oh que oui! Comme une maniaque. Elle a voulu connaître les détails. Je lui ai donc dit qu'il ne faudrait pas manquer *L'heure de la toute-puissance* de Jagger Jonze, que Miles avait été détenu puis relâché, que Jinny et les autres membres de la Ruche avaient passé la nuit à envoyer des tweets à notre sujet, que j'étais persuadée que Brooky, Dee et Zara avaient subi un lavage de cerveau. Je lui ai dit qu'on continuait d'interroger ma mère, mais pas que la sienne risquait l'expulsion. Je lui ai toutefois parlé des sympathisantes qui envoyaient des photos d'elles-mêmes en robe de mariée dans le but de multiplier les fausses pistes et les diversions. Et d'une nouvelle porteuse d'espoir.

Des journalistes et des citoyens ordinaires commencent à poser des questions. CNN s'intéresse à l'augmentation du nombre de manifestations violentes et de crimes entourant les Bals de la pureté américaine aux quatre coins du pays, et se demande si ce ne sont pas les Croisés eux-mêmes qui commettent ces crimes en ayant recours à de «faux» manifestants, dans l'intention de laisser croire à un climat de persécution et de glaner des appuis. Vous vous souvenez du bal au Missouri, l'année dernière? Toutes les voitures du stationnement couvertes de virulents graffitis antireligieux? Les coupables n'ont jamais été retrouvés, mais tout le pays en a entendu parler. Et l'extrême-droite s'en est servie pour épingler la gauche. À Little Rock, des individus masqués ont lancé des œufs aux filles en robe blanche. Alerte à la bombe à Sarasota. Pareil en Louisiane. Des canulars, mais abondamment couverts par les médias. Génial.

J'ai fait part de mes soupçons à Fee, qui a fermé les yeux. Pendant une seconde, j'ai cru qu'elle s'était rendormie.

— Fee?

— Chut. Je prie.

Sans blague? Mais pourquoi pas, au fond? Fee n'a rien d'une folle de Dieu remplie de haine. Je connais des tas de chrétiens comme elle, par exemple Mlle Maureen, la réceptionniste à l'école, et Mlle Yvonne, qui travaille à la cafétéria. Elles sont gentilles. Et serviables. Elles ne m'ont jamais regardée de travers. Et même si je ne crois pas en Lui, *leur* Dieu n'est pas un trou du cul. Je suppose. Je ne sais pas. Secrètement, j'espère dans un sens me tromper: peut-être qu'Il est là, quelque part dans l'atmosphère, et qu'Il va répondre aux prières de Fee.

Elle priait toujours lorsque nous avons entendu un tambourinement dehors qui semblait venir de la caravane. Le vent? Le grand chien noir?

Je me suis levée pour risquer un coup d'œil par la fenêtre. Les arbres ploient sous le vent, les virevoltants tourbillonnent – il y en a plein, en cette saison. Dans l'allée de Javier, une poubelle en plastique a roulé d'avant en arrière et s'est écrasée contre des pots de peinture empilés avec soin sur le côté de la cabane.

— Dès que le batteur de chiens sera sorti, je vais trouver le moyen d'entrer chez Javier et de nous rapporter à boire, Fee. Sinon, je vais m'introduire en douce dans l'Airstream.

— Tu crois que Javier a un système de filtration, Ror?

J'en doutais beaucoup.

— Il a peut-être de l'eau dans son frigo.

Fee est restée si longtemps silencieuse que je me suis tournée vers elle.

— Je pense que nous devons nous rendre, a-t-elle dit enfin.

— Pas question. Nous attendons Javier. Il va revenir avec de l'aide.

— Nous ne pouvons pas passer la journée ici. Sans eau, je risque de mourir. Je te jure. Je veux rentrer à la maison.

— Nous rendre? Nous ne rentrerons pas chez nous, Fee. Nous n'avons pas d'amis là-bas. Les filles? Tu n'as pas l'air de réaliser qu'elles se sont retournées contre nous.

— Elles vont redevenir elles-mêmes. Elles font partie de la famille. Et M. Tom va s'occuper des problèmes d'immigration de ma mère. Elle est comme une sœur pour lui.

Nous avons entendu un autre bruit dehors. Bondissant de nouveau, j'ai vu la bâche bleue qui s'était détachée de la caravane, la veille, battre des ailes comme un héron ivre avant de s'enrouler autour du chêne à côté de la remise. En sortant de chez lui, l'ivrogne va s'approcher. Il me fait très peur, cet homme.

— Le voisin m'inquiète. Javier dit qu'il ne doit pas nous voir. S'il nous trouve ici, c'est terminé.

— Bon, c'est terminé, alors.

— Ne dis pas ça, Fee.

— J'ai la bouche si sèche que ça me fait mal de parler. Ne disons rien, OK? Réfléchissons à ce que nous allons faire.

Aïe. Je me sens si seule, ici, et je meurs d'envie de parler à Fee. Et voici qu'elle m'oblige à fermer ma gueule. Je retourne en ligne.

Nouvelle de dernière heure. Le sac de Fee – sa pochette en métal doré – a été retrouvé dans les décombres des toilettes. Les médias en font tout un plat et montrent des images de Fee avec son petit sac lors de sa *quinceañera,* en juillet dernier (Tom Sharpe avait refusé d'acheter de nouveaux sacs pour le bal puisque Fee et Delaney en avaient déjà une pleine armoire). À présent, tout le monde s'énerve à cause du sac de Fee et de son contenu mystère. Pas possible! Du rouge à lèvres fondu? La bague de perle trop petite pour son doigt?

Fee est sidérée que la pochette en métal ait survécu à l'explosion. Pas de quoi fouetter un chat, à mon avis, mais elle est super bouleversée. Agitée. Je sais bien que le contenu de notre sac est privé, mais reviens-en, ma vieille. À l'aune de tout ce qui nous arrive en ce moment, pourquoi est-elle si perturbée à l'idée qu'on fouille dans son sac?

— Ce n'est pas la fin du monde, Fee. Sans blague. J'ai l'impression que tu manques de recul.

— J'en ai à revendre, du recul. C'est juste que le contenu de mon sac est privé.

— Privé? C'est quoi, ce délire? Qu'est-ce qu'il y a, là-dedans?

— Rien.

— Rien?

— Rory... Je ne... Je ne comprends plus rien. Jinny a beau être une Croisée, c'est notre amie. Et Jagger...

— Jagger Jonze est un escroc. Point à la ligne. Et Jinny Hutsall n'est pas notre amie.

— Je ne sais pas qui a mis la bombe dans les toilettes et cette horreur dans ta voiture, mais il est possible que Jinny et Jagger soient eux aussi victimes d'un coup monté, non?

Ma vie dérape. *Qué pasa,* merde? Fee protège Jinny Hutsall, maintenant? Elle défend Jagger Jonze? Je sais bien qu'elle est malade, fatiguée et assoiffée, mais... Sans blague? Il y a forcément autre chose. Maintenant que j'y pense, Fee n'est pas elle-même depuis quelques jours.

Tout a débuté avant-hier, il me semble, quand elle est allée chez son *abuela* à Cerritos prendre un collier de famille qu'elle avait l'intention de porter au bal. C'était la première fois que Fee allait là-bas sans sa mère. Elle ferait un simple aller-retour – quelques heures de route, tout au plus. J'ai proposé de l'accompagner. En fait, j'en mourais d'envie. Je voulais à tout prix rencontrer son cousin, Dante, celui qui a des perçages et des tatouages. Fee a refusé catégoriquement.

— Tu oublies Dante.

— Il ne sera pas là.

— Tant pis. J'aimerais bien rencontrer ton *abuela*.

— Non, Ror, a-t-elle dit. C'est que… dans ma famille, on n'aime pas trop les Blancs.

— J'en ai vu d'autres.

— Mes proches sont impitoyables. Ils vont t'appeler Blanca et faire des grimaces dans ton dos. Bonjour le malaise.

— Je t'attendrai dans la voiture.

— En plus, tu as mal au cœur quand tu n'es pas au volant, Rory, et M. Tom a dit que je pouvais prendre la décapotable. J'ai vraiment envie de conduire.

— Je n'aurai qu'à prendre des médicaments.

— Rory.

— Tout ira très bien.

— Non, Rory. Stop.

Je ne renonce jamais. Mais bon, je suis comme ça, depuis toujours. Pourquoi Fee refusait-elle de me laisser l'accompagner? Je suis sa meilleure amie et, depuis l'arrivée de Jinny Hutsall, nous passons très peu de temps ensemble, juste elle et moi. Je sais que Fee est gênée à cause de cette histoire de probation, mais j'ai eu une autre idée – une idée qui m'a donné la nausée: Fee irait à Cerritos avec Jinny Hutsall plutôt qu'avec moi. Le vendredi, j'ai donc épié la maison des Sharpe depuis la fenêtre de ma chambre. Fee est partie seule. Dieu merci.

— Le collier? ai-je dit en m'avisant soudain que je ne me souvenais pas de l'avoir vu au cou de Fee pendant le bal.

— Quel collier?

Son visage trahissait l'incompréhension.

— Celui que tu es allée chercher à Cerritos, l'autre jour.

— Ah ouais. Le fermoir s'est cassé. Je n'ai pas pu le mettre.

De toute évidence, Fee mentait. Je ne sais pas pourquoi. Puis elle a fondu en larmes et je l'ai prise dans mes bras. Je l'ai laissée hoqueter et sangloter. Au bout d'un moment, j'ai songé: Assez pleuré! Déshydratée comme elle l'est...

— On va s'en sortir, Fee. D'accord? Je te le promets.

— J'ai soif, Rory. Je ne peux penser à rien d'autre. Rendons-nous, OK? Je sais bien que nos têtes sont mises à prix, mais on ne va tout de même pas nous tirer dessus.

— D'où tu sors, toi? Tu te rappelles Joyce Johnson? Et Leslie Givens? Ces filles de New York? Tu te rappelles ce que les Croisés leur ont fait? Et Allegra Coombs? Elle a été abattue par un Croisé parce qu'elle portait un t-shirt My Body, pour l'amour du Christ!

— Hum. En tout cas, j'aimerais mieux boire de l'eau en prison que mourir de soif ici! Marchons sur la route et attendons de voir ce qui arrive. S'il te plaît? J'en peux plus, Rory. J'en peux plus!

Nous restons un moment silencieuses. Puis Fee demande:

— Qu'est-ce que tu écris, au juste, Rory? Qu'est-ce que tu as dit à propos des événements?

— Je m'en suis tenue aux faits.

— Tu n'as pas écrit que j'avais passé la nuit à chier dans ma culotte et à me vomir dessus, au moins?

— Je prépare notre défense.

— OK.

— Je parle de la Ruche, de nos vies, de Jinny et de Jagger. Ensuite, je vais évoquer la soirée d'orientation et le bal. Et je retranscris plus ou moins nos conversations… Pas mot à mot, tu vois, mais presque.

— Bon, ben, je ne suis pas du tout d'accord, Rory. Ne dis rien de la soirée d'orientation, surtout. C'est exclu.

C'est inclus, au contraire. Je vais tout raconter, mais je n'ai pas envie de me disputer avec Fee.

— Attends. On ne risque pas d'utiliser tes publications pour remonter jusqu'à nous?

— Je ne publie rien. J'écris, c'est tout. Je n'enverrai le texte que quand je pourrai le faire sans risque. Ou quand on nous capturera. Au choix.

— Si on devait nous trouver, on l'aurait déjà fait, non?

— Ils sont nombreux à nous chercher, Fee. Nous valons une petite fortune.

Elle a saisi ma main. On a enlacé nos doigts.

Puis nous restons là, tandis que le soleil se hisse dans le ciel et que la remise se change en four à pizza. Fee regarde droit devant elle, comme égarée dans la terreur. Confuse? Autrefois, je me croyais capable de lire dans ses pensées, mais je n'en suis plus certaine. C'est peut-être la soif qui parle. J'ai soif, moi aussi, mais, à force d'être enfermée dans cette remise, j'ai en plus la bougeotte. Le sang de mes règles est épais et collant. Pour toutes ces raisons, je n'ai qu'une envie: assommer Jinny Hutsall d'un bon coup de poing en plein visage.

En ce moment, les vents semblent s'être calmés. Mauvaise nouvelle. Fee a réussi à se redresser jusqu'à pouvoir regarder par la fenêtre. Je l'ai rejointe et, ensemble, nous avons compté les points noirs qui se profilaient au loin – des petits avions et des hélicoptères volant vers nous depuis l'aéroport de Santa Monica. Douze en tout.

— On dirait des têtards, ai-je dit.

Elle a hoché la tête.

Avec la peur et le stress, on pourrait penser que mes règles s'arrêteraient, mais non: j'ai l'air d'une scène de crime. Je viens d'inspecter les valises poussiéreuses dans l'espoir d'y trouver des vêtements, des serviettes ou autre chose, mais elles sont vides. Les sacs de poubelle blancs? Pas le courage d'en ouvrir un. Ils ont l'air remplis de feuilles mortes et de merde. Cette odeur... À part la mienne et celle de Fee, je veux dire. Des souris, sans aucun doute. Ou encore des rats. Et s'il y avait des rongeurs dans les sacs de poubelle?

Puis Fee m'a demandé à quoi je pensais.

— À la mort de Jinny Hutsall et de Jagger Jonze dans une fournaise ardente, ai-je répondu.

Elle s'est une fois de plus montrée magnanime, ce qui commence à me taper grave sur les nerfs.

— Haïr Jinny et Jagger n'arrangera pas notre situation. D'ailleurs, nous ne connaissons pas tous les faits.

— C'est reparti: tu les défends. Qu'est-ce qui te prend, Fee?

— Je ne défends personne. J'ai seulement dit que je ne voyais pas Jinny et Jagger Jonze nous faire un coup pareil.

— Tu ne vois pas? Pourtant, tu as tout vu: tu étais là.

— Mais il s'est passé quoi, au juste? On n'en sait rien. Tu penses vraiment que Jinny et Jonze ont posé cette bombe? Le reste aussi? Pourquoi voudrait-elle nous faire accuser? Nous n'avons aucune preuve. On ne serait pas en train de les traiter comme tout le monde nous traite, là? Tu détestes les conspirationnistes.

— Et il se passe quoi, d'après toi?

— Ça n'a pas de sens, Ror. Pourquoi se donner la peine de monter un coup pareil contre nous? Tu penses vraiment que Jinny a voulu ta mort parce qu'elle hait les juifs?

— Tu as raison, Fee. L'histoire prouve que c'est impensable.

— Et tu crois que Jagger Jonze a la même allergie aux juifs? Regarde-moi! Je ne suis pas juive et je suis dans la merde jusqu'au cou.

— Ce n'est pas tout, Fee. Il reste des liens à établir, mais il s'est passé un truc. La veille du bal. J'ai fait quelque chose.

— Tu as fait quelque chose?

Je sais que je dois avouer à Fee que j'ai espionné Jinny Hutsall et que je l'ai filmée dans une situation très compromettante, la veille du bal. Je dois lui avouer que nous sommes probablement ici à cause des images, dans ma caméra, tombée derrière la commode de ma chambre.

Fee sait que j'ai demandé à tante Lilly une caméra munie d'un téléobjectif pour mon anniversaire: j'avais annoncé à la cantonade mon intention de tourner des courts métrages. C'était un mensonge. Mon unique projet était de filmer Jinny Hutsall. Mon raisonnement? Si les filles voyaient Jinny telle qu'elle était vraiment – une folle à genoux sur son lit qui parle à son ventilateur –, nous pourrions l'exclure de la Ruche. Depuis que j'ai reçu l'appareil, j'ai enregistré les bizarroïdes conversations de Jinny – sans le son –, mais je ne trouvais pas toujours le bon angle ou bien l'objectif ne la montrait pas aussi démente que je l'aurais souhaité. Il me fallait des images qui convaincraient les filles de prendre leurs distances avec elle.

Puis, avant-hier, dans la soirée, j'ai jeté un coup d'œil par la fenêtre de devant et vu de nombreuses voitures garées devant la demeure des Hutsall. Je me suis dit qu'un de ses frères était à la maison et recevait des amis ou un truc du genre. En me dirigeant vers l'autre fenêtre, je ne m'attendais pas à trouver Jinny dans sa chambre, mais elle était là, sur son lit, nue comme d'habitude. Si j'avais un corps comme le sien, je me mettrais nue le plus souvent possible, moi aussi. J'ai donc saisi ma petite caméra vidéo et pris position derrière les rideaux. Et, là, Jinny s'étire sur son lit. Elle parle, mais pas au plafond. Elle regarde vers la porte. Il y a quelqu'un dans sa chambre. Merde.

Ma main tremble, mais je continue de filmer. Puis un jean s'approche du lit. Un garçon, j'en suis sûre. Un de ses frères? Je suis scandalisée à l'idée que l'un d'eux soit dans la pièce alors qu'elle est à poil. J'attends. Jinny cesse de parler. Elle s'agenouille, selon son habitude, prête à prier, et je zoome au maximum. Et c'est alors que ça se produit. Elle se met à quatre pattes et tend sa croupe parfaite, puis elle se tourne vers l'autre personne et je me rends compte qu'elle s'offre, ni plus ni moins. J'observe et je filme en essayant de ne pas trop trembler pour que les images soient nettes.

Pendant que je filme, le type – lequel de ses horribles frères? – se place derrière elle, nu lui aussi. J'ai trop zoomé pour distinguer son visage – mais je le vois s'enfoncer jusqu'aux couilles dans le cul de Jinny Hutsall. J'incline alors la caméra pour voir le visage du type. Il ne s'agit pas d'un des frères.

À ce moment, le révérend Jagger Jonze lève les yeux et j'ai l'impression qu'il fixe l'objectif et je flippe. Alors, j'ai lâché l'appareil et il est tombé derrière ma commode. Le hic, c'est que je ne suis pas certaine qu'il m'ait vue filmer. Je… Mais c'est forcément l'explication, non? Non? Sinon, les événements n'ont pas de sens.

Cette révélation, ma confession, n'émeut pas Fee. Du moins pas comme je m'y attendais. Comme il le faudrait. Elle ne me croit pas.

— Des inventions pures et simples, dit-elle.

— Hé ho! Fee! Sans blague? Tu penses que je fabule?

— Je pense que tu t'imagines des choses.

— Bref, je délire.

— C'est un abstinent. Il a été assez clair sur ce point, non? Cet épisode bizarre, pendant la soirée d'orientation… Désolée, Rory. Je pense que tes yeux te jouent des tours.

— Je les ai filmés, Fee. Tu verras les images. Petit Jésus, c'est pas comme si on n'avait jamais entendu des chrétiens soutenir que le sexe anal ne compromettait pas la virginité. Une façon de fourrer le système, en quelque sorte.

— L'angle de vue était peut-être bizarre.

— C'est la position de Jinny qui était bizarre.

— Bon. D'accord. Mais filmer Jinny… Tu es une vraie malade. Je pense que tu te trompes. Et même si tu as raison, ça ne prouve rien à propos de la bombe et de ce qu'on a trouvé dans ta voiture.

— Jagger Jonze est un pervers.

— Si tu le dis, Rory.

— Elle a quoi, seize ans, et Jagger, au moins trente. C'est tout à fait illégal. Si son secret était éventé, sa franchise s'écroulerait, sa réputation serait ruinée. Si des gens voyaient les images que j'ai prises, il finirait en prison. Terminé. Je représente donc une menace. C'est arrivé, et ils savent que je sais. Tu comprends, maintenant?

Fee secoue la tête et fixe la poussière pendant un très long moment.

— Bon, d'accord, dit-elle enfin. Après avoir bu de l'eau, on n'aura qu'à trouver le moyen de rentrer à Oakwood Circle sans qu'on nous voie, récupérer la caméra derrière ta commode et la remettre à une personne qui voudra bien croire que tu as filmé une scène de sodomie entre un pasteur célèbre et une jeune chrétienne qui ont fait exploser une bombe dans les toilettes pour nous faire disparaître et t'empêcher de les dénoncer.

— Oui!

Elle m'a fixée longuement.

— Allô? C'était du sarcasme. Jagger est tordu, je veux bien, mais il ne me ferait pas un coup pareil. À toi non plus. Provoquer une explosion pour nous éliminer? C'est de la folie. Il ne ferait pas ça. Jinny non plus.

— Justement. Je ne pense pas que ce soit *nous* qui devions nous trouver dans les toilettes. C'est moi. Tu as mangé ces stupides truffes – les boules en chocolat empoisonnées –, tu es tombée malade et tu es impliquée par accident.

— Mon Dieu, Rory. Toi et ton imagination…

Je ne dois pas oublier que Fee n'a pas passé la nuit à parcourir des articles, à mettre des points sur les *i* et à raconter l'histoire de sa vie. Pour elle, le déni est plus facile.

— OK. Mettons que tout ce que vous dites est vrai, agente Miller. Ne devrions-nous pas nous rendre avant d'être abattues par un chasseur de primes qui croit que nous vendons des bébés morts sur Craigslist?

— Javier…

— Tu t'imagines que tous les Latinos ont le cœur sur la main parce qu'ils te faisaient des mamours pour plaire à tes parents? Ce ne sont pas des saints, Rory. Ils sont comme les autres. Un million de dollars… Allô?

— Alors pourquoi ne nous a-t-il pas déjà dénoncées? Il aurait pu toucher la récompense dès hier soir.

— Qui te dit qu'il ne l'a pas fait? Qui te dit que des gens ne foncent pas vers nous en ce moment même? Je ne lui fais pas une confiance aveugle.

— Mais tu fais confiance à ce trou du cul de Jagger Jonze?

— Merde, Ror. Arrête! Arrête tout de suite!

Il y a eu un autre son dehors. On l'a entendu toutes les deux. Un bruissement contre le mur de la remise. La bâche bleue?

Par la fenêtre, je vois d'autres virevoltants charriés par le vent. Deux ou trois écureuils se pourchassent autour du chêne voisin de la remise. La bâche bleue n'a pas bronché. La camionnette de l'ivrogne est toujours à sa place.

Je suis encore furieuse que Fee ait pris la défense de Jinny Hutsall et Jagger Jonze. J'ai envie de lui rappeler tous les trucs tordus qu'a faits Jinny, notamment au cours de la semaine suivant mon anniversaire. Seulement, Fee refuse de me parler, en ce moment. Délaissant la fenêtre, je reviens à mon blogue. Il faut que je note tout ça.

Un jour, on buvait de la limonade autour de la piscine de Jinny en discutant de la compétition à laquelle Brooky prendrait part le week-end suivant. J'étais toute contente à l'idée d'emmener le fan club de Bee – nous – dans ma nouvelle Prius d'occasion, cadeau d'anniversaire de Shelley. Comme Bee ferait le trajet en autocar avec le reste de l'équipe, j'avais assez de ceintures de sécurité pour toute la bande, y compris Jinny.

— Désolée, mais je déteste les Prius, a fait Jinny. Je sais que tes parents sont canadiens et je ne voudrais surtout pas t'offenser, mais…

Quand une personne précise qu'elle ne veut pas vous offenser, c'est qu'elle s'apprête justement à le faire. Pareil pour celle qui commence par: «Je ne voudrais surtout pas passer pour raciste, mais…»

— … c'est juste que les Prius sont nulles, Rory. Elles puent la gaugauche attardée.

Je suis offensée.

Les membres de la Ruche gardent le silence parce qu'elles sont plutôt du même avis en ce qui concerne la Prius. À Calabasas, la voiture est reine. En Californie, affirme Tom Sharpe, on ne possède pas sa voiture: on est possédé par elle. Vos bolides, vos vitres teintées, vos roues en magnésium et vos volants d'inertie témoignent de votre réussite. Certaines personnes passent plus de temps dans leur voiture que dans leur maison. Une Prius? D'aucuns prétendent que c'est le pantalon de survêtement en chanvre des voitures. Je m'en fous.

— Allez, *chicas*. Je viens d'avoir mon permis, ai-je dit en les regardant.

— Nous avons juste à réserver une limousine comme d'hab, a dit Zee.

— En plus, ta mère ne sera pas d'accord parce que c'est illégal, non? renchérit Jinny. Des mineures comme passagères?

J'avais déjà demandé à Shelley si je pouvais emmener les filles de la Ruche. J'avais suivi des cours de conduite pendant six mois pour réduire la prime d'assurance. Bien que, en principe, la loi interdise aux jeunes conducteurs de prendre le volant avec des passagers d'âge mineur, tout le monde le fait, et Shelley n'est pas du genre à se formaliser pour ce genre de choses.

— Shelley est d'accord.

— Mais les autres parents ne vont pas l'être, hein? a dit Jinny.

Les filles ont haussé les épaules. Ici, les parents attendent avec impatience le moment où leurs enfants obtiendront leur permis: dès ce jour béni, ils n'ont plus à les emmener partout ou à se ruiner en frais de chauffeurs. Aussi chrétiens et respectueux de la loi soient-ils, ils trouvent le moyen de fermer les yeux sur les irrégularités qui leur profitent. Ici, tous les jeunes reçoivent une voiture pour leurs seize ans. C'est comme ça. Il a déjà été établi que nous sommes des enfants gâtés.

— Non, répond Dee. Tout le monde est d'accord. Nos parents savent que nous ne buvons pas avant de prendre le volant. Et on ne risque pas de se faire arrêter, à condition de respecter les limites de vitesse. De toute façon, Rory conduit comme une grand-mère.

— Faux!

Elle a un peu raison.

— Si tout le monde est d'accord, a dit Jinny, pourquoi ne pas prendre notre Tahoe? On sera teeellement mieux.

Je ne savais même pas qu'elle avait un Tahoe. La famille a un garage pouvant accueillir quatre véhicules. À la faveur des allées et venues des frères, j'ai vu des Ferrari et des Maserati garées dans l'entrée. Mais jamais de Tahoe.

J'ai expliqué à Jinny que je devais conduire en raison de mon mal des transports et que, si je ne conduisais pas, je devrais prendre des médicaments, que je somnolerais et que je me sentirais patraque. Mais les filles ne m'ont pas soutenue: de toute évidence, le trajet serait beaucoup plus agréable en Tahoe. Et chacun des sièges était équipé d'un chargeur. Suprême bonus. Il a donc été décidé que Jinny nous emmènerait.

— Où va-t-on? a-t-elle demandé.

— Pasadena.

Jinny a été si excitée à l'idée de se rendre à Pasadena que j'aurais dû me douter de quelque chose.

Le samedi matin, j'ai pris deux doses massives de médicaments contre le mal des transports dits sans somnolence, complètement inefficaces, de toute façon, et j'ai dit à Shelley que nous rentrerions en fin d'après-midi, sauf embouteillage. Elle a demandé qui conduisait et n'a rien trouvé à redire au fait que je parte avec Jinny. Elle m'a embrassée sur le front avant de retourner à son ordinateur. J'aurais aimé parler à ma mère de ce mauvais moment de ma vie. Mais alors elle m'aurait conseillé de tenir mon bout. D'être fidèle à moi-même. D'affirmer mes convictions. Rien à voir avec le cas présent. En plus, je ne voulais pas qu'elle se fasse du souci pour moi: elle avait recommencé à travailler et je m'en réjouissais. La dernière chose que je voulais, c'était de la couper dans son élan.

Même si je me sens moins mal lorsque je suis assise à la place du passager et que toutes mes amies sont au courant, Zee se l'est appropriée, et je n'ai rien dit pour ne pas avoir l'air de la fille qui se plaint et qui exige. Dee et Fee sont montées à l'arrière. Jinny m'a regardée et j'ai senti qu'elle n'aurait pas du tout été déçue si j'étais restée à la maison. Je me suis installée et j'ai bouclé ma ceinture.

Jinny a fait jouer de la musique de Jagger Jonze pendant tout le trajet et nous l'avons accompagnée en chantant à pleins poumons. Rien d'épouvantable. Au début. En fait, c'était plutôt amusant: nous réalisions des harmonies vocales, faisions semblant d'être un groupe de musique. Périodiquement, j'interrogeais mon hypocrisie… J'étais une boule de haine, non? Une fille au jugement facile. Jalouse. D'accord, Jinny est un peu cinglée avec son Dieu ventilateur, mais je dois faire des efforts pour m'habituer à ce nouveau «nous». Sans compter qu'il arrive parfois que le désir de s'intégrer soit si tonitruant qu'on n'entend pas son petit doigt crier: *Nooooon*.

Sur la banquette du Tahoe, malgré les médicaments, j'ai eu mal au cœur après quelques kilomètres seulement. La circulation était horrible. La circulation est toujours horrible. Et Jinny, irritée, conduisait vite… En tout cas, elle essayait. Nous avions beau lui répéter de ne pas s'énerver, que les compétitions débutaient toujours en retard et qu'on arriverait à temps pour la première épreuve de Bee, Jinny ne décolérait pas. Les yeux exorbités, elle ne jurait pas, mais, entre ses dents, elle maudissait les autres automobilistes – tous des *procits,* des illégaux, des pépés et des mémés – et changeait sans cesse de voie, même si elles étaient toutes bloquées. Je me sentais de plus en plus malade. Je me suis demandé si c'était son but.

Puis elle s'est garée devant le palais de justice de Pasadena et nous avons fait: Quoi?

— Surprise! a lancé Jinny.

J'ai alors compris ce qui l'avait tant excitée dans ce périple. C'est au palais de justice de Pasadena qu'on emmène les femmes arrêtées dans des cliniques illégales, les autres palais de justice de la région étant incapables de faire face à la multitude des manifestants. Pasadena, qui traite tous les crimes liés à l'avortement, a érigé des barricades permanentes pour contenir les Croisés et engage des fiers-à-bras pour maintenir un semblant d'ordre.

Dans la voiture, nous sommes restées silencieuses en nous demandant dans quoi nous nous étions embarquées, mais Jinny, enflammée, irradiait l'euphorie et l'énergie nerveuse. Une fois garée, elle a pris un gros sac vert dans le coffre du Tahoe et nous a dit:

— Venez. Il ne faut surtout pas les manquer!

Sur ses talons, nous avons rejoint la cinquantaine de personnes qui chantaient des hymnes chrétiens un peu désuets. *Debout! Soldats du Christ!* ou *Plus près de toi, mon Dieu*. Au secours. Pas étonnant que le rock chrétien soit devenu si populaire et que Jagger Jonze occupe les premiers rangs du palmarès. La foule se composait principalement de Blancs. Des femmes, mais aussi quelques hommes et même des enfants. Ils avaient tous des pancartes, mais ils ne les brandissaient pas encore. J'ai lu celles qui étaient appuyées contre le mur: «Tueuses de bébés», «Meurtrières», «Non, maman, non!».

— Euh, Jinny, ai-je commencé. Je suis cent pour cent mal à l'aise, là. Qu'est-ce qu'on fout ici?

Elle ne m'a pas entendue à cause des rugissements poussés par la foule à la vue du fourgon de police qui se rangeait le long du trottoir. Elle a tendu la main vers le sac vert.

— Je n'ai pas envie d'être ici, Jinny. Tu aurais pu nous demander notre avis, au moins.

Là, elle m'a entendue. Lentement, elle s'est tournée vers moi en veillant à ce que les autres filles ne perdent rien de la scène.

— Ne me dis pas que tu es favorable à l'avortement, Miller? a-t-elle dit.

— Ôte ta religion de mon corps, ai-je répliqué.

Jinny s'est tournée vers le fourgon à l'arrêt et s'est mise à hurler:

— Non, maman, non!

Autour de nous, les autres manifestants ont repris ses paroles en chœur. Y compris Zara. J'en ai eu le cœur brisé.

Je n'étais pas d'accord. *Non, maman, non?* Sans blague? Tu parles d'une chose à crier à une femme qui vient d'interrompre sa grossesse ou de se faire prendre dans la salle d'attente d'une clinique clandestine.

La première femme à descendre du fourgon portait de fausses BushBoots boueuses, d'horribles machins en cuir artificiel qui ont fait saigner mon cœur avant même que j'aperçoive son visage. Son manteau était ce que nous, ô filles sensibles, appelions un Nino Kmarti, terme méprisant qui s'applique à tous les vêtements des pauvres. Ses cheveux bleus étaient noués sur le dessus de son crâne. Elle avait le visage crotté. On aurait dit une sans-abri. Brisée. La suivante, plus vieille (elle avait à peu près l'âge de Shelley), était relativement bien habillée: costume Ann Taylor et chaussures de qualité. Que lui était-il arrivé? Était-elle déjà dépassée par ses cinquante enfants et son travail exigeant? La suivante n'était pas une femme. Elle avait notre âge. Une jeune fille. Vêtue d'un jean et d'un petit top, elle avait les cheveux frisés et des taches de son. Elle sanglotait. J'aurais pu être à sa place. J'aurais très bien pu être à sa place. C'était mon unique pensée.

La femme aux vêtements bon marché n'a pas levé les yeux sur nous. En fait, aucune d'elles n'a regardé les manifestants, même quand ceux-ci, derrière les barricades, se sont mis à crier:

— Tueuses de bébés! Meurtrières!

L'adolescente en larmes a trébuché dans la longue allée qui conduisait aux marches du palais de justice et un gardien de sécurité armé l'a saisie par le coude.

Jinny avait le visage cramoisi. Des veines saillaient sur ses tempes. Zara, qui criait avec elle, a pris une des pancartes qu'on lui tendait: «Non, maman, NON!»

— Mon Dieu, les filles. À quoi vous jouez? On n'est pas comme ça.

— Parle pour toi, a répliqué Jinny.

— On peut y aller, s'il vous plaît?

Dee et Fee restaient plantées là, sans unir leurs voix à celles des manifestants, mais sans prendre mon parti non plus. J'ai regretté l'absence de Brooky.

— VOUS ALLEZ LE PAYER! ON N'A PAS LE DROIT DE TUER SON BÉBÉ! a scandé Jinny lorsque les manifestants ont changé de refrain.

— Arrête, ai-je supplié. Arrête tout de suite.

Jinny a pris les clés du Tahoe dans sa poche et me les a lancées.

— Tu n'as qu'à aller nous attendre dans la voiture.

J'ai jeté un coup d'œil aux autres membres de la Ruche.

— Qu'est-ce qu'on fait ici? Ce n'est pas notre genre.

Inspirant à fond, Jinny, le regard fiévreux, a lancé:

— On est là parce que tuer des bébés innocents est un péché. C'est exactement notre genre, au contraire.

Zee a soutenu Jinny :

— Pas besoin de croire en la Bible pour savoir qu'il est mal de tuer des bébés.

— C'est un choix. Un choix personnel. On ne peut pas décider pour les autres. Tu comprends ça, Zee, non ?

C'est Jinny qui a répondu :

— Si tu me tapes sur les nerfs et que j'emprunte le revolver de ma mère pour te tirer une balle dans la tête, c'est un choix ?

— Ça n'a rien à voir.

— Un meurtre est un meurtre, Rory.

Elle s'est penchée pour ouvrir le sac de poubelle vert. J'ai failli vomir à la vue de son contenu. Une douzaine de fœtus en caoutchouc mousse maculés de faux sang. Ils étaient ressemblants comme au cinéma. Très. Très. Dérangeant.

Jinny en a saisi un par sa toute petite main et l'a jeté en direction des femmes qu'on entraînait vers le palais de justice. L'objet a atteint la jeune fille sur la tempe.

Puis Zee a plongé la main dans le sac et a lancé l'abomination fœtale de toutes ses forces, mais elle a raté la cible parce qu'elle vise mal.

J'ai attrapé le sac vert avant que Jinny puisse sortir un autre de ces trucs horribles et je me suis dirigée vers le Tahoe.

Fee m'a emboîté le pas. Au lieu de monter dans la voiture, nous nous sommes assises près du stationnement, à l'ombre d'un eucalyptus.

— Quelle merde, Fee, ai-je dit.

— Je sais.

— Elle aurait au moins pu nous dire qu'elle avait l'intention de nous emmener ici.

— C'est vrai.

— Tu as vu Zee? Qu'est-ce qui lui prend?

— Je sais. C'est dégueu. Seulement…

— Quoi?

— Ben… elles ont droit à leur opinion, non?

Fee? D'accord, la scène dont elle venait d'être témoin l'avait retournée, mais pourquoi n'était-elle pas indignée?

— Donc, tu trouves légitime d'insulter ces pauvres femmes et de leur lancer de la merde?

— Ce n'est pas ce que je dis… Tout ce que je veux, c'est que nous nous entendions bien.

Après la manifestation, Jinny, Zara et Delaney sont revenues vers nous, bras dessus, bras dessous. Elles bavardaient entre amies, comme si de rien n'était.

— Nous sommes à vingt minutes du stade, a déclaré Dee. Grouillons-nous.

Dans la voiture, Dee a demandé à Jinny d'où venaient les fœtus en caoutchouc mousse, incroyablement bien imités. Jinny a répondu que son père les importait de Chine, au prix du gros, parce qu'ils sont faits d'une substance interdite aux États-Unis.

Je n'ai pas pu me retenir.

— Pardon? En plus d'être merdiques, ces machins sont toxiques et vont finir dans un dépotoir, où ils vont polluer l'environnement? Franchement, les filles.

— Pour l'amour du ciel, s'est écriée Zee. Change de disque, Planet Girl, tu veux?

Pour l'amour du ciel? Elle a cessé d'invoquer à tout bout de champ le nom de Dieu, parce qu'elle a remarqué que ça faisait grimacer Jinny Hutsall.

Incapable de tenir ma langue, j'ai répliqué:

— Planet Girl, mon cul! Ce sont des enfants chinois qui fabriquent ces machins en mousse dans des ateliers de misère, non? C'est quoi, l'idée? Exploiter des enfants pour en sauver d'autres?

— Occupe-toi des Chinois et de leurs avantages sociaux et laisse-moi m'occuper des enfants américains assassinés par leur propre mère, a rétorqué Jinny.

— Des femmes vont continuer de se faire avorter. Tu le comprends, ça, non? Indépendamment des lois. Et des Croisés. Même s'il leur faut aller au Mexique, ou se faire cureter au sous-sol à l'aiguille à tricoter, comme au temps béni de nos grands-mères. Une chance que le Marché rose existe. Une chance qu'il y a un réseau clandestin de vrais médecins qui utilisent de vrais instruments chirurgicaux. Dieu merci.

J'ai prononcé les derniers mots avec beaucoup d'insistance.

— Donc, tu n'as pas l'intention de nous accompagner la prochaine fois, Rory? a dit Jinny. Une semaine après le bal, on organise une mégamanifestation à Palm Springs. Ma famille a une résidence dans le désert. On pourra s'y installer. Je sais que je vais avoir l'air d'une enfant gâtée, mais mon père a dit qu'on pourrait prendre un UberCopter. Pour éviter de poireauter pendant des heures dans les embouteillages.

J'ai fermé les yeux: j'avais la nausée à cause du mal des transports, de la manifestation, de l'attitude de Fee, selon qui cet épisode ne méritait pas qu'on en fasse tout un plat et, par-dessus tout, de l'excitation de mes amies à l'idée de séjourner chez Jinny dans le désert.

Pas question que j'en sois. Mais si Fee décidait d'y aller, j'en mourrais.

Brooky a remporté toutes ses compétitions, sauf le saut en longueur, où elle a terminé au deuxième rang. Nous avons célébré ses triomphes et pris des tas de photos. Je me suis efforcée de sourire: je ne voulais ni jouer les rabat-joie ni ternir le grand moment de Brooky. J'aurais donné cher pour qu'elle rentre avec nous, mais elle devait prendre l'autocar de l'équipe. Si Jinny se remettait à déblatérer contre l'avortement et les tueuses de bébés, Bee, au moins, lui aurait tenu tête de manière non conflictuelle, comme à son habitude.

Pendant le trajet, je me suis sentie malade pour de vrai. Sans le savoir, j'en étais au premier jour d'une grippe.

Habilement, Jinny s'est adressée à moi, sur la banquette arrière.

— Je te dois des excuses, Rory. Je ne savais pas que tu étais anti-Vie. Ça ne m'était jamais passé par l'esprit. J'aurais pourtant dû m'en douter.

C'étaient des excuses, ça? Merde.

— Que ferait Jésus? Hein, les filles? Hein, Zee? ai-je insisté.

Jinny a souri. Dans le rétroviseur, j'ai quand même vu toutes les microagressions sur son visage.

— Le Christ pleurerait, Rory. Dieu veut que nous sauvions les bébés.

Je brûlais d'envie de demander à Jinny si Dieu lui parlait dans le bruit blanc de son ventilateur ou s'Il chevauchait les pales rotatives. Ça ne Lui donnait pas le vertige? Je me suis contentée de déclarer:

— Ces femmes avaient l'air terrorisées. Et si elles ont été violées? Victimes d'inceste? De toute façon, ce n'est pas à nous de juger. C'est Jésus qui l'a dit, non?

— Oui, a confirmé Dee.

— Il en a dit, des choses, Jésus, a offert Jinny.

— Je ne me sens pas très bien, ai-je dit. La grippe, peut-être.

— Moi non plus, a dit Fee.

Je me suis demandé si c'était pour m'épauler ou parce qu'elle avait le mal des transports, elle aussi.

— On crève de chaleur, derrière, a ajouté Fee. Tu pourrais monter la climatisation?

— Le corps fiévreux ouvre la porte au malin, a récité Jinny.

— Tu es déjà païenne, Rory. Alors méfie-toi, a lancé Zee.

Elle plaisantait. Du moins je l'espère.

Sachant que j'avais mal au cœur, Jinny, naturellement, a dit:

— Allons manger un yogourt glacé avant de rentrer.

Le trajet a pris une éternité. J'ai regardé le monde défiler par la fenêtre du Tahoe en m'interrogeant sur les gens dans les autres voitures. Je passe beaucoup de temps à penser aux autres – mon côté voyeuse, encore une fois. J'aurais vraiment aimé savoir pourquoi le couple âgé se disputait dans l'Audi à côté de nous, pourquoi le chauve en BMW hurlait dans son téléphone et si l'enfant qui pleurait sur la banquette arrière de la Honda savait que ses parents étaient des trous du cul parce qu'ils ne l'avaient pas installé dans un siège pour bébé. Pas besoin de se demander lesquels sont des Croisés. Ils portent des t-shirts à messages bibliques et mettent des autocollants d'épées ou de poissons chrétiens sur leurs pare-chocs et leurs vitres. Il y en a partout, désormais, et plus encore aux abords de Calabasas.

Sur le patio du resto, tandis que les filles léchaient des miettes d'Oreo et des produits pétroliers glacés sur des cuillères en plastique, je suis restée là, fiévreuse, frissonnante et silencieuse. Jinny était intarissable.

— Ce que nous avons fait avant la compétition, Rory? C'était la volonté de Dieu. On doit se battre pour la justice. Tu comprends? Dieu attend seulement que tu reviennes vers Lui. Ce que tu dis et fais contre Sa volonté, Il te le pardonnera.

— OK.

Jinny a jeté sa cuillère et nous a proposé de prier pour que je voie la lumière le plus vite possible. Zara m'a regardée d'un air légèrement contrit avant de prendre dans la sienne la main de Jinny qui, à voix basse, a dit:

— Ô Dieu, nous Te prions d'aider notre sœur à sentir la puissance de Ton esprit et de lever le rideau sur les ténèbres de son âme.

Fee et Delaney se sont rempli la bouche de yogourt glacé pour éviter d'avoir à prier pour le salut de mon âme.

— Je n'ai pas besoin de prières, ai-je dit. Je veux juste rentrer.

Jinny a fait celle qui n'a rien entendu.

— Tu sais, Rory, la meilleure amie de ma mère était païenne, elle aussi. Quand elle était jeune. Elle n'a pas grandi avec Dieu, mais maintenant, c'est la Croisée la plus dévouée que je connaisse. Il y a encore de l'espoir pour toi. Je ne vais jamais cesser de prier pour toi.

— OK.

— Comment a-t-elle trouvé Dieu? a demandé Zee. Par l'entremise de ton père et de ta mère?

Jinny nous a alors raconté l'histoire de la meilleure amie de sa mystérieuse maman – qui, depuis l'arrivée de la famille à Hidden Oaks, occupe un non moins mystérieux poste à l'étranger. Après l'université, a expliqué Jinny, l'amie de sa mère a accepté le premier emploi qu'elle a pu trouver: réceptionniste dans une clinique d'avortement de Chicago, à l'époque où «il était encore permis de tuer des bébés».

Selon Jinny, à son retour du travail, un soir, la femme s'est rendu compte qu'elle avait oublié son téléphone. Elle est donc retournée à la clinique, où elle a eu la surprise de tomber, dans la salle d'opération, sur des inconnus à l'aspect louche, et non sur des membres du personnel. Alors elle colle son oreille à la porte et elle entend rire dans la salle, et elle jette un œil à l'intérieur, et, là, elle découvre des types qui fument du cannabis et trient les sacs de fœtus congelés, restes des avortements de la semaine. Ils les mettent dans trois bacs. Sur le premier, il est écrit «Médical»; sur le deuxième, «Cosmétique». Le troisième n'a pas d'étiquette.

Les autres filles buvaient les paroles de Jinny, mais j'ai refusé de la laisser poursuivre.

— C'est faux, Jinny. Rien de tout ça n'a jamais été prouvé.

— Des cliniques d'avortement ont vendu des bébés morts à ce fabricant de cosmétiques qui propose une crème raffermissante à mille dollars le pot. C'est bien connu.

— Ma mère dit que c'est une fabrication. De la propagande.

— La meilleure amie de ma mère l'a vu de ses propres yeux, a répliqué Jinny en grimaçant de colère.

— Qu'y avait-il dans le troisième bac? a demandé Zee.

— L'amie de ma mère s'est posé la même question. Elle est montée dans sa voiture et a attendu que les types sortent et mettent les bacs dans leur camionnette. Puis elle les a suivis.

— Elle n'a pas appelé la police? ai-je demandé.

— Non. Elle a suivi la camionnette jusqu'en banlieue. Là, un des types sort avec le bac marqué «Cosmétique» et sonne à une porte. Un vieux croûton ouvre en souriant et, en échange du bac, lui donne une mallette, visiblement pleine de billets, comme s'il s'était fait livrer une pizza. Vous savez quoi? Le bonhomme était un chimiste à la retraite qui travaillait pour le fabricant de cosmétiques en question. L'amie de ma mère l'a dénoncé le soir même. Il est en prison. À perpétuité.

J'ai saisi mon téléphone. Prête à googler.

— Son nom?

— Je ne m'en souviens pas.

— Tu racontes n'importe quoi.

Elle m'a ignorée.

— L'amie de ma mère a continué de suivre la camionnette. Les types ont livré le bac suivant – marqué «Médical» – dans le stationnement d'une boutique d'articles de vapotage. Un type sort d'une voiture noire et, en échange, leur tend un sac de marin, lui aussi rempli de billets.

— Comment peux-tu être aussi naïve, Jinny? Ce sont de simples racontars. Rien n'a jamais été prouvé.

— Mais ça ne veut pas dire que c'est faux, a lancé Dee.

— Et le bac sans étiquette? a insisté Zee.

— L'amie de ma mère ne les a pas lâchés. Ils ont roulé et roulé, tellement qu'elle s'est demandé s'ils n'allaient pas aboutir à Cleveland, quelque chose du genre. Au bout d'une heure, elle commençait à être fatiguée quand la camionnette s'est arrêtée devant un restaurant chinois.

J'ai laissé entendre un grognement.

Nous les avions entendues, ces rumeurs. Des années durant. Tout le monde les avait entendues. Des légendes urbaines. Si le gouvernement a cessé de financer la planification familiale, c'est, selon certains, à cause de ces ragots dégoûtants. Nous, les filles, avions déjà décidé que nous n'en croyions pas un mot.

— Stop, ai-je dit. Ça suffit, Jinny, s'il te plaît.

Pour un peu, j'aurais vomi sur la table.

— Tu traites l'amie de ma mère de menteuse?

— Je te demande juste d'arrêter.

— De la soupe de fécondité, a dit Jinny en me regardant fixement.

— Non.

Le menton de Dee s'est mis à trembler.

— Elles sont très dangereuses, ces histoires, Jinny. Elles rappellent l'époque où on racontait que les juifs avaient des cornes et ce genre de choses. C'est trop.

Fee, qui s'était concentrée sur son yogourt glacé pendant tout l'échange, a levé les yeux et a dit:

— Ça va, on peut en rester là et parler plutôt des chaussures pour le bal? M. Tom a dit qu'il allait m'acheter des Miu Miu.

Dee a battu des mains.

— Je te l'avais bien dit!

Zee a incliné la tête.

— On racontait que les juifs avaient des cornes?

— Oui. Et des queues. On disait aussi qu'ils sentaient le soufre.

Fee a mis le nez dans mon cou.

— Seulement si le soufre sent la même chose que Dior.

Elle s'est rendu compte que je brûlais de fièvre.

— Il faut qu'on te ramène chez toi.

Ce soir-là, j'étais trop malade pour espionner Jinny par la fenêtre de ma chambre, mais je l'imaginais en grande conversation avec Jésus le ventilateur: en fille obéissante, elle Lui détaillait ses bonnes actions de la journée.

J'ai envie de rappeler à Fee les événements de cette journée-là, comment Jinny avait soufflé sur les braises avec ses histoires de soupe de fécondité. Je voudrais lui faire comprendre que Jinny voit ses agressions comme autant de services rendus à Dieu, d'où le terrible danger qu'elle représente. Si elle savait à quel point Jinny est tordue, je pense que Fee partagerait mes sentiments au lieu de nous tourner le dos, à moi et à la vérité.

Seulement, elle était occupée à regarder par la fenêtre, appuyée au mur pour éviter de tomber. Après un long silence, elle a dit:

— Les vents se lèvent de nouveau.

La camionnette de l'ivrogne est toujours dans l'entrée. Je me demande comment il va réagir à la disparition de son Gatorade.

Fee m'a demandé d'aller de nouveau en ligne. Elle préfère que j'écrive ou que je surfe sur Internet – sa façon de me faire taire. Ça la soulage. C'est trop. Je comprends.

Nouvelles de dernière heure et alertes tendance! Grâce au portable rose de Nina, nous savons maintenant qu'on a retrouvé mon ADN dans ma Prius. J'ai failli tomber sur le cul. Mon ADN dans ma propre voiture! Certains médias traitent cette révélation comme une preuve de ma culpabilité. Tordant. Tordu, plutôt. Ils ont montré ma Prius blanche 2015 et son autocollant de tortue – ils montrent et remontrent cette malheureuse tortue comme si ça voulait dire quelque chose, sauf que c'est l'ancien propriétaire qui a posé l'autocollant, alors vraiment – et des centaines de points rouges indiquant les endroits où ont été relevées mes empreintes digitales. On a aussi trouvé quelques échantillons de l'ADN de Fee. Sans blague? C'est ma voiture, elle est mon amie, alors évidemment... On n'a pas encore les résultats des analyses du sang trouvé sur la banquette arrière. Le sang. Mon Dieu. J'arrive à peine à y penser.

Qu'est-ce que???????!!!!!!!!!!! On vient de frapper à la porte de la maudite remise!!!!!!!!!!!!!!

Un cognement. Timide. Excusez-moi de vous déranger, genre.

Malgré les ordres de Javier, j'entrouvre la porte. Juste un peu. Personne. Alors je me dis que j'ai des hallucinations auditives. Que je perds la boule, en quelque sorte, à cause de tous ces traumatismes. Mais non. En baissant les yeux, j'aperçois un vieux sac d'épicerie en plastique, comme on n'en voit presque plus à Calabasas.

Je reste cachée derrière la porte parce que j'entends des hélicoptères au loin. Je scrute les environs, mais d'abord je ne vois rien, puis, du coin de l'œil, j'aperçois quelque chose derrière un buisson. Pas le pitbull. Non. Un enfant. Une petite fille. Vêtue d'une robe bleu-blanc-rouge. Une maigrichonne au crâne rasé déguisée en Patriot Girl. À sept ans, j'avais exactement la même! J'ai cru à un fantôme – Nina, peut-être? C'est une Latina, mais elle ne ressemble pas du tout aux photos de la fille de Javier. Et d'ailleurs… Des fantômes? Hum. Non.

Nous nous regardons, la petite fille chauve et moi, et elle lève le menton vers le ciel pour me prévenir: un drone en vol stationnaire au-dessus de la remise. Je ne recommence à bouger qu'une fois l'appareil parti. Je me tourne de nouveau vers la petite, qui esquisse une sorte de sourire, hoche la tête et disparaît dans les broussailles.

La camionnette de l'ivrogne est toujours dans l'entrée. Je me demande si la petite le connaît. Je voudrais lui dire d'éviter de jouer près de sa caravane. Avec mon pied, je tire à l'intérieur le sac qu'elle nous a laissé et je referme.

— Merde, dit Fee.

Nous ouvrons le sac et… Je ne trouve pas les mots pour décrire notre émotion quand nous avons découvert trois canettes de soda bien froides et deux sandwichs au beurre d'arachides aplatis. Cette petite fille ? Comment ça ?

Boire ce coca a été une expérience orgasmique. Quand Fee a tendu la main vers la troisième canette, j'ai dit :

— Mieux vaut la garder pour plus tard, Fee. On ne sait pas quand on trouvera de nouveau à boire.

Par contre, nous avons dévoré les sandwichs. Après, Fee a déclaré être redevenue elle-même, ou presque. Pareil pour moi.

Puis, comme si quelqu'un avait appuyé sur un bouton invisible, j'ai été secouée par un *pleurgasme*. Lequel a duré cinq bonnes minutes. C'était la première fois que je sanglotais – que je braillais pour de vrai – depuis très longtemps. En partie parce que cette petite avait couru de gros risques pour nous, mais aussi parce que ce stupide sandwich au beurre d'arachides m'avait ramenée en pensée aux dimanches matin de mon enfance. Pendant que le reste du cul-de-sac était à l'église et que Shelley partait en promenade vers nulle part, je me pelotonnais sur le canapé avec Sherman, et nous mangions les toasts au beurre d'arachides qu'il nous avait préparées tout en regardant *Rick and Morty* – en secret puisque Shelley trouvait l'émission inappropriée. Je me sentais aimée, en sécurité, si proche de mon père.

Mon dernier dimanche matin avec lui ? Shelley a quitté la maison pour permettre à mon père de faire ses valises tranquillement. Elle a voulu m'emmener marcher avec elle au bord de la mer ou encore faire un tour au Grove, mais je lui ai dit que je préférais passer un moment avec les filles, qui venaient de rentrer de l'église. Ce n'était pas la vraie raison.

Il avait laissé grande ouverte la porte à deux battants de leur chambre et, cachée derrière celle de la mienne, au bout du couloir, je l'ai vu prendre ses effets personnels sur la table de chevet: sa montre, son téléphone, deux ou trois flacons de pilules, de la petite monnaie et quelques billets de banque fripés, des gouttes pour les yeux et du baume pour les lèvres. Il a presque tout fourré dans ses poches.

Sauf la photo de famille qu'il gardait de son côté du lit – un cliché stupide, pris par le père de Zara lors d'une fête de Super Bowl, sur lequel mes parents, hilares, feignent de m'écraser entre eux. Sherm disait que c'était le plus génial portrait de famille de tous les temps. Il l'a laissé sur la table.

Sans bruit, je me suis avancée dans le couloir, tandis que mon père vidait ses tiroirs et en jetait le contenu dans les trois valises ouvertes sur le lit. On aurait dit qu'il nous fuyait. Qu'il ne se contentait pas de partir. Il se dirigeait vers la penderie adjacente à la salle de bains lorsque j'ai atteint la porte. Immobile, j'ai écouté les cintres tinter.

Une minute plus tard, ployant sous le poids d'une brassée de costumes et de chemises, il était de retour dans la chambre. Il a sursauté en me voyant. Il n'avait laissé dans la penderie que ses chemises hawaïennes à motif floral. Je suppose que Boules en sucre n'appréciait pas spécialement Tommy Bahama.

— Tu ne devais pas aller chez Brook, toi? a-t-il dit.

J'ai secoué la tête. Comme je ne voulais pas pleurer devant lui, je n'ai rien dit du tout. C'était au-dessus de mes forces.

Il a plié ses costumes en deux et les a casés dans la plus grande valise.

— Ça ne change rien entre nous, Ror, a-t-il dit après un long silence.

J'ai toisé les détritus de la vie de mon père, étalés dans les valises posées sur le lit de mes parents. À d'autres, mon vieux.

— J'ai besoin d'une petite pause, Rory. Ta mère a été… J'ai juste besoin d'une pause. D'un peu d'espace.

J'ai incliné la tête. Je me souviens de m'être dit que, vue de travers, la situation aurait peut-être plus de sens.

— Il n'y a pas de méchants dans cette affaire, Rory. Tous les mariages traversent des passes difficiles.

J'ai remarqué qu'il avait retiré son alliance. Au lieu du large symbole doré de l'amour éternel, je voyais une large bande blanche sur son doigt nu. Ayant suivi mon regard, il a glissé la main dans sa poche. Pourquoi, au juste?

— Tu ne devrais pas être là, Rory. Pas pour ça.

Je l'ai dévisagé d'un air dur.

— Tu rends les choses plus difficiles pour toi-même, et pour moi aussi.

Je l'ai dévisagé d'un air plus dur.

— Tu me fais un câlin avant de courir chez Brooky?

Je n'ai pas répondu.

— S'il te plaît, Rory. Dieu m'est témoin, j'en ai déjà plein les bras avec ta mère.

Je n'ai rien dit.

— Je ne sais pas ce qu'elle t'a raconté, mais tu ne devrais pas être mêlée à tout ça.

Je le rendais fou. Je me sentais bien. Toute-puissante.

— Ror, c'est…

Son téléphone a sonné dans sa poche. Il ne l'a pas sorti. Il savait qui l'appelait. Moi aussi.

— Il faut que tu sortes, Rory.

Je n'ai pas bronché. Son téléphone a sonné encore. Et encore. Et encore.

Il a fini par répondre. Il a dit à voix basse qu'il rappellerait. Puis il s'est de nouveau tourné vers moi et, d'un ton accusateur, il a dit :

— C'est déjà assez dur comme ça.

Je n'ai pas réagi.

— S'il te plaît.

J'ai continué de le regarder fixement.

— Rory.

Nada.

Il commençait à vraiment s'énerver.

— Tu veux que je demande à ta mère de venir te chercher? C'est inacceptable, Rory. Je ne sais pas à quel petit jeu tu joues, mais…

J'ai eu envie de crier que c'était *lui* qui jouait à quelque chose, mais j'ai tenu ma langue. Mon silence le désemparait.

Il a secoué la tête, comme s'il n'y avait rien d'autre à faire, puis il est allé dans la salle de bains prendre ses articles de toilette. Je l'ai écouté ouvrir des tiroirs et entrechoquer des bouteilles, cherchant à déceler de la perturbation chez lui, mais vainement. Il n'a pas versé une seule larme sur nous. Du moins à ma connaissance.

La photo de famille sur la table de chevet m'interpellait. Je l'ai saisie. Qui étaient ces gens? Cette blonde et ce type d'âge moyen qui se regardaient amoureusement? L'ado au visage couvert de taches de son coincée entre eux avec un grand sourire idiot? Ils étaient un mensonge, ces gens. Pendant que mon père s'affairait dans la salle de bains, j'ai glissé la photo dans la plus petite valise, entre ses chaussettes et ses sous-vêtements.

Sherman a semblé étonné de me trouver encore là. Je suis implacable. Vous n'étiez pas au courant?

— Je t'aime, Rory.

— Je sais, ai-je dit.

— Je sais que tu sais, mais je sens quand même le besoin de te le dire.

Soulagé de constater que je lui adressais de nouveau la parole, il m'a souri.

— Je sais, ai-je dit sans lui rendre son sourire.

— Je sais que tu sais.

Il souriait toujours.

— Sherman, ai-je dit en m'assurant qu'il me comprenait bien. Je *sais*.

Il a cessé de sourire.

— Qu'est-ce que tu sais, au juste?

— Boules en sucre, ai-je sifflé.

Je l'ai laissé planté là.

Aveuglée par les larmes, j'ai couru dans ma chambre. J'ai claqué la porte avant de m'effondrer sur mon lit en criant dans ma tête: Aide-nous, mon Dieu. Je t'en supplie.

Bon.

Il n'y a pas de Dieu. Les prières restent sans réponse.

Quant à la petite fille chauve qui nous a apporté des boissons et des sandwichs? Une intervention divine, selon Fee. Selon moi, simplement humaine.

Je m'arrête. Fee m'a demandé si c'était le moment de jeter un œil à *L'heure de la toute-puissance,* l'émission de Jagger Jonze. C'est l'heure, en effet.

Fee et moi avons donc regardé l'émission. Sous prétexte de prier pour le salut de nos âmes, Jonze a déballé pas mal d'horreurs sur notre compte. Fee a haussé les épaules comme si ses propos n'étaient pas blessants. Ils l'étaient. Ils le sont. Être faussement accusées et craindre pour sa vie, ça fait super mal. Puis, en guise d'apothéose, Jonze a annoncé qu'il portait à DEUX millions de dollars la prime offerte pour notre capture. Mortes ou vivantes? Il est resté volontairement évasif sur la question.

Les spectateurs – tous, sans exception, dans la mouvance des Croisés – ont acclamé bruyamment les accusations lancées contre Fee et moi. Et qui a applaudi le plus fort? En plein centre du premier rang, vêtues de robes de soleil blanches, même si on est en novembre, bon sang, et que c'est drôlement bourge, nos amies Zara, Delaney et Brooklyn, sans oublier Jinny. Elles se tenaient par la main et Jagger les a invitées à monter sur l'estrade pour entonner *Gloire à Dieu pour les jeunes Américaines*.

Si les mots étaient des flèches, j'aurais maintenant connu mille morts. En ligne, les Croisés les plus ultras ne réclament rien de moins que notre crucifixion. J'en ai plein le cul des religieux violents. Vraiment plein le cul.

Apparemment, des agents fédéraux tiendront bientôt une conférence de presse à propos du contenu du sac à main. Je trouve hilarante l'idée d'une conférence de presse à ce sujet, mais Fee est paniquée.

— Et s'ils mentent, Ror? S'ils disent y avoir trouvé des choses qui n'y étaient pas?

— Tu commences à comprendre, Fee. Bravo.

— Je sais que le mensonge existe, Ror. Je ne suis pas stupide.

— On nous accuse déjà d'avoir commis le pire des crimes. Et tu penses que ton sac va aggraver notre cas? Qu'est-ce qu'il y a, là-dedans?

— Rien. C'est juste que… C'est mon sac, tu comprends?

C'est quoi, le problème, avec ce sac? Je me souviens du moment passé avec Fee dans les toilettes, hier soir. Avant la bombe. Je me suis aperçue que mes règles avaient débuté en m'asseyant pour faire pipi. Fee était encore dans les chiottes, en proie aux premiers effets des chocolats empoisonnés (j'ai de moins en moins de doutes à ce sujet). Je me suis relevée et j'ai constaté avec dépit que la distributrice de serviettes sanitaires était vide, comme d'habitude. J'ai demandé à Fee si je pouvais lui en prendre un: nos cycles coïncident et, en général, elle a le nécessaire. Son sac Gucci était sur le comptoir.

— Tu as un tampon dans ton sac, Fee?

— NON! a-t-elle crié.

— OK.

— N'ouvre pas mon sac, Ror!

— Pourquoi? Je passe ma vie à fouiller dans ton sac.

Puis Fee a dit qu'il n'y avait plus de papier hygiénique et qu'il fallait que je lui en trouve. J'ai été distraite.

Mais qu'y avait-il donc dans ce sac? Quel objet ne devais-je pas voir?

Assise par terre, ici, dans la remise, à côté de Fee, je sens le sang dégouliner sur mon cul et maculer ma robe trempée.

— Que se passe-t-il, Fee? Qu'y a-t-il dans ton sac? Tu as recommencé à prendre de l'Adderall? Si oui, arrête tout de suite. Moi, je tuerais pour avoir des courbes comme les tiennes. En plus, tu es d'humeur massacrante quand tu en prends.

— Pas de médicaments.

— Quoi alors? Raconte-moi.

Je me fais du souci. Fee a l'habitude des pilules. Elle a pris de l'Adderall et, pendant un certain temps, elle a souffert d'une dépendance malsaine aux Tylenol 3. En plus, elle m'a confié que son cousin Dante lui avait refilé des comprimés de Xanax pendant son séjour à Cerritos.

— Rien.

— Mon cul.

— C'est juste que… Il y a une photo de mon cousin Dante dans mon portefeuille.

— Et alors?

— C'est un illégal, Ror.

— OK, mais les *procits* qui gravitent autour de ton *abuela* ont déjà fait l'objet d'une rafle. Lui n'était pas du nombre, donc…

— Je ne veux pas qu'il ait des ennuis à cause de moi.

— Tu es sûre qu'il n'y a pas autre chose?

Je suis certaine qu'elle ne me dit pas tout.

— Rory, s'il te plaît…

Je reviens à InfoNow, mais les agents n'ont encore rien annoncé. Je suppose que je vais apprendre en même temps que le reste du monde ce que contenait le maudit sac de ma meilleure amie.

— Et cette petite fille? a dit Fee. Elle sortait d'où, à ton avis? Comment elle a su qu'on était ici?

— Aucune idée.

— Tu crois qu'elle va revenir?

— Elle doit habiter une des caravanes qu'on voit de l'autre côté du bosquet de chênes.

— Elle va peut-être nous apporter autre chose à manger. Je rêve d'un Fatburger. Quand je pense à tout ce que j'ai refusé de manger… et à tout ce que je me suis forcée à vomir.

Vous vous souvenez de la table de buffet surchargée du barbecue des Leon, à la fête du Travail? De tout ce gaspillage? Nous parler de gaspillage, c'est gaspiller sa salive. Nous abondons plutôt dans le sens de l'abondance.

Puis Fee a dit:

— Je me demande si Miles est… Il ne pense pas que nous avons pu faire une chose pareille, au moins?

Le frère de Brooky?

— On se fout complètement de Miles.

J'ai le sentiment que Fee cherche une fois de plus à faire diversion.

Toujours rien sur le sac de Fee, mais devinez qui est apparu sur une chaîne d'information en continu? Chase Mason. Le présentateur chauve de CNN vient de l'interviewer sur les marches de la bibliothèque de Calabasas, où une foule nombreuse s'est réunie pour réclamer notre capture.

En le voyant, j'ai failli pleurer de soulagement. Le type qui me faisait tant d'effet allait forcément dire quelque chose comme: «Je crois Rory Miller innocente.» Non? Devant son beau visage – ses grands yeux bruns –, j'entends les mots qui sortent de sa bouche et je pleure effectivement, mais pas de soulagement.

Le journaliste lui demande:

— Vous pouvez nous éclairer, monsieur Mason? Qui est Rory Miller?

Chase fixe l'objectif, comme s'il me regardait droit dans les yeux:

— En tout cas, elle n'est pas celle qu'elle prétendait être. Elle portait un déguisement, je suppose.

Il utilise mes mots contre moi, alors que je ne faisais que flirter.

Le journaliste insiste:

— Avez-vous observé des comportements louches lorsqu'elle travaillait ici comme bénévole? Auriez-vous dû vous douter de quelque chose?

— Vous voulez savoir si elle rencontrait des gens ici, à la bibliothèque? répond Chase. Si des gens venaient la voir? Oui. Souvent. Elle avait l'habitude d'emmener des filles dans la salle des médias. Je ne sais pas ce qu'elles mijotaient là-dedans.

Mais qu'est-ce qu'il raconte? Les membres de la Ruche passaient me voir de temps en temps. Et personne d'autre. Littéralement personne d'autre. Mes quatre amies. Et Jinny à quelques reprises, cet automne. Et je n'ai jamais emmené personne dans la salle des médias! C'est lui qui le faisait!

— Les filles qui venaient voir Rory Miller… Certaines étaient-elles visiblement enceintes?

— Aucune idée. Je ne saurais pas vous dire.

— À votre avis, se pourrait-il qu'elle ait utilisé la bibliothèque comme base pour ses activités au sein du Marché rouge?

— Je ne suis au courant de rien. Tout ce que je sais, c'est qu'elle cherchait les ennuis. C'est elle-même qui me l'a dit.

Enculé. Il me trahit sans vergogne. Un Croisé secret? C'est lui qui porte un déguisement, apparemment.

On voit défiler des images de la bibliothèque. Déserte. Elle est en général déserte. Hormis quelques vieux chnoques du village de retraités voisin, presque personne ne la fréquente. Le journaliste enchaîne en laissant entendre que l'immeuble paisible et silencieux, par nature modeste, constituerait l'endroit idéal où rencontrer des adolescentes désireuses de se faire avorter illégalement, de vendre des tissus fœtaux au Marché rouge ou de monnayer leur bébé non désiré.

La caméra revient sur Chase et la foule qui a envahi les marches.

— Rory est futée. Je la crois capable de tout.

— Vous pensez vraiment que deux adolescentes vont réussir à déjouer les agents fédéraux, les Croisés, les chasseurs de primes et tous ceux qui les recherchent?

— Pour tout vous dire, ouais, affirme Chase.

Et tu, Chase Mason?

Pendant l'interview de Chase, j'aperçois dans la foule, derrière lui, une casquette Roots verte dissimulant des cheveux foncés et frisés en bataille. Sous la casquette, le visage en forme de cœur masqué par des lunettes de soleil trop grandes, c'est… *Merde! C'est tante Lilly!* Tante Lilly est debout derrière Chase Mason sur les marches de la bibliothèque de Calabasas. On dirait qu'elle s'est déguisée.

Jamais tante Lilly ne porte de casquette *because* cheveux aplatis. En plus, elle a enfilé un t-shirt rose à col en V comme en ont les Croisés, avec une référence biblique – Corinthiens 14:34. Or, elle hait le rose à mort. Passe encore un ruban rose pour la recherche sur le cancer du sein ou un macaron rose dans une marche pour les droits des femmes. Mais un t-shirt rose à verset biblique? Cherche-t-elle à se fondre dans la foule? En la voyant vêtue de cette manière, je ne peux m'empêcher de… Mais ces chiffres? Est-ce qu'ils signifient quelque chose? Un numéro de téléphone? Et l'autre moitié est dans son dos? Tourne-toi! Tante Lilly? Au secours?

Le journaliste demande à Chase s'il a quelque chose à ajouter. Et voilà-t-il pas que monsieur le Chanteur sort sa carte de visite à l'ancienne, sur laquelle figurent le nom du groupe et l'adresse du site Web, la brandit à l'écran et lance:

— Vous cherchez un groupe pour une occasion spéciale? Pensez à nous.

Merde. C'est donc ça qu'il voulait? De la pub pour son stupide groupe de merde? Peine de mort pour ma peine d'amour.

J'ai dit à Fee que tante Lilly était arrivée, mais elle n'a pas réagi: ma tante ne peut rien pour nous, après tout. Et quand j'évoque la trahison de Chase Mason, Fee ne se fâche pas. Pas la moindre compassion, pas meilleure amie pour deux sous. Bref, Fee n'est plus Fee.

— Qu'est-ce que ça peut faire, Ror? Ce n'est pas comme si vous étiez ensemble. De toute façon, Lark's Head, c'est un groupe de merde.

— Tellement.

Et là, je me rends compte que la carte brandie par Chase devant l'objectif était bizarre.

Je retourne en ligne et, oui, en effet, je lis sur la carte *Larkspur* au lieu de *Lark's Head*. Chase a remplacé un nom merdique par un autre encore plus merdique. Bon. Me voilà bien avancée.

Les trahisons n'auront-elles jamais de cesse? Jamais je n'oublierai ce que Chase Mason m'a fait.

Tiens, ça me rappelle Montréal. Quand j'avais sept ans, mes parents m'ont trimballée un week-end dans cette ville où ils allaient pour un congrès. En route vers l'hôtel, nous sommes restés coincés dans un bouchon de circulation et j'ai remarqué sur les plaques d'immatriculation les mots *Je me souviens*. Shelley me les a traduits. Aux États-Unis, on dirait *Lest we forget*. Elle a ajouté qu'ils avaient pour but de nous rappeler les horreurs du passé, faute de quoi elles risquaient de se reproduire. Effet de ma judéité ou de mon humanité, je ne sais pas, mais ça m'est resté.

Je me souviens, Chase Mason.

J'entends d'autres bruits dehors. Je ne vois rien ni personne, mais j'ai peur que le vieux type d'à côté vienne récupérer sa bâche envolée.

Selon les informations, la surveillance aérienne et les chasseurs de primes se concentrent sur un camp de sans-abri du côté de Griffith Park où, d'après des centaines de signalements, nous serions planquées. On a montré tous ces types du Bureau of Alcohol, Tobacco, Firearms and Explosives – nous sommes armées, vous savez – et de l'Immigration and Customs Enforcement, évidemment, ceux qui harcèlent les sans-abri. Je suis désolée pour tous ces gens qu'on malmène à cause de nous.

Aucune trace de la petite fille chauve. J'espère qu'elle ne reviendra pas : elle risque de conduire les chasseurs de primes jusqu'à nous. Et si le pilote d'un hélicoptère se demandait ce que fait une petite fille chauve à côté d'une remise abandonnée au milieu des collines ? Quand même, j'aimerais bien la remercier. Rien ne m'en empêche, en fait. Eh bien, voici. Ici, maintenant. Merci à toi, petit ange chauve en robe des Patriot Girls.

Je m'avise à l'instant qu'il est possible que la petite ait le cancer. Elle était si maigre. Merde.

Aussi dans l'actualité – les Kardashian. Mama Kris a publié une photo d'elle, de ses cinq filles et de toutes ses petites-filles vêtues de longues robes blanches semblables à des robes de mariée. Ça fait drôlement couverture de *Vogue,* tout ça. « Innocentes jusqu'à preuve du contraire » : telle était la légende. J'ai une grosse boule dans la gorge. Sans blague. Merci. Du fond de mon cœur en miettes. Entre l'incroyable famille Kardashian et moi, c'est à la vie, à la mort. Pareil pour Fee. Ça n'a pas dû être facile pour ces filles qui croient en Dieu. Ce cri du cœur, c'est énorme. Ça nous donne de l'espoir.

Et, en ce moment, on n'a pas tant de raisons d'espérer. Surtout depuis que j'ai lu que ma mère va être conduite dans un autre établissement : là où elle est détenue, la foule obstrue les voies de circulation et complique le passage des véhicules d'urgence appelés sur les lieux d'un feu de broussailles qui s'est déclaré ce matin du côté de Bel Air et se propage rapidement.

Ils ont montré la foule réunie devant le palais de justice et je veux bien être changée en statue de merde si Chase Mason n'est pas de retour. Bien en vue au milieu de la cohue, il arbore un t-shirt rouge sur lequel est écrit «Larkspur». Il a dû prendre un hélicoptère pour faire le trajet en si peu de temps.

Il n'agite pas un drapeau américain en scandant «Brûle, Shelley, brûle!» comme certains autres manifestants, mais il est parmi eux. Et tante Lilly est là, elle aussi. Elle porte toujours sa casquette Roots et ce t-shirt rose dégueu. Ces chiffres: 14:34. J'ai cherché dans Google le verset des Corinthiens: «que les femmes se taisent dans les assemblées», ai-je lu. Pour les devinettes, je suis nulle à chier. C'est quoi, ça, tante Lilly? Je me rends bien compte qu'elle m'envoie un message. Mais lequel? Va dans une église et ferme ta gueule? J'ai des doutes. Ces chiffres ne veulent rien dire pour moi. Je les ai additionnés et retournés dans tous les sens. *Nada*.

Tante Lilly sait que j'ai un faible pour Chase Mason. Est-elle allée à la bibliothèque lui demander s'il avait une idée de l'endroit où nous étions? A-t-elle pensé que nous nous cachions là? Dans la foule réunie devant le palais de justice, je l'ai vue se rapprocher de Chase. Pourquoi? Va-t-elle lui balancer un coup de pied dans les couilles pour les horreurs qu'il a dites sur moi dans les médias?

Après l'interview de Chase, j'ai regardé une table ronde sur CNN – écran divisé et invités multiples. Jagger Jonze en direct de la grande entrée des Hutsall, le lustre en cristal projetant un halo de lumière sur sa tête et celle des trois autres invitées. Une féministe bien connue, venue parler des lois sur l'avortement, a détourné l'attention de l'incident du bal en soutenant que c'était un coup publicitaire orchestré par la droite radicale. Fee et moi, deux petites vierges chrétiennes, étions sans doute impliquées. La conseillère évangélique du président, ex-reine de beauté aux yeux bleus, a supplié les chasseurs de primes de ne pas nous abattre. Non pas parce qu'il serait mal de tuer deux innocentes, ni même *because* miséricorde chrétienne. «N'en faites pas des martyres!» a-t-elle lancé. Beurk.

La dernière invitée était une psychologue pour enfants très médiatisée qui avait publié la veille un tweet intitulé «Encore un cas de Gucciosite?», néologisme de son invention et titre de son nouveau livre. Selon elle, notre vénération putassière des grandes marques, notre adoration de la culture de la célébrité et l'incessant bombardement d'images d'articles griffés auquel nous sommes soumis ont créé au sein de notre génération un état de convoitise permanent qui a tôt fait de se changer en dépendance. Et, comme tous les toxicomanes, nous ne reculons devant rien pour satisfaire nos besoins.

Jonze hoche la tête à répétition, comme accablé par la honte de tout ça, il tire sur son t-shirt griffé dans la lueur du lustre à cent mille dollars des Hutsall. Puis il invite le monde entier à prier pour nous. Ma participation au bal, ajoute-t-il, n'était visiblement qu'une manière de dissimuler la vérité sur mes activités. Il laisse même entendre que c'est moi qui ai mis de telles idées dans la tête de Fee! Les athées sont privés de boussole morale, a-t-il affirmé. Sans Dieu, sans règles de vie et sans code moral, on ne peut pas faire le bien. Il s'ensuit qu'on fait le mal.

Raisonnement d'une impressionnante stupidité. Ne pas croire en Dieu, ce serait forcément manquer d'éthique? Et les tribus isolées, par exemple celle qu'on a récemment découverte en Amazonie après avoir rasé «par accident» une des dernières zones protégées de la forêt pluviale? Ces gens vivaient en paix, même si leur langue n'avait pas de mot pour «Dieu», ni pour «guerre», ni pour «haine». Quand ils ont fini par déchiffrer la langue de ces gens, les anthropologues américains les ont interrogés sur leur survivance. En substance, ils ont répondu ceci: «Tous les hommes sont nos frères.

Toutes les femmes sont nos sœurs. Tous les enfants sont nos enfants. Nous traitons les autres comme nous aimerions être traités.»

Le révérend Jonze affirme que le Dieu des chrétiens est le seul vrai Dieu. Pourtant, mon vieux, ce sont les membres de cette tribu qui ont raison: traiter les autres et blablabla, c'est rempli de bon sens. Pas besoin de théologie. Traite l'autre comme tu voudrais qu'il te traite, le monde fonctionnera à merveille et notre espèce survivra. Ce n'est pourtant pas compliqué, merde. La Règle d'or est inscrite dans notre disque dur d'êtres humains! La religion est le virus qui corrompt les systèmes.

Et merde. Fee vient de se lever pour jeter un coup d'œil par la fenêtre. La petite fille à la robe des Patriot Girls est de retour.

— Où est-elle?

— Près de la caravane. Es-tu en train de noter ce que je dis? Arrête, s'il te plaît.

Je ne peux pas m'en empêcher. Mes doigts sont animés d'une vie propre.

— Oui, Fee. Je te l'ai déjà dit: je raconte tout. Il faut bien que quelqu'un documente ce merdier.

— OK. Alors mets ça dans ton blogue. La petite danse au milieu de l'entrée en gravier. Elle danse et chante.

— Compris.

— Elle est peut-être simplette.

— Possible.

— Il y a pas mal d'activité dans les airs.

— Je sais.

— Un Mini-Héli survole les falaises qui dominent la plage. Le pilote va la voir.

— Personne ne risque de la prendre pour une de nous deux.

— Vrai. Elle est minuscule.

— Tu penses qu'elle est malade?

— Elle est chauve. Et décharnée. Elle a de gros bleus sur les jambes. Mais c'est une enfant. Je ne sais pas.

— Qu'est-ce qu'elle fait, maintenant?

— Elle danse toujours… Mon Dieu, Ror, elle imite les mouvements du début de cette émission pour enfants! La chorégraphie! Tu te rappelles quand on reprenait la chorégraphie de *Dancing Dina*? On l'a présentée aux parents dans la cour des Leon, après avoir répété. Tu te souviens? Ça me donne envie de pleurer.

— Pourquoi le chien ne jappe-t-il pas avec cette petite qui brasse le gravier de l'entrée?

— Il est peut-être en train de lécher ses plaies quelque part. Sinon, l'ivrogne l'a tué hier soir.

— Elle a un autre sac en plastique?

— Pas que je voie.

— Et personne ne l'observe de l'intérieur de la caravane?

— Non.

— La télé est encore allumée?

— Ror? Ror? RORY?

— Chut.

— Arrête de taper.

— Impossible.

C'est la vérité. Je suis incapable de lâcher le clavier. Pas mal comme dépendance, non?

— Rory? Je ne rigole pas. Arrête de taper et écoute-moi.

J'écoute, mais mes doigts continuent d'appuyer sur des touches.

— Il y a trois types avec des carabines qui s'avancent au milieu des buissons.

Je prends un instant pour répéter dans ma tête les paroles de Fee. *Il y a trois types avec des carabines qui s'avancent au milieu des buissons.*

— Des chiens renifleurs?

— Je ne vois pas de chiens.

— Ils viennent vers nous?

— Oui. Des types énormes armés de longues carabines. En tenue de camouflage, comme pour la chasse au cerf.

— Ils sont peut-être là pour nous aider.

— Avec des carabines?

— Et si c'était Javier qui les envoyait?

— Je ne pense pas.

Fee quitte son poste d'observation et s'écroule à côté de moi.

— Ça y est? Mon Dieu, Ror. Je pense que c'est la fin.

— Je clique sur «Envoyer»?

Elle pleure.

— Oui.

— Mais s'ils ne nous trouvent pas? S'ils ne songent pas à jeter un coup d'œil ici?

— Mais s'ils le font? Et arrête de taper, Ror!

Impossible.

— Si je clique maintenant, mais qu'ils ne nous trouvent pas, le monde entier va savoir où nous sommes.

— Vas-y. Clique, Ror.

— Mais s'ils sont là pour nous sauver?

Fee se redresse pour jeter un autre coup d'œil.

— Ils portent un drapeau des États-Unis.

— Merde.

— Mon Dieu, Ror. La petite. Elle court vers eux.

— Non. Non. Non.

— On va mourir.

— Non. Chut. On ne va pas mourir.

— Elle leur parle. Ils regardent autour d'eux. Ils fixent la remise.

Elle s'écarte de nouveau.

— J'ai fait pipi, murmure-t-elle.

— Ça ne fait rien.

— Mon Dieu. Tu viens de noter ça?

— Ne t'en fais pas.

Elle risque un autre coup d'œil.

— Ils s'approchent?

— Ils parlent encore à la petite.

— Qu'est-ce qu'elle fait?

— Elle hoche la tête. Elle n'arrête pas de hocher la tête.

— Tu crois qu'elle est au courant pour la récompense? Ça doit…

— C'est juste une enfant.

— Les enfants connaissent l'argent. Et là?

— Elle se contente de hocher la tête.

— Bon Dieu. Bon Dieu de merde.

— Ror?...

Je ne sais pas quoi faire. Si c'est la fin, il faut que je publie ce billet, mais j'ai encore tant de choses à raconter... Je T'en prie, mon Dieu... Hum... Dieu? Écoute, Dieu... Si je me trompe à Ton sujet depuis le début, qu'est-ce que Tu dirais de nous accorder une petite faveur?

— Ror?...

— Je pense que je viens de prier par accident.

— Prie plutôt pour de vrai.

— Ils viennent?

— Ils parlent au téléphone. Ils lèvent les yeux. Ils doivent s'adresser à quelqu'un dans le ciel. Mon Dieu. Un gros drone vient d'apparaître.

— Merde.

Ils parlent toujours.

— Je publie.

— NON!

— Non?

— Stop!

— Stop?

— Mon Dieu. Ils s'éloignent.

— Quoi?

— La petite montre la route du doigt. Les types armés partent de ce côté. Ils s'en vont, Ror.

— Quoi?

— Ils redescendent par la route en terre.

— Mon Dieu.

— Ils ont dépassé la première courbe. Les drones et un tas d'hélicoptères foncent dans la même direction; ils suivent la route et survolent les buissons de l'autre côté de la clairière!

— Ils sont repartis dans les broussailles?

— Je ne les vois plus.

— Mon Dieu.

— La petite regarde de ce côté. Elle a levé le pouce. Ils sont partis, Ror. Partis.

— Merde.

Merde de merde.

— Rory Miller! Si tu n'arrêtes pas de taper, je te défonce une boule!!!

Nous sommes encore tremblantes après avoir frôlé la catastrophe. Une fois les hommes partis, Fee s'est presque jetée sur moi et nous sommes restées blotties l'une contre l'autre un long moment.

Puis nous avons entendu un autre bruit et nous avons failli mourir de frayeur à l'idée que les hommes armés soient de retour. À moins qu'il s'agisse ce coup-ci d'un Croisé remorquant une grosse croix en bois. Là, c'est moi qui ai regardé par la fenêtre, mais il n'y avait personne. Pas le moindre bruit de bottes. Cependant, des drones et des hélicoptères continuaient de tourner en rond au-dessus de l'autoroute et de la plage. La petite fille chauve avait elle aussi disparu.

Je suis restée là un moment. Le vent soulevait des vagues de poussière autour de la caravane, créant une illusion d'optique : l'Airstream donnait l'impression de bouger. Selon Internet, il fait trente-six degrés à Calabasas. Ici, la température doit frôler les cinquante degrés. Nous n'avons plus une goutte d'eau à transpirer.

Fee a encore soif. Lasse de l'entendre se lamenter, je lui ai dit de prendre la dernière canette de soda. Elle ne m'en a pas proposé une seule gorgée. J'aurais refusé mais, quand même, ça ne lui ressemble pas.

Je suis retournée en ligne et Fee a lu le résumé des actualités par-dessus mon épaule. Ce vieil ordinateur rose, avec sa touche %5 manquante et sa commande de volume défectueuse, est essentiel pour nous. Un lien vital avec le vrai monde des fausses nouvelles, mais aussi un déversoir pour mon esprit troublé. Merci encore, Nina. Si je ne pouvais pas rendre compte de notre situation en temps réel, je ne réussirais sans doute pas à conserver un souvenir fidèle des événements, minute par minute. Si j'attendais que nous soyons sauvées pour raconter notre histoire, je finirais par y inclure de belles formules, censurer mes *merde* et mes *maudit,* et y ajouter de petites faussetés qui sonnent vrai au lieu de m'en tenir à la vérité crue, sans fard. Si j'attendais, je connaîtrais la fin de l'histoire et je foncerais vers elle au lieu d'emprunter la route panoramique.

Le menton de Fee posé sur mon épaule, j'ai parcouru le site d'InfoNow. Après le feu qui menace Bel Air et un grand nombre de résidences de célébrités, nous sommes le sujet le plus chaud de toute la Californie. Notre traque continue de faire la une des médias du monde entier. Normal. Le monde entier veut savoir si les adolescentes diaboliques en robe de mariée ont été capturées. J'ai cliqué sur le lien vers l'article annonçant l'heure de la conférence de presse sur le contenu du sac de Fee. Fee l'a lu en même temps que moi et s'est mise à pleurer. Je ne me donne même plus la peine de l'interroger sur son stupide sac.

Je vais être franche. Les sautes d'humeur de Fee, son irritabilité, son comportement? Je lui ai déjà demandé si elle avait recommencé les pilules, mais je soupçonne quelque chose de beaucoup plus grave. Je me demande si elle n'aurait pas pris des parfaits – ces tubes de caféine liquide avec un nuage de cocaïne qu'on inhale avant de descendre le liquide. Les parfaits sont à la mode depuis l'année dernière. Chase Mason m'a parlé d'un garçon mort après en avoir pris deux de suite. Partout au pays, les parents fouillent la poubelle de leurs enfants à la recherche de tubes en plastique qui sentent l'espresso. Est-on sur le point d'annoncer que Fee est toxicomane? À fournir une nouvelle preuve de notre culpabilité?

Fee n'a qu'une envie: que tout ça se termine. Elle souhaite notre capture au moins autant qu'elle la redoute. Je la comprends. Seulement, elle n'a pas l'air de saisir ou d'accepter que la fin de cette aventure risque de coïncider avec la fin de notre vie. Si mon point de vue est si différent du sien, c'est peut-être parce que je suis juive. Être juif, ne serait-ce qu'un tout petit peu, c'est savoir qu'il y a dans le monde des gens qui rêvent de vous rayer de la carte à cause du sang qui coule dans vos veines. Un jour, Sherman m'a raconté que son père, avant de mourir, lui avait remis une carte, tracée au crayon (son père souffrait de démence), où figurait un chemin d'évacuation qui allait de sa maison à Winnipeg jusqu'à l'ambassade d'Israël à Ottawa. C'était dans les années 1970. Le père de Sherman n'était pas du tout pratiquant, mais ce genre de peur se communique de génération en génération. Ce phénomène a un nom: transmission épigénétique. On nous en a parlé dans notre cours de psychologie, mais en relation avec les chrétiens, et non avec les juifs, les Noirs ou les sans-abri.

En gros, mon père continue d'échapper à l'attention des médias. Je n'y comprends rien. Pas de commentaire de sa part. Pas d'accusations contre lui. Sa généreuse contribution à l'église d'Orange County explique peut-être ce silence. Selon les informations, Sherman a chargé un important cabinet d'avocats de «protéger ses intérêts». C'est-à-dire?

Plus tôt, j'ai écrit que je préférerais que mon père soit mort. Vous vous rappelez? Ce n'est pas ce que je souhaite. Vraiment pas. Depuis trois ans, je le dis franchement, je n'ai désiré qu'une chose : que Sherman quitte Boules en sucre et rentre à la maison. Qu'il demande pardon à genoux et promette à son âme sœur de passer le reste de ses jours à se racheter auprès d'elle et auprès de moi, à être mon papa. Stupide, je sais. Maudites fins heureuses de merde.

Heureux? Je hais ce mot. Je le poignarderais. Il m'offense de la même façon que les gros mots offensent les personnes qui n'en utilisent pas. De la même façon que le fait d'invoquer en vain le nom du Seigneur offense les chrétiens, même si plein de chrétiens font pareil. *Heureux*. Quel mot de merde. *Heureux*, c'est l'équivalent de «Saint-Valentin». Dixit tante Lilly. Son ex, paraît-il, répétait : «On choisit d'être heureux.» Cette formule, fondamentalement mensongère, la rendait folle. Les chrétiens parlent beaucoup du bonheur, mais le mot ne figure pas dans la Bible. Pas une seule fois.

Le baromètre universel de Lilly : le tiers-monde comme étalon du nôtre. Le bonheur se choisit? Cent clés pour le bonheur? Vingt conseils pour le bonheur? Ces livres sont d'une navrante stupidité. Sans blague, il y a beaucoup plus de livres expliquant comment trouver la satisfaction personnelle et le bonheur que de livres expliquant comment aider son prochain à se procurer eau et nourriture. Les «ingrédients» de *La recette d'un moi plus heureux*? Si la recette ne s'applique pas à la mère affamée berçant son bébé couvert de mouches dans un camp d'esclaves en Afrique de l'Ouest, ce n'est que de la merde. Point à la ligne. Si la formule de ce qu'on appelle le bonheur ne vaut pas pour toute l'humanité, c'est un super gros mensonge nord-américain.

Je sais, il faut être assez vache pour affirmer que le bonheur, c'est de la merde. Je vis au paradis, après tout. Mais je ne suis pas heureuse. J'ai tout, mais je me sens désorientée et vide. J'ai moins besoin du bonheur que d'une raison de vivre. Et d'amour. J'ai beaucoup pensé – c'est fou ce qu'être enfermée dans une remise où vous suez à grosses gouttes vous porte à réfléchir – à ce que je pourrais apporter comme contribution quand je serai grande. Peut-être devenir une militante, une bénévole, une blogueuse influente, une lobbyiste ou quelque chose du genre. Avoir un but dans la vie? Ça, complètement. Mais être heureuse? Tante Lilly affirme que le bonheur est comme un trip de propofol – le médicament qu'on vous administre avant une intervention chirurgicale. Il vous anesthésie.

La joie, par contre? J'y crois, et pas parce que le mot figure dans la Bible. J'y crois parce que la joie est éphémère, réelle et n'exige pas de recette. Cette sensation orgasmique de célébration et de communion avec quelque chose d'extérieur à soi? Je l'ai éprouvée. Jamais en raison de mes fabuleux vêtements, de ma grande demeure ou d'un autre élément matériel. Autrefois, du temps où je croyais en Dieu, j'ai ressenti de la joie en chantant cette chanson où il était question de l'amour de Jésus pour moi. Il y avait aussi celle qui m'incitait à laisser briller ma «petite lueur». J'ai éprouvé de la joie avec Shelley: même à moitié éteinte, ma mère est encore géniale. Avec Sherman aussi, du temps où il était encore Sherman. Avec Fee. Et avec la Ruche.

En ce moment, on ne peut pas dire que la joie nous étouffe dans cette foutue remise de merde.

Il fait tellement, tellement chaud ici. *Caliente*. Certains disent que c'est de là que notre État tire son nom. *Caliente Fornia* – four brûlant.

Allez, Javier. Reviens.

Fee s'est adossée au mur, face à moi. Elle dit qu'elle a chaud et que je pue. Vrai, dans les deux cas. Elle dit qu'elle ne m'en veut pas, mais c'est faux. Elle dit qu'elle ne me tient pas pour responsable de ce qui nous arrive, mais elle n'en pense pas un mot. Je suis entièrement responsable de la situation.

Elle reste là à frotter son pauvre ventre et, j'imagine, à espérer que l'explosion a pulvérisé le contenu – gênant ou incriminant – de son sac et que ses angoisses existentielles sont sans fondement. Merde. En ce moment, j'ai l'impression de ne pas la connaître. Assise à la regarder, je…

Merde. Il y a une saleté de lézard dans la remise! Je l'ai vu se glisser sous les valises, dans le coin. Un petit lézard-alligator grand comme ma paume avec une longue queue qui dépasse de sa cachette, à moins de trente centimètres de la jambe nue de Fee. Fee a une peur panique des lézards. Combien de fois elle a poussé un cri strident après avoir aperçu un petit scinque bleu sur un sentier ou un inoffensif gecko sous une chaise longue, au bord d'une piscine. Même dans la voiture, elle hurle à la vue d'une misérable salamandre dans les buissons en fleurs du terre-plein central. J'aime les lézards, moi. C'est mon animal totem, je pense. Si Fee n'était pas là, j'y verrais un présage favorable. Mais si Fee l'aperçoit, elle va hurler.

Trop tard.

Et merde.

J'ai entendu le grincement de la porte de la caravane.

☼

Bonnes gens, voici donc ce qui s'est passé. Fee a vu le lézard et, comme je m'y attendais, elle a poussé un cri. Je n'ai pu que la regarder comme pour faire *NOOOooon*.

Puis nous entendons la porte de la caravane du voisin s'ouvrir en grinçant et des bottes marteler les marches en métal. Je regarde par la fenêtre de la remise et le maudit ivrogne est debout sur le gravier, parfaitement immobile, à côté de sa camionnette, un bras en l'air, montrant la remise d'un doigt recourbé. Les filles et moi avions l'habitude de jouer à «arrêt sur image». Voilà à quoi il m'a fait penser. S'il bouge ne serait-ce qu'un muscle, c'est lui qui s'y collera. À l'oreille de Fee, je murmure:

— Merde, c'est le type d'hier soir.

Notre compte est bon. Il n'y a nulle part où se cacher dans cette maudite remise.

Le vent souffle fort. Un gros virevoltant roule vers le type et s'arrête à ses pieds, mais il ne baisse pas les yeux. En fait, il ne bronche pas: il reste là, le doigt levé, les yeux rivés sur la remise. Il n'y a ni drone ni hélicoptère dans le ciel, du moins pas que je voie. Qu'est-ce qu'il fout?

Fee s'approche tout doucement, pour éviter de trahir notre présence. Il est moins massif qu'à la lueur de la lune. Nous observons toujours. Le type est figé. Il ne cligne même pas des yeux.

Puis le lézard quitte sa cachette sous les valises et va se réfugier sous la tondeuse graisseuse rangée près de la porte. Fee l'aperçoit du coin de l'œil. Avant que j'aie pu lui couvrir la bouche, elle crie de nouveau. *Meeeeerde.*

Du bout du pied, je pousse le reptile vers une fissure dans le mur. Le cri de Fee résonne encore.

Par la fenêtre, je vois le type sortir de sa torpeur et, dans les herbes hautes, s'avancer vers nous au pas de l'oie. Mais alors, sortie de nulle part, la petite fille au crâne rasé s'approche furtivement de lui, par-derrière. D'où vient-elle?

Elle l'interpelle. On n'entend pas ce qu'elle dit, mais il s'arrête et effectue un virage à cent quatre-vingts degrés pour lui faire face, comme au ralenti. Elle se rapproche un peu plus.

Sous nos yeux, le type lève la main et fait le geste de la taper, comme une mouche. Elle s'esquive et recule. L'homme tend les deux bras et se dirige vers elle, tel un zombie. Fee et moi sortons en trombe de la remise.

Nous ne nous sommes pas consultées. Nous n'avons pas vérifié s'il y avait des drones, des hélicoptères ou des chasseurs de primes dans les parages. Dans le sale vent chargé de poussière, nous avons crié:

— Hé! Hé! Laissez-la tranquille!

Le type fait volte-face et nous découvrons son visage. Il a vraiment l'air d'un mort-vivant. Ses yeux ne cillent pas: il n'y a personne à la maison. Il fait quelques pas vers nous, d'une démarche irrégulière, et la petite a l'air terrorisée.

Fee et moi faisons face au type en criant à la petite de se sauver, mais elle ne bouge pas. Et l'homme…

On dirait qu'il reprend ses esprits pendant une seconde. Il cligne des yeux et je me rends compte qu'il nous reconnaît. Il se fend d'un large et hideux sourire, puis pivote sur lui-même et se dirige vers l'Airstream, sans doute dans l'intention de chercher son téléphone. La petite essaie de lui barrer la route, mais il la repousse contre les poubelles posées près du porche.

Fee lui agrippe le bras et dit :

— Arrêtez, s'il vous plaît.

Il se dégage et, en agitant l'index, bafouille quelques mots d'espagnol que je ne saisis pas.

La petite se relève et, contournant l'homme, entre dans la caravane. L'homme lui emboîte maladroitement le pas. Nous entendons alors le vrombissement d'un hélicoptère qui s'avance au-dessus des collines. Impossible de traverser la cour pour retourner dans la remise sans qu'on nous voie. De toute façon, nous devons empêcher cet homme de faire du mal à la fillette et de prévenir la police. Nous entrons à notre tour dans la caravane.

Nous avons affaire à un écureuil, à un glaneur compulsif. Des monceaux de détritus dans l'espace déjà trop exigu. Des trucs qu'il a récupérés dans des poubelles : des chaises cassées et de vieux ordinateurs, des lampes sans ampoule, des piles et des piles de livres en anglais. J'ai failli vomir à cause de l'odeur de… la crème d'eaux d'égout, genre.

Le vieux téléviseur est allumé : sur l'écran, des photos de nous défilent. L'homme montre les images, puis nous, et hoche la tête, lui qui a gagné le gros lot. Puis il marmonne en s'avançant d'un pas trébuchant au milieu du capharnaüm, à la recherche de son téléphone. On ne voit pas la petite fille, mais nous l'entendons s'agiter dans la pièce fermée par un rideau, au fond.

Fee essaie de raisonner le type, lui dit que nous sommes innocentes, que nous n'avons pas fait *detonado* la bombe, ne nous dénoncez pas, s'il vous plaît, un peu comme je l'ai fait avec Javier en arrivant ici. Il continue de chercher son appareil. Sur le comptoir, j'aperçois une colonne de fourmis qui marche sur un couteau enduit de beurre d'arachides. Je m'empare de l'objet et le dissimule derrière mon dos. Mes mains tremblent salement.

J'ai cru que le type cherchait un téléphone, mais quand il se retourne, c'est un revolver qu'il tient à la main. D'un geste, il désigne deux chaises à moitié fracassées. Il veut qu'on s'assoie. Je n'ai jamais imaginé une fin pareille. Je pense à ma mère. Et je pense à mon blogue en me disant que je n'aurai jamais l'occasion de raconter toute l'histoire. De cliquer sur «Envoyer». J'aurais peut-être dû commencer par la fin plutôt que par le début.

Par la fenêtre, on voit l'hélicoptère tourner au-dessus de la clairière. Le type au revolver s'intéresse à l'appareil, lui aussi. Je me demande si nous réussirions à le maîtriser et à le désarmer. Il a la tremblote, c'en est terrifiant. Quand il se retourne vers nous, j'ai peur qu'il appuie sur la détente par accident. En riant, il glisse sa main libre dans sa poche pour prendre son téléphone. Il n'a décidément pas toute sa tête, cet homme.

Il regarde fixement l'écran et ne semble pas se résoudre à appuyer sur les chiffres. Ou encore l'appareil ne fonctionne pas. Visiblement frustré, il crie:

— *Ven acá! Ven acá!*

La petite fille sort de la pièce fermée par le rideau. Elle ne nous regarde pas. Elle s'adresse à l'homme dans un espagnol si rapide que je ne saisis pas un mot. Il la regarde d'un air méprisant et lui dit quelque chose à propos de sa robe avant de cracher par terre. Dégueu. Mais la petite parle toujours et il se met à hocher la tête.

Le vieux regarde autour de lui et la petite fille tend la main vers une tasse à café posée sur une pile de vieux magazines. Elle la lui tend et, à l'odeur, je comprends aussitôt qu'elle contient du whisky et non du café. Je voudrais dire à l'enfant que c'est une très mauvaise idée.

Le type remet l'appareil dans sa poche et saisit la tasse en agitant l'arme d'une main tremblante. J'ai toujours derrière mon dos le couteau à la lame enduite de beurre d'arachides, mais à quoi bon? Contre un revolver?

On entend le bégaiement des pales de l'hélicoptère qui tourne en rond dans le ciel. Le type se penche pour jeter un coup d'œil par la fenêtre et se dirige vers la porte, peut-être dans l'intention de sortir et d'alerter le pilote, mais la petite crie et je saisis quelques mots d'espagnol. *Dire. Partager. Récompense.*

Nous nous prenons par la main, Fee et moi, tout naturellement. Ayant surpris le geste, le type se remet à vociférer. Je n'ai aucune idée de ce qu'il raconte, mais je me demande s'il nous soupçonne d'être lesbiennes, ce qui risque de décupler sa haine.

En anglais, la petite fille au crâne rasé dit tout bas:

— Vous pas peur. Il va pas vous faire mal.

Hum?

Le type vide sa tasse d'un trait et sort de nouveau le téléphone de sa poche. Du bout de l'index, il pioche sur le clavier sans se départir de son maudit revolver. Puis il commence à perdre l'équilibre, comme s'il cherchait à s'adosser au mur, sauf qu'il n'y a pas de mur, et s'écroule dans un fauteuil vieux et répugnant près du téléviseur.

— Le téléphone, chuchote Fee.

Je comprends maintenant pourquoi il est incapable de composer : il tient l'appareil à l'envers. OK.

L'homme se met à dodeliner de la tête. Il essaie toujours de téléphoner, mais ses yeux se ferment. Puis l'appareil tombe sur ses genoux et le revolver par terre. Nous nous dévisageons, Fee et moi, sans savoir quoi dire.

D'un coup de pied, la petite pousse l'arme sous le fauteuil, saisit le téléphone et répète :

— Il va pas vous faire mal.

Elle a une voix fluette et rauque assortie à son petit corps meurtri.

— Il est mort ?

Elle secoue la tête.

— Qu'est-ce qu'il a ?

— Pilules, dit-elle doucement.

— Pilules ?

— Je lui donne pilules. Lui dormir.

— Petit Jésus.

Nous restons un moment silencieuses en regardant tour à tour la fillette et le type complètement drogué. Puis l'enfant dit :

— Vauriennes en Versace.

— Tu sais qui nous sommes ?

— Je vois vous venir dans le noir.

— Tu nous as vues avec Javier ?

— Oui. Je regarde la télévision. Je vois la bombe. Je vois vous venir dans la nuit.

— Nous n'avons pas posé cette bombe.

— Tout le monde cherche vous.

— Tu es au courant pour la récompense? Forcément.

— Oui.

— Pourquoi tu n'as pas…?

Fee me coupe la parole:

— Pourquoi tu n'as pas prévenu la police? Deux millions de dollars, quand même.

— Je crois pas.

— Tu ne nous crois pas coupables?

Elle secoue la tête.

— Je crois pas.

— Pourquoi?

— Ma mère… Elle me dit que révérend Jagger est mauvais homme.

— Ta mère? Elle connaît Jagger Jonze?

— Sa cousine travaille pour lui à Beverly Hills. Elle fait ménage. Elle sait.

— Houlà! OK.

Nous nous tournons vers la pièce fermée par un rideau.

— Où est-elle, ta mère?

— Ma mère a cancer. Elle va avec Dieu.

Pauvre petite. Pauvre petite fille chauve et meurtrie en robe bleu-blanc-rouge des Patriot Girls.

— Je suis désolée, tellement désolée, lui dis-je. Tu es sûre que ton père ne risque pas de se réveiller?

À vrai dire, on a plutôt l'impression qu'il ne va jamais refaire surface.

Elle hoche la tête.

— Pas avant longtemps. Il est pas mon père. Mon grand-père. *Mi abuelo.*

— Comment tu t'appelles?

Le visage de la petite s'illumine, comme si c'était la meilleure question qu'on lui ait jamais posée. Elle prend une profonde inspiration et répond :

— Paula. Je m'appelle Paula.

— Paula, dit Fee. C'est joli.

— Oui. Un nom bon.

— Moi, c'est Feliza, mais tout le monde m'appelle Fee. Elle, c'est Rory.

— Oui.

— Tu te rends compte que tu nous as sauvé la vie? lui dis-je.

— Tu es très courageuse, ajoute Fee.

— Juste Paula.

— Tu es malade, toi aussi?

— J'ai pas cancer.

— Mais tes cheveux…

— J'ai poux. *Mi abuelo* me rase.

Je suis soulagée. Fee aussi.

Brusquement, je demande :

— Attends. Ton chien? Où est ton chien?

— Chien?

— *Perro?* Le pitbull noir?

— Il est mort. *Abuelo* le frappe trop fort.

— Merde. Désolée, je veux dire. C'est affreux. Vraiment affreux.

— C'est mieux. Lui vie très dure. Je l'enterre dans le bois où nous jouer.

— Tu l'as déjà enterré?

— L'été. Quand il meurt.

Elle nous regarde sans comprendre.

— L'été? Mais hier soir? Nous avons entendu ton *abuelo* le battre à mort.

— Non.

— Nous l'avons entendu appeler Perro. Nous avons entendu du bruit.

— Mon chien s'appeler Blackie.

Elle baisse les yeux.

C'est donc elle, Perro. Son grand-père la bat et l'appelle Chienne. Quelle vie. Le bonheur se choisit? Mon cul.

— Euh. Tu drogues souvent ton grand-père?

— Oui. Je donne lui *muchas* pilules.

— Des somnifères?

— Dans whisky. Vicodin. Percocet. Tramadol, énumère-t-elle en comptant sur ses doigts.

Fee a l'air consternée. Je suis franchement impressionnée. Paula est un ange, mais son auréole est assez tordue.

— Pilules laissées par ma mère. *Muchas*. Je lui donne pilules pour jouer avec mes poupées. Aussi quand il boire et se fâcher trop.

— Hum. Une vraie Patriot Girl, dis-je. Mais pourquoi faut-il que tu le drogues pour jouer avec tes poupées?

Elle ne répond pas. À la place, elle retourne en courant dans la pièce fermée par un rideau et en revient avec un grand sac à dos noir. Elle le pousse dans mes mains.

— Je mets vêtements. Ses vêtements. Eux petits. Allez dans remise. Des fois, amis viennent lui voir.

Me rendant compte que je tiens toujours le couteau, je le pose sur le comptoir. Reconnaissantes, nous prenons le sac à dos et nous nous dirigeons vers la porte.

Fee s'immobilise.

— Viens avec nous. Viens avec nous dans la remise.

— Paula vient?

Elle est aussi excitée que si nous l'avions invitée à Disneyland.

— C'est dangereux, Fee. Tu te rends compte que des gens nous pourchassent, hein, Paula?

L'*abuelo* de Paula laisse fuser un pet long et profond. Dangereux? Tout est relatif, non?

Paula sort la première. Elle affecte l'insouciance en s'efforçant de ne pas se laisser emporter par les vents qui se sont levés pendant que nous étions à l'intérieur. L'hélicoptère s'est éloigné pour cette raison ou parce que le pilote n'a rien vu de suspect. Mon petit doigt me dit qu'il sera bientôt de retour.

Lorsque nous sommes certaines que le ciel est libre et qu'aucun humain ne se tapit dans les buissons, nous courons toutes les trois jusqu'à la sécurité toute relative offerte par la remise en tôle. Paula fonce dans un coin, déterre un des sacs en plastique blanc que j'avais eu si peur d'ouvrir et sort d'entre les feuilles mortes et les herbes coupées une poupée des Patriot Girls et une tenue assortie.

— Hier, je suis Maggie Martin, dit Paula. Aujourd'hui, je suis Hannah Good!

— Cool, dis-je. On adorait les Patriot Girls, nous aussi, pas vrai, Fee?

— Ouais. Mais, Paula, pourquoi gardes-tu tes poupées ici?

— Les poupées sont à Nina. Elle est morte. Je la connais jamais. M. Javier me donne les poupées et me dit de les cacher ici.

— Je ne comprends toujours pas. Pourquoi dois-tu cacher tes poupées dans la remise?

Paula secoue la tête.

— *Abuelo.*

— Nina avait des poupées des Patriot Girls? dis-je. Elles coûtent une fortune.

— D'autres donnent elles à Nina quand leurs filles ne plus les vouloir.

Mon Dieu. Shelley a emballé mes poupées des Patriot Girls il y a des années, sans oublier les costumes assortis qui ne me faisaient plus, en me disant qu'elle allait les offrir aux enfants de ses clients. C'est ma poupée. Je le sais. Ma foutue poupée à l'effigie de Hannah Good.

— Ton *abuelo* va finir par se réveiller, dit Fee.

— Oui.

— Il te frappe? Beaucoup?

— Oui.

— Quel trou du cul. Pardon. Mais quand même.

— Je connais ces mots. J'ai le câble et le Twitter.

— Tu as quel âge? Sept ans?

— Dix. Je suis petite.

— Tu es en quelle année? Quatrième? Cinquième?

— Pas d'école. Je suis illégale.

— Doux Jésus, Paula… Ma mère est avocate spécialisée en immigration. Elle va t'aider. On va trouver quelque chose. Promis.

— OK.

Paula plonge la main dans son sac à dos et en sort des burritos à moitié congelés, achetés dans une station-service.

— Le micro-ondes marche pas. Plus de sodas. Pas d'eau. *Abuelo* avoir pas de filtre.

— Merci, Paula. Ça ira. Javier a dit qu'il nous aiderait. À quelle heure rentre-t-il, en général?

— M. Javier revient quand soleil se coucher.

Paula plonge de nouveau la main dans le sac à dos et en sort les vieux pantalons de travail, les sweatshirts, les casquettes de baseball et les t-shirts qu'elle a piqués à son grand-père.

Je suis impatiente de me défaire de ma maudite robe Mishka. Fee a hâte de se débarrasser de sa robe Prada. Nous commençons à les enlever – des milliers et des milliers de dollars réduits en lambeaux et sur lesquels on a vomi et saigné. Pour ma part, c'est avec reconnaissance que j'enfile le t-shirt miteux, le pantalon brun et même la casquette qui empêche mes cheveux sales de tomber sur mon visage. Je plie un autre t-shirt pour en faire une serviette sanitaire de fortune. On dirait une couche, mais c'est mieux que de pisser le sang sans arrêt.

Nous tournant le dos, Paula enfile la robe de Hannah Good près de la fenêtre, d'où elle épie les environs, à la recherche de chasseurs de primes et de drones. Je n'avais pas l'intention de regarder – d'être la louche voyeuse que je suis naturellement –, mais nous nous retournons, Fee et moi, quand la petite fille fait tomber une des valises. Et c'est alors que nous remarquons que

Paula porte un caleçon de petit garçon et que sous le caleçon il y a un pénis de petit garçon.

Paula ne nous voit pas voir son pénis. Nous nous regardons, Fee et moi. Tout s'éclaire. La haine du vieil homme pour l'enfant, son refus de le voir jouer avec des poupées et porter ses robes des Patriot Girls. Le vieillard bat l'enfant, qui est pour lui une aberration. Un chien. *Perro*. Il la traite de chienne. En disant s'appeler Paula, elle a peut-être prononcé pour la première fois le nom qu'elle se donne à elle-même. Son vrai nom. Javier, cependant, connaît son secret. Forcément. Il l'a protégée. Enfin, du mieux qu'il a pu.

Paula sort de la poche latérale du sac à dos le téléphone de son grand-père et nous le montre.

— *Abuelo* a traceur VEV.

— Le traceur VEV?

— Vauriennes en Versace. Vous.

— Il y a une maudite application?

— Une maudite application, oui. Aussi, *Abuelo* a application pour police. Il être *procit*. Pas de carte de conduire. Trop de condamnations pour faclutés… facultés affaiblies.

— Tu m'étonnes.

— Je reçois alerte bleue si venir la police.

— Mon Dieu. C'est génial.

— Je peux rester avec vous?

— Oui, Paula, répond Fee. Reste avec nous.

— Et je peux venir après?

— Venir après?

— Où M. Javier vous mener. Je viens, Rory?

Nous nous consultons du regard, Fee et moi. Hum…

— On ne sait pas où il va nous emmener, Paula. Ni si nous y serons en sécurité…

— Moi aussi.

Elle a prononcé les mots d'une façon… Ouais, elle est en danger chaque jour. Partir avec nous ne lui semble pas trop risqué, au fond.

Fee serre Paula dans ses bras.

— Tu peux venir avec nous, Paula. Où qu'on aille.

Paula sort du sac à dos noir un vieux jeu électronique – un produit dérivé de *The Dancing Dina Show.* Sans doute celui que j'avais quand j'étais petite.

— Tu joues à *Dancing Dina* avec moi, Fee?

Fee rit et hoche la tête. Drôle de vie, tout de même. Il y a une heure à peine, j'aurais juré que notre compte était bon. Là, Paula et Fee sont blotties l'une contre l'autre et se passent le jeu en gloussant comme des enfants. Voilà à quoi ressemble la joie, me dis-je. Ce n'est pas le bonheur. C'est un moment de connivence.

Je pense que nous avons deux ou trois heures avant que l'*abuelo* de Paula émerge de ses rêves de tramadol. D'ici là, Javier devrait être de retour. Je n'arrive toujours pas à croire que Paula est ici. Ni qu'elle nous a apporté des burritos. Ils ont beau être encore à moitié congelés, je suis ridiculement excitée à l'idée de les manger.

Quand ai-je éprouvé de la joie pour la dernière fois? Lors de la soirée d'orientation. Ironique, tout de même. Nous roulions vers l'école dans ma Prius, ma Ruche et moi. Les pères nous retrouveraient sur place. Jinny n'était pas avec nous : elle faisait le trajet avec son père et Jagger Jonze. C'était comme dans le bon vieux temps : moi, les filles, la musique à fond, nous qui chantions à tue-tête. Et voilà : la joie. C'était il y a à peine plus d'un mois, même si on dirait que mille ans sont passés depuis.

La soirée d'orientation. Nous étions passablement excitées. Même moi. Malgré ce que je savais des penchants de Jinny l'évangéliste et la nouvelle dynamique de la Ruche, j'étais impatiente de me faire belle et de jouer les groupies auprès du prêcheur. Je me disais que Sherman se tiendrait avec les autres pères et que je n'aurais pas de souci à me faire de ce côté. Je me disais aussi, je le répète, qu'il serait cool, oh si cool, de rencontrer Jonze et de me prendre en photo avec lui. Combien de *j'aime* et de nouveaux abonnés allions-nous accumuler? Des tas. Et parce qu'il était un ami personnel du père de Jinny, il allait passer un moment chez les Hutsall après la cérémonie officielle tenue à l'école. Dès qu'elles ont été au courant, les autres filles ont été mortes d'envie.

Pour le bon révérend, la soirée d'orientation était d'abord et avant tout, me semble-t-il, une occasion de produire du matériel promotionnel – les annonces publicitaires que nous avons vues sur les chaînes d'information en continu, par exemple. En plus, nous avons… enfin, nos pères ont versé une prime pour que Jonze préside lui-même la maudite cérémonie de merde. Ce soir-là, nous avons eu droit au récit de sa vie : nous la connaissions déjà, *because* Internet, mais quand même.

On avait disposé des tables et des chaises dans la salle de bal, tout au bout de notre immense campus, mais la répétition était plutôt décontractée. Pas de fleurs ni de guirlandes électriques. Pas de chandelles. Pour le repas, des plats livrés par Chick-fil-A, même si, pour le seul volet « orientation », le bal facturait mille dollars par tête de pipe. Pas mal, comme marge bénéficiaire.

Ce soir-là, on est allées de déception en déception. On avait déjà choisi nos jolies robes et nos chaussures quand on a reçu des organisateurs du bal un avis nous ordonnant de porter notre uniforme scolaire. Sans blague ? En jupe à carreaux, on se sentait toutes très moches.

Et quand j'ai aperçu Jonze à l'autre bout de la salle, vêtu d'un t-shirt serré Armani, d'un blazer en cachemire bleu et d'un jean Cavalli mettant en valeur sa virilité ? Il avait beau être craquant, mon vagin s'est contracté, mes mamelons se sont invaginés et tout mon corps a dit : *Non, non, jamais de la vie*.

Quand Jinny l'a entraîné vers nous, j'avais déjà des réserves. Brook avait dit que c'était un « spécimen ». Et c'en était un. Mais il y avait en lui – du moins à mes yeux – quelque chose de sauvage. Jinny lui a présenté Feliza, Brook, Zara et Delaney sans qu'il daigne les regarder. Il balayait la salle des yeux, comme à la recherche d'une proie. Il n'a manifesté de l'intérêt pour notre petit groupe qu'au moment où Jinny a dit:

— Et voici Rory Miller.

À sa façon de me toiser, j'ai tout de suite su qu'on lui avait dit que j'étais juive. Ou païenne. Ou les deux. Son dégoût était palpable.

— *Shalom,* m'a-t-il dit en mettant ses mains en prière.

C'est quoi, ce délire?

— J'ai parlé au révérend de mes nouvelles amies, a expliqué Jinny en le dévorant des yeux avec révérence.

J'ai compris plus tard que c'était de la concupiscence.

Les jambes flageolantes, les autres filles l'ont vu mettre une main sur mon épaule.

— Toutes sont les bienvenues, a dit sa bouche.

Mais pas ses yeux. Certainement pas ses yeux.

Pendant cette soirée, rien ne s'est déroulé comme je l'avais prévu. Je comptais prendre des photos de moi avec une célébrité, mais, ayant rencontré Jonze, j'ai décidé qu'il était exclu que je fasse la promotion de ce mécréant antisémite. Lorsque Zara lui a demandé de prendre une photo et que, d'un ton sévère, il lui a rappelé que les téléphones devaient être laissés au vestiaire, je suis restée de glace.

Avant de s'éloigner, il a dit qu'il était impatient de mieux nous connaître. Chez les Hutsall, a-t-il promis, nous aurions une super «discussion à cœur ouvert» – ses mots à lui – sur notre vœu de chasteté et le reste. Il a ajouté que nous devrions nous mettre dans la file pour les interviews filmées d'avant-bal. De concert avec mes amies, j'ai hoché la tête avec enthousiasme, de peur qu'il lise dans mes pensées. Aussitôt Jonze parti, les filles se sont toutes récriées. J'avais eu droit à une attention particulière et c'était super injuste. Oh mon Dieu.

Après les courtes interviews filmées, les pères se sont isolés autour des tables disposées d'un côté de la salle et nous, les filles, nous sommes réparties de l'autre, en cliques, tandis que le révérend montait sur la scène. D'abord, il a envoyé les filles les plus jeunes, de la huitième en descendant, dans une autre salle, où Mme Piggott leur ferait voir un film. Puis, prenant le micro, il a dit:

— Pères. Papas. Papounets. Et jeunes dames. Voici mon histoire. Elle est vraie. Telle quelle. C'est le récit de ma rencontre avec Jésus et des raisons de ma présence parmi vous. C'est un récit édifiant, et il est important que vous l'entendiez, vous et vos filles. Que le Seigneur nous serve de guide.

Je parie que la moitié des pères se disaient: Attendez? Quoi?

— Amen, avons-nous entonné en chœur.

L'histoire, nous la connaissions. Tout le monde a entendu le récit de la rédemption du révérend – un dépravé qui erre dans les rues de Chicago découvre Jésus et blablabla –, mais, quand on l'entendait le raconter en personne, il prenait une tout autre dimension. Avec son éloquence incomparable, il aurait pu vendre n'importe quoi à n'importe qui.

— Ma mère était une adolescente toxicomane sans domicile fixe qui m'a abandonné dans un bar appelé Jonze's Joint, dans Cabrini-Green, quand j'avais à peine une semaine.

Pas mal, comme entrée en matière.

— La seule chose qu'on m'a dite à ce sujet, c'est qu'elle donnait l'impression d'avoir une quinzaine d'années et portait un t-shirt à l'effigie des Rolling Stones.

Elle a dit qu'elle avait besoin d'aller aux toilettes, m'a tendu à une serveuse et a disparu pour de bon.

Je n'ai pu me retenir d'essuyer une larme. Ma pire crainte est de perdre ma mère.

— J'ai grandi dans un orphelinat, puis dans des foyers d'accueil. En colère, violent, sans amour et sans contacts humains – pas ceux que je voulais, en tout cas. À dix ans, j'ai changé le nom qu'on m'avait donné, John Jonze, pour Jagger Jonze. Une façon de me rapprocher de ma mère et de ne jamais oublier d'où je venais. J'avais le cœur dur. Débordant de haine. J'aimais ma mère, cependant. Je lui ai pardonné de m'avoir abandonné. Elle ne m'avait pas tué dans son sein et pour cette raison je la respectais. C'était l'époque où les femmes bénéficiaient d'un accès facile à l'avortement, mais elle a fait le choix de ne pas me tuer. J'y ai vu une preuve d'amour. Je peux avoir un «Amen»?

Les autres lui ont donné son «Amen». J'en ai été incapable.

Il a poursuivi:

— Croyez-moi, chers papas, car je dis la vérité. Dieu n'avait jamais été présent dans ma vie. Je n'avais jamais mis les pieds dans une église. Je n'avais jamais entendu un sermon, jamais entonné un chant de louange. J'ignorais tout du salaire du péché. Vous, magnifiques jeunes filles réunies ici, vous êtes bénies: Jésus est déjà dans votre vie et dans votre cœur. Moi, j'étais creux. Un récipient vide. J'avais pour seul ami une vieille guitare que j'avais trouvée dans les poubelles. J'ai appris à jouer des chansons des Rolling Stones, à l'oreille. *You Can't Always Get What You Want* est devenu mon hymne personnel.

Pendant qu'il parlait, Fee a remarqué les tatouages du révérend sous le col et les manches de son t-shirt et elle m'a prévenue d'un coup de coude. Les membres de la Ruche raffolent de l'encre.

— Vers douze ans, j'ai commencé à prendre de la drogue. À quatorze, ma famille d'accueil m'a mis à la porte parce que j'en vendais. À quinze, j'étais dans la rue. Il y avait des moyens de gagner de l'argent rapidement. Quand j'étais défoncé, c'était moins dur. J'ai donc vendu mon corps pour acheter de la drogue… afin de surmonter ma honte de vendre mon corps pour acheter de la drogue. C'était un cercle vicieux. Une horrible vie sans Dieu. Des hommes. Des femmes. Jeunes. Vieux. J'allais avec n'importe qui.

Il a baissé la tête.

Le malaise des pères était palpable. Ils étaient nombreux à se racler la gorge. Je pense qu'ils ne s'attendaient pas à des aveux aussi complets.

— Un matin, je me suis réveillé, nu, dans le lit d'une personne que je ne connaissais pas. Ce n'était pas la première fois. En regardant le corps enroulé dans les draps à côté de moi, je n'aurais su dire si c'était un homme ou une femme.

— Amen, a crié le père de Zee.

Le père de Zee tout seul. Hum.

— J'ai soulevé les draps, soulagé de découvrir une femme saisissante, la femme la plus petite, la plus délicate et la plus jolie que j'avais vue de ma vie. Elle dormait et ses cheveux de la couleur du soleil tombaient sur son visage et ses épaules. Elle était si immobile que je me suis demandé si elle était morte ou vivante. Comme j'avais peur de la toucher, je me suis penché sur elle dans l'espoir d'entendre sa respiration. Elle a ouvert les yeux. J'ai sursauté. Puis sa jolie bouche s'est ouverte à son tour et elle m'a demandé : « Tu m'as violée, la nuit dernière ? »

Violée? Il n'était pas question de viol dans sa biographie en ligne. Les pères se regardaient sans rien dire.

— La vérité, c'est que je ne savais pas si j'avais violé cette femme ou non. Elle avait l'air terrifiée. Elle a dit: «Tu m'as droguée, hein? Mon café, hier soir? Ton ami m'a violée, lui aussi?» Le trafiquant avec qui je me trouvais dans un café, la veille, n'était pas vraiment mon ami. Et je n'avais pas besoin de drogue pour que des femmes couchent avec moi. Je nageais en pleine confusion. J'ai demandé à la femme comment elle s'appelait. «Merilee Magee, a-t-elle répondu. Je suis sincèrement désolée.»

J'ai promené mon regard sur les pères et les filles. Certains se demandaient-ils, comme moi, si le révérend disait la vérité?

Jagger était lancé.

— Pourquoi s'excusait-elle? J'éprouvais sa souffrance comme une révélation. C'était terrible... et magnifique. J'ai tout de suite compris que j'étais amoureux d'elle. D'un coup, comme ça.

«Ensuite, elle m'a demandé mon nom. En entendant "Jagger Jonze", elle a souri. Elle m'a confié qu'elle aimait Mick Jagger. Je lui ai parlé de ma vie, du mal que j'avais fait. Je lui ai dit que je craignais de l'avoir violée et que je le regrettais. Je l'ai suppliée de me pardonner, et cette femme, cette inconnue qui semblait me connaître mieux que je me connaissais moi-même, a touché mon visage et a dit: "Je te pardonne. Et Dieu te pardonne aussi." À son contact, j'ai éprouvé une sensation de chaleur. Un sentiment de pureté, de bonté. Je n'avais jamais pensé à Dieu, sauf peut-être pour rire, ponctuer la fin d'une histoire ou jurer. À ce moment, j'ai senti Sa présence. Le pardon qu'Il m'accordait par l'entremise de Merilee Magee.

L'auditoire était captivé par le récit de cette idylle – ménage à trois entre Jagger, Merilee et Dieu.

Il a enchaîné :

— Pendant un moment, nous avons parlé de tout et de rien. Merilee avait de jolis cheveux qui lui tombaient sur les yeux. En les repoussant, j'ai vu sur son front une grosse plaque pourpre. J'en ai remarqué une autre dans son cou. Elle m'a vu examiner les marbrures. « Sarcome de Kaposi », a-t-elle dit.

« À cet instant, j'ai compris que Merilee Magee se mourait. Je ne voulais pas mourir. Je suis parti de là au triple galop.

« Sous son appartement, il y avait une petite fruiterie du nom de Valetti's. J'y suis entré pour acheter des cigarettes. Un homme menaçait une vieille Italienne derrière le comptoir. C'était le revendeur avec qui j'avais passé la soirée. Soudain, un souvenir de la veille m'est revenu à la mémoire : le revendeur et moi transportant Merilee, inconsciente, jusqu'à son appartement. Je suis resté là à regarder ce type, tandis que des images de la nuit précédente me frappaient de plein fouet, à la façon d'un tir de mitrailleuse. En sortant du magasin, le trafiquant m'a heurté l'épaule. Il a disparu dans la ruelle avant que j'aie pu lui dire que la femme que nous avions droguée la veille était séropositive. Cette omission m'a obsédé. Comprenez bien, les filles, que je tiens à vous mettre en garde : voilà une raison de plus de miser sur l'abstinence pour assurer votre sécurité. Vous couchez avec toutes les personnes avec qui votre partenaire a couché avant vous. Et avec toutes les personnes avec qui ces personnes ont couché. VIH. Maladies vénériennes. Les préservatifs ne suffisent pas. Et ils ne sont pas fiables. Le seul moyen de ne courir aucun risque consiste à s'abstenir.

Les pères ont sifflé et applaudi à tout rompre. Jagger a attendu que le silence se rétablisse.

— J'ai songé à suivre ce trafiquant en me disant que ma vie était foutue, de toute façon. J'avais sûrement attrapé l'horrible maladie de Merilee. Par-dessus tout, j'avais envie de me défoncer. Mais j'ai entendu une voix qui prononçait mon nom, même s'il n'y avait que la vieille Italienne dans le magasin.

«J'ai entendu la voix de nouveau – "Jagger Jonze!" – et je me suis rendu compte qu'elle venait du crucifix accroché au-dessus de la caisse. Même si, avant ce jour, je n'avais jamais cru à Sa glorieuse existence, j'ai su dans mon cœur et dans mon âme que c'était la voix du Seigneur Jésus-Christ, notre Dieu. Il avait pour moi un message tout simple: "Occupe-toi d'elle." C'était comme s'il avait chuchoté les mots dans mon oreille. La volonté d'obéir à Sa parole – voilà la définition même d'un appel – a été si forte qu'au lieu de me lancer à la suite du revendeur, j'ai raconté à cette dame italienne, Mme Valetti, l'expérience que je venais de vivre. Elle s'est signée. Pas un instant elle n'a douté. Puis je lui ai parlé de Merilee Magee qui se mourait à l'étage.

À ce stade du récit, les pères écrasaient des larmes furtives. J'ai jeté un coup d'œil à la Ruche. Les filles ne quittaient pas le révérend Jonze des yeux. Pouah.

— Mme Valetti et moi avons gravi l'escalier sombre qui menait chez Merilee Magee pour lui apporter de la soupe. Je suis resté. Et j'ai à peine quitté son chevet. C'est à ce moment que j'ai commencé à écrire des chansons sur l'amour, l'amour de Dieu pour nous, mon amour pour Merilee. Tous les soirs, à l'aide de la vieille guitare que j'avais trouvée dans un placard, je chantais pour aider Merilee à s'endormir. Dans son petit magasin au rez-de-chaussée, Mme Valetti a créé un sanctuaire autour du crucifix. Bientôt, les voisins ont eu vent de l'histoire de Merilee Magee et de la mienne. Les femmes de l'église nous ont nourris, elles ont payé le loyer et m'ont soutenu avec les Écritures et leur amour. Pendant ce temps, Merilee ne s'est jamais plainte de sa souffrance ni de la douleur. Que de la gratitude et un amour éternel pour Dieu et l'homme indigne que j'étais.

La voix de Jonze s'est brisée.

— Sur son lit de mort, j'ai pris Merilee pour épouse. Et je lui ai promis de toujours l'honorer, de ne plus toucher à l'alcool ou à la drogue et de ne plus jamais avoir de relations sexuelles. La sobriété et l'abstinence sont pour moi le sentier qui mène à Dieu. Et Mme Merilee Jonze? Nous n'avons jamais consumé notre union. Notre amour a été plus pur et plus profond que tous ceux que j'ai connus, excepté mon amour pour Dieu. Merilee m'a montré que le sexe, c'est tout sauf de l'amour, que l'amour vient de Dieu et de Jésus-Christ Son Fils et que c'est la plus belle de Ses œuvres. Les dernières paroles de Merilee avant de quitter mes mains pour les Siennes? «Que la volonté de Dieu soit faite.»

Le révérend a eu besoin d'un moment pour se remettre de ses émotions.

— Le matin des funérailles de Merilee, je suis descendu donner un coup de main à Mme Valetti au magasin. Je garnissais les tablettes lorsque la porte s'est ouverte et, ébloui par le soleil, j'ai cru voir Merilee. C'était une magnifique jeune fille qui venait d'entrer. Elle devait avoir dans les seize ans, comme vous, et portait une robe de soleil. À cause du contre-jour, j'ai pu voir qu'elle portait en dessous un string et un soutien-gorge en dentelle. Bref, elle était presque nue. Elle a surpris mon regard. Et mon regard lui a plu.

Les pères ont laissé entendre des murmures d'embarras.

— Elle s'est approchée du comptoir et, comme maintes fois auparavant, j'ai entendu la voix de Jésus-Christ venue du crucifix – le crucifix qui est aujourd'hui accroché chez moi. Et vous savez ce que Jésus m'a dit? «Occupe-toi d'elle.» Voilà ce qu'Il m'a dit. Et je me suis rendu compte que Merilee n'avait pas eu besoin de mon aide. C'est moi qui avais eu besoin de la sienne pour découvrir Dieu et la valeur de l'amour authentique, pour entendre Son appel et la révélation de ce qu'Il attendait de moi. J'ai compris que Dieu voulait que j'utilise tout ce que Merilee Magee m'avait appris pour venir en aide aux jeunes filles.

Jagger a marqué une pause dans l'attente d'applaudissements. Il n'a pas été déçu.

— J'ai donc emmené la jeune fille dans l'appartement, où je lui ai raconté l'histoire de Merilee Magee. Et la mienne. À la fin, cette adolescente égarée a enfilé un des vieux chandails de Merilee pour se couvrir et a fait le vœu de mener pieusement une vie d'abstinence. C'est de là qu'est venue l'idée du Bal de la pureté américaine. Vous vous rappelez ce qu'a dit ma merveilleuse Merilee?

Ayant reçu le message cinq sur cinq, nous avons crié – enfin, les autres ont crié, puisque moi, j'en ai été incapable:

— Que la volonté de Dieu soit faite!

Les vents de Santa Ana ont lancé un assaut en règle sur le chêne qui agonise à côté de la remise. L'arbre gémit comme si on l'amputait de ses membres. Et, de fait, il perd une branche tordue et noircie à la fois.

Paula, qui vient de jeter un coup d'œil par la fenêtre, nous assure que la voie est libre. Son *abuelo,* pour autant qu'elle puisse en juger, roupille toujours dans la caravane. Je lui ai demandé combien de pilules elle lui avait données.

— Quatre.

— Petit Jésus.

— Le revolver d'*Abuelo*? Je vais chercher?

— OUI! répond Fee au moment où je crie NON!

Maudites armes à feu. Je hais les armes à feu. Elles me font peur. Il y en a dans toutes les maisons du cul-de-sac, sauf la mienne. Pour se protéger. Nous qui vivons derrière un double portail. À Hidden Oaks, où le taux de criminalité est de zéro pour cent. Même la mère de Fee a un revolver. Mes parents, *because* canadiens, *because* statistiques, haïssaient les armes à feu et m'ont transmis cette détestation. Les simulations mensuelles à l'école – «Que faire si un tireur débarque sur le campus?» – n'ont jamais incité nos voisins à réévaluer leur point de vue sur le contrôle des armes à feu. Ils ne se sont même pas demandé où des ados dérangés se procuraient des armes puisqu'ils connaissaient la réponse: sur le râtelier du séjour ou dans la table de nuit de leurs parents. À la lecture des centaines d'articles sur des homicides conjugaux, jamais ils ne se sont demandé si, dans l'hypothèse où le mari (ou parfois la femme) n'avait pas eu accès à une arme, la victime aurait peut-être eu la vie sauve. D'ailleurs, que ferions-nous d'une arme, Fee et moi? Abattre le premier chasseur de primes venu? Voulons-nous vraiment jouer le jeu des médias? Nous ne sommes pas des tueuses. Voilà le plus important.

Nous comptons les heures qui nous séparent du retour de Javier. Il finit de travailler quand le soleil commence à baisser, nous répétons-nous. Bientôt, bientôt.

Fee et Paula ont voulu savoir ce que j'écrivais. Je leur ai dit que je venais de pondre une tirade sur les armes à feu et que, avant, j'avais reproduit le récit du révérend Jonze à la soirée d'orientation.

Fee a posé sur moi un regard accusateur.

— Tu m'avais promis de ne rien dire à ce sujet. Quel est le rapport, de toute façon?

— Le rapport saute aux yeux, ai-je répliqué. Comment peux-tu être aussi aveugle?

— Oh mon Dieu, Rory. C'est gênant.

— Pour Jagger Jonze?

— Pour nous tous.

— Je ne vais pas garder le silence sur lui, Fee. Je vais tout raconter. Absolument tout.

— Nous allons passer pour une bande de putains.

— Mais non.

— Et tu ne peux pas raconter ce que tu crois qu'il y a eu entre Jinny et Jagger parce que… Doux Jésus, Rory. Jinny? Jamais.

— J'en ai déjà parlé. En fait, j'ai surtout parlé de ça.

— Oh mon Dieu.

— C'est la vérité.

— Personne ne va te croire, a-t-elle dit.

— Ce n'est pas ça qui va m'arrêter.

— Ror?

— Quoi?

— S'il te plaît, ne répète pas ce que j'ai révélé ce soir-là. S'il te plaît, ne dis rien sur Dante.

Il y a de l'espoir. Les médias commencent à vraiment s'intéresser à Jagger Jonze. Ils scrutent son passé – et son présent – en demandant: Qui c'est, ce type? Il occupe le devant de la scène depuis seulement deux ou trois ans. Son ascension a été fulgurante, météorique même, depuis hier soir, mais, hormis le récit de rédemption qu'il a lui-même raconté, sa vie demeure un mystère. Pas de compte dans les médias sociaux avant qu'il commence à enregistrer des chansons. Pas de cote de crédit avant qu'il pulvérise les palmarès. Pas de véhicule immatriculé à son nom dans sa vie antérieure. Hum.

Une chaîne d'information a consacré une heure à la vérification des faits concernant le révérend. On n'a trouvé aucune personne répondant au nom de Merilee Magee dans les registres de la ville de Chicago et aucun Valetti n'a possédé un magasin dans la rue qu'il a décrite. Dans le quartier qu'il a lui-même désigné, on n'a trouvé personne qui se souvienne de lui. Depuis près de deux ans que son histoire est connue, il s'est hissé au sommet du palmarès chrétien et il a sa propre émission de télé, mais ce n'est que maintenant que les gens commencent à poser des questions. Pour nous, c'est de bon augure.

J'ai chaud, j'ai soif, j'ai des crampes et j'ai encore peur, mais Paula est là. Fee se sent mieux, mais elle m'en veut à cause du blogue. Dans le vrai monde, des gens vont commencer à y voir plus clair.

Je viens de recevoir une alerte : le chef de police s'apprête enfin à faire une annonce au sujet du sac Gucci découvert dans les décombres des toilettes. Fee a enfoui sa tête dans ses mains. Je T'en supplie, mon Dieu, fais que ce ne soit pas de la drogue.

Ce n'était pas de la drogue.

Ce n'était pas du rouge à lèvres fondu.

Dans le sac Gucci de Fee, il y avait un test de grossesse. Positif.

Selon la police, les analyses d'ADN confirment qu'il appartient bel et bien à Fee. Nos ennemis affirment que cette grossesse prouve hors de tout doute l'implication du Marché rouge. Nous sommes indiscutablement des coursières, mais, en plus, l'une de nous a été payée pour avoir un bébé au profit du cartel international de la mafia qui en fait le trafic. Évidemment, tout le monde s'interroge sur la signification de cette découverte. Je contemple longuement la manchette : FELIZA MARIA LOPEZ, SUSPECTE DANS L'AFFAIRE DE L'EXPLOSION DE CALABASAS, EST ENCEINTE.

J'ai levé les yeux et, à mon visage, Fee a tout de suite su ce que disaient les actualités. Au sien, j'ai compris que c'était la vérité.

Ça, je ne l'avais pas vu venir.

Nous nous sommes regardées, Fee et moi.

Paula promenait ses yeux de l'une à l'autre.

— Ils trouvent une chose mauvaise dans ton sac? a-t-elle enfin demandé.

Après avoir inspiré à fond, Fee a dit:

— Je voulais t'en parler, Ror. J'allais le faire.

— Parler quoi? a demandé Paula.

Fee m'a fait les gros yeux pour me supplier de me la fermer, mais je n'ai pas pu me retenir:

— Ils ont trouvé un bâtonnet sur lequel Fee a fait pipi. Elle va avoir un bébé.

— *Embarazada?* s'est étonnée Paula en utilisant le mot espagnol pour «enceinte». Tu parais pas.

Fee m'a foudroyée du regard avant de se tourner vers Paula.

— Mais c'est la vérité.

Comment est-ce possible? me suis-je demandé. Et pourquoi ne m'avait-elle rien dit? Comment, d'abord, avait-elle pu avoir des relations sexuelles sans m'en parler? Et quand elle s'était crue enceinte, pourquoi ne m'avait-elle pas confié son secret?

— Qui est le père? ai-je lâché.

— Aucune importance.

— Euh. Ça se discute.

— Je ne veux pas lui causer d'ennuis.

— Ben, tu es mineure, alors...

— Justement.

— Il est mineur, lui?

— Non, Rory. Il est là, le problème.

— Je suis d'accord, Fee. Il est là, le problème.

— Stop. Tu vois pourquoi je ne t'ai rien dit?

— C'est qui?

— Mêle-toi de tes affaires.

Ça me regarde, moi aussi.

— Fee?

— Rory.

— Fee?

— Je ne vais pas parler de lui.

— Je le connais?

— Stop.

— Qui es-tu, Fee? Hier, tu étais ma meilleure amie et aujourd'hui tu es une adolescente enceinte avec un petit ami secret?

— Je suis toujours ta meilleure amie. Et il n'est pas mon petit ami. Rien à voir. Ce n'est pas comme ça.

— C'est comment, alors?

— Stop.

— C'est juste que… Je te connais. Je sais tout de ta vie. Si tu n'es pas à l'école, tu es avec moi et les autres filles de la Ruche. Ton emploi du temps ne te laisse pas d'occasions de rencontrer des garçons et encore moins de coucher avec eux. C'est forcément quelqu'un que je connais.

— Je ne te le dirai pas, Rory. Désolée. Je ne peux pas. C'est impossible.

Paula, en caressant le bras de Fee, a changé de sujet:

— Tu peux aller à l'école quand tu as un bébé?

— Je ne vais pas quitter l'école secondaire.

— Ta maman peut élever?

— Ma mère! s'est écriée Fee en se couvrant le visage. Mon Dieu! Elle doit être à l'agonie. Elle n'est peut-être pas au courant. Tu crois qu'elle est au courant?

Je n'avais toujours pas dit à Fee que Morena risquait l'expulsion. Là, le moment était particulièrement mal choisi. Mais sa mère avait entendu l'annonce des agents fédéraux, c'était l'évidence même.

— Elle va comprendre.

— Non.

— Elle aimer les bébés? a demandé Paula avec espoir.

— Pas vraiment, a répondu Fee.

— Comment feras-tu pour élever un bébé toute seule, Fee? ai-je demandé.

— Je ne vais rien faire de tel.

— Tu donner à adopter? a demandé Paula.

Fee a secoué la tête.

Même Paula, du haut de ses dix ans, a compris.

— Je vais faire le nécessaire, a dit Fee d'un ton posé.

Se laissant aller contre le mur de la remise, Paula a rangé le jeu électronique dans le sac à dos. La partie de plaisir – si l'expression convenait aux circonstances – était terminée.

— Tu veux dire...? ai-je commencé.

— Oui.

— Oui?

— Oui.

J'avais conscience de me raccrocher à un faux espoir. J'étais incrédule. Ça, en plus du reste?

— Ces tests ne sont pas tous fiables, Fee, ai-je dit. Où l'as-tu acheté? Il faut une pièce d'identité pour obtenir un test de grossesse. C'est pour ça que tu es allée à Cerritos?

— Oui.

— Et alors?

— Je suis enceinte, Ror.

— Et tu as attendu? Tu as attendu vendredi pour faire le test, je veux dire? Tu as attendu vendredi pour pisser sur un maudit bâtonnet?

Elle a haussé les épaules.

— J'avais l'intention de faire comme si de rien n'était. D'attendre la semaine prochaine, après le bal et tout le reste. Mais je me suis regardée dans le miroir, hier. Je suis toute bouffie. Il fallait que j'en aie le cœur net.

— Pourquoi as-tu mis ce bâtonnet dans ton maudit sac?

— J'ai fait le test juste avant d'aller chez Jinny. Je n'ai pas voulu le jeter à la poubelle parce que j'avais peur que ma mère le trouve. Mon sac était là. Qui aurait pu prévoir la suite?

— Mon Dieu. Pourquoi tu ne m'as rien dit?

— Je ne voulais en parler à personne. Jamais, a-t-elle dit en pleurant enfin librement. J'ai prié pour faire une fausse couche. C'est mal?

Paula a sorti un des t-shirts du sac pour que Fee puisse se moucher.

— Ne t'en fais pas, ai-je dit. Je comprends.

Paula a hoché la tête pour signifier qu'elle comprenait, elle aussi.

— Le père est-il au courant? Il sait maintenant, je veux dire, mais lui as-tu téléphoné après avoir fait le test?

Le menton de Fee s'est mis à trembler.

— Qu'est-ce qu'il a dit?

— Il n'était pas très heureux.

Heureux.

— Je suppose que non.

— En fait, il est furieux.

— Contre toi?

— Contre la situation.

— Bien sûr. Vous ne vous êtes pas protégés? Désolée, mais…

— Pas ça. Ne me juge pas, je t'en supplie.

— Tu es au courant depuis hier seulement, et tu as déjà décidé de te faire…

Je n'ai même pas pu me résigner à prononcer le mot.

Elle a levé les yeux.

— Ma décision est prise. Et alors?

— Rien.

— Tu ne peux pas t'y opposer. J'ai lu ton blogue. Tu te souviens?

— Tu as fait part de tes intentions au père?

— Nous nous sommes mis d'accord.

— Très bien, dans ce cas.

Paula s'est levée pour jeter un coup d'œil par la fenêtre. Elle ne voulait plus entendre parler de la grossesse de Fee.

— Le vent fort, a-t-elle annoncé.

Brusquement, Fee s'est énervée.

— L'ADN? Vont-ils pouvoir identifier le père?

— Je ne sais pas. Mais je ne crois pas.

Soudain, tous les mâles avec qui nous avions été en contact ont défilé dans ma tête. Nos voisins de Hidden Oaks. Les employés de l'école. Le tatoué d'iPhone Fix? Nan. Rien ne collait. Qui avait bien pu engrosser ma meilleure amie? Le seul candidat que je pouvais rayer de la liste sans le moindre doute était Dante, le cousin de Fee. D'abord *because* cousin, ensuite parce que, hormis l'aller-retour de vendredi, Fee n'a pas mis les pieds à Cerritos depuis juillet. Elle serait enceinte de cinq mois, ce qui n'est manifestement pas le cas.

— Je voulais garder le secret. Et maintenant, tout le pays est au courant.

— Ouais.

— Et si... Tu sais... Quand je... Tout le monde va être au courant.

— Ouais.

— Je pourrais dire que je l'ai perdu.

— Perdu? a fait Paula, déroutée.

— Fee?

— Tout le pays est au courant pour moi, mais s'ils trouvent qui est le père... Oh mon Dieu, a dit Fee. S'il lui arrive quelque chose, j'en mourrai.

— Tu ne vas pas mourir. Quant à lui, il n'aura que ce qu'il mérite.

— Il ne mérite pas de perdre tout ce qu'il a bâti, Rory. Absolument pas.

Tout ce qu'il a bâti... C'est à ce moment que la lumière s'est faite dans mon esprit. Jagger Jonze. Oui. C'est pour ça qu'elle l'a défendu et qu'elle a refusé de croire que Jinny ou Jagger tentait de nous incriminer, et encore moins qu'ils avaient des rapports intimes. Pendant toute la soirée d'orientation, le révérend avait carrément baisé Fee du regard. Oh mon Dieu. Était-ce lui, le père?

— Tu protèges un type qui ne fait rien pour te protéger, Fee. Tu le comprends, ça, non?

— Je ne veux plus en parler.

— Fee… ?

Je me suis lancée :

— C'est Jagger Jonze ?

— Quoi ?

— Jagger Jonze est-il le père de ton bébé ?

— C'est de la folie, a-t-elle répondu en enfouissant son visage dans ses mains.

— C'est fou, j'en conviens. Mais est-ce vrai ?

— Stop.

— Tu peux me le dire, Fee.

— Laisse-moi tranquille, Rory. S'il te plaît.

Je l'ai laissée tranquille. Depuis, je reste là, triste, furieuse, déboussolée. Fee sanglote et je ne peux pas lui dire de faire moins de bruit *because* grossesse et avortement. Paula la réconforte et, dans l'immédiat, je n'ai tout simplement pas la force de me joindre à elles. Adorable, presque maternelle, non, carrément maternelle, Paula flatte les cheveux de Fee, lui répète que tout va s'arranger.

Paula a dix ans. J'adore cette petite. Grave.

Jagger Jonze. J'ai tourné et retourné la question dans ma tête. Se pourrait-il que le père du bébé de Fee soit le salaud malfaisant que j'ai filmé en train d'enculer Jinny Hutsall, le même taré qui a mis en scène l'incident du stationnement et placé la bombe dans les toilettes ? Celui qui, lors de la soirée d'orientation, s'est montré tellement, *tellement* bizarre ?

Depuis le début, je pense que Jagger et Jinny veulent ma mort à cause de ce que j'ai vu dans la chambre de Jinny. Mais peut-être que je n'y suis pas du tout.

Si ça se trouve, ils ne le savent même pas. Peut-être que je n'ai rien à voir là-dedans. Peut-être que Jinny est seulement le jouet de Jagger. Et qu'elle cherche à le protéger. Peut-être que Jagger a eu besoin de l'aide de Jinny pour se débarrasser de Fee et de son zygote. Peut-être que je suis une simple victime collatérale.

Revenons à la soirée d'orientation. Bouclez votre ceinture parce qu'il s'en est passé, des choses. Après l'allocution chargée d'émotion de Jagger, nous avions hâte de larguer nos pères et d'aller chez Jinny pour notre fameuse discussion à cœur ouvert. Nous voulions passer à la maison et enfiler quelque chose de joli avant de nous retrouver, mais le révérend a expressément exigé que nous gardions nos uniformes scolaires et que nous laissions nos téléphones dans le panier posé près de la porte principale des Hutsall. OK. Bon, pas OK du tout, mais OK.

Chez Jinny, nous nous sommes comme d'habitude étalées sur le canapé modulaire du séjour et, en sirotant la limonade qu'elle servait invariablement, nous avons attendu que Jonze descende de l'étage, où il était engagé dans une longue et bruyante discussion avec M. Hutsall. J'ignore de quoi il s'agissait, mais, à la lumière des questions soulevées dans les actualités sur les liens financiers entre Jonze et le père de Jinny, ils parlaient sans doute d'argent.

Enfin, le révérend est entré dans la pièce. Il avait moins l'air d'une rock star que sur la scène. Sa façon de me dévisager, de nous regarder toutes, en fait, ne m'a pas plu du tout, surtout qu'il n'y avait pas d'autre adulte dans la pièce. Et je n'avais aucune envie de relayer l'histoire de Jagger dans mon blogue. Je suppose que, déjà, je n'en croyais pas un mot. J'aurais dû partir, mais je ne l'ai pas fait. Je me rends compte qu'il ne suffit pas de se poser des questions sur soi. Il faut aussi y répondre. Creuser. Dès que tout sera terminé, ce sera ma nouvelle ligne de conduite.

Jonze nous a rejointes sur le canapé modulaire. Au début, il s'est contenté de laisser Jinny et les autres filles louer son extraordinaire récit de rédemption, lui dire que son interprétation de *Gloire à Dieu pour les jeunes Américaines* les avait fait pleurer à torrents. Ayant remarqué mon silence, Jagger dardait sur moi de fréquents regards, non pas concupiscents comme ceux qu'il posait sur Fee et les autres, mais plutôt menaçants. Et il regardait tout le temps un point précis dans la bibliothèque. Sans doute y avait-il dissimulé une caméra pour filmer toute la scène. Ça me semble évident, après coup.

— Révérend Jagger? ai-je fait. La tombe de Merilee doit être couverte de fleurs. Je parie que des gens s'y recueillent en permanence.

— Comment? a-t-il répondu.

— Vous savez quoi, les filles? s'est écriée Dee. Elle est enterrée à Chicago, non? On devrait y aller! On devrait s'y rendre en voiture, en faire un *roadtrip* et déposer une énorme couronne sur sa tombe.

— Faire le voyage en voiture jusqu'à Chicago? Nous en aurions pour une semaine, ai-je souligné.

L'idée semblait emballer toutes les filles, sauf Jinny.

— J'aimerais beaucoup lui présenter mes respects, révérend Jagger, a déclaré Zee. Je la sens proche de moi. Ce soir, je sens son esprit parmi nous.

Jagger Jonze s'est éclairci la voix en ignorant la question sur la tombe de Merilee.

— Ici, entre nous, vous pouvez m'appeler Jagger, les filles. Je tiens à ce que vous vous sentiez libres de vous ouvrir, et il arrive que le «révérend» se mette dans le chemin. Je suis un homme. Seulement un homme.

Ce n'était que trop vrai. Au vu des circonstances.

Ensuite, il a cité des versets de la Bible sur les femmes. Je ne l'écoutais pas parce que je ne suis ni une chrétienne ni une ménagère des années 1930 et qu'on me rebat déjà les oreilles avec ces histoires à Sacré-Cœur. Sans compter que, après son récit de drogue et de viol, c'était ennuyeux comme la pluie. Puis il a remarqué que Delaney se grattait les jambes. Elle est allergique à la laine et doit prendre du Benadryl chaque fois qu'il lui faut subir l'uniforme.

— Ça ne va pas, Delaney? a-t-il demandé.

Delaney était si amoureuse de lui qu'elle avait peine à lui parler et à le regarder. Elle lui a dit que, parce que c'était le week-end, elle avait oublié de prendre ses antihistaminiques.

— J'en suis désolé. Je vous ai demandé de porter votre uniforme parce qu'il vous met toutes sur un pied d'égalité. Vous comprenez, les filles?

Nous ne comprenions pas. Nous comprenions, en réalité, mais nous abhorrons l'uniforme et nous ne voyions pas pourquoi il avait fallu le porter pour l'orientation.

Ensuite, Jonze m'a regardée droit dans les yeux et a dit:

— Selon le pasteur Hanson, tu t'opposes à la mesure des jupes. Il paraît que ta mère a déposé une plainte.

— Nous étions en première année. Et ce n'était pas exactement une plainte.

Pourquoi minimisais-je l'importance de la démarche?

— Tu t'es plainte à ta mère, a lancé Jinny, et depuis, le pasteur Hanson doit s'abaisser à porter des gants en latex.

Démasquée.

— Ouais, bon, d'accord. Je pense que la mesure des jupes est une pratique dégoûtante et sexiste.

J'allais aborder le fémur, mais Jagger m'a coupée.

— J'ai lu ton blogue.

— Vous avez lu mon blogue?

Je n'étais pas trop rassurée.

— Le pasteur Hanson m'a envoyé le lien. Tu sais ce que dit l'épître à Timothée à propos de l'obligation pour les femmes de se vêtir avec pudeur? Tu as lu le passage?

J'ai hoché la tête.

— Mais qui décide de ce qui est pudique?

Zara a poussé les hauts cris.

— Ne joue pas les païennes ce soir, tu veux? Tu aurais peut-être dû rester à la maison et tu devrais peut-être même renoncer au bal, toi qui ne peux t'empêcher de tout critiquer.

— Non, Zara, a dit Jagger. J'aime les défis. Et j'aime les païens. C'est vrai. Ils nous forcent à réévaluer nos valeurs et à réaffirmer notre engagement envers le Seigneur Jésus-Christ. Chaque blasphémateur que je croise consolide ma foi.

Puis il s'est mis à fulminer contre les femmes qui portent des pantalons de yoga et des minijupes et des cuissardes et des débardeurs et des t-shirts moulants – ce qu'on appelle communément des vêtements –, et c'était hilarant dans la mesure où lui-même arborait un t-shirt si serré qu'il laissait voir ses mamelons. Et un jean si ajusté qu'on voyait ses parties intimes. Il porte à gauche. Je n'en dirai pas plus.

Une fois de plus, j'aurais sans doute dû rentrer ou fermer ma grande gueule, mais il m'avait ouvert la porte et j'en ai profité pour contester son idée voulant que les femmes qui ne s'habillent pas avec pudeur méritent qu'on leur manque de respect en les sifflant ou en les soumettant à des abus encore plus graves.

— Je ne vois pas pourquoi nous, les filles, serions responsables de ce qui se passe dans le pantalon d'un garçon, ai-je dit. Nous sommes féministes, révérend, et nous sommes d'avis que les garçons doivent apprendre à dominer les réactions que nos corps leur inspirent.

Jinny a ri comme si c'était l'idée la plus ridicule du monde.

Comme les autres gardaient le silence, j'ai poursuivi :

— Exprimer notre sexualité au moyen de nos vêtements, de la musique que nous écoutons, de nos lectures ou de nos écrits ne fait pas de nous des prostituées.

— On peut dire que tu en as, des opinions, a dit Jagger. Je t'écoute.

Consciente que j'allais me faire incinérer, Brooky a essayé de jouer les pompières :

— Ce que veut dire Rory, c'est que nous ne cherchons pas à provoquer. Nous sommes seulement nous-mêmes, vous comprenez ?

— Je comprends, Brooklyn, a-t-il dit.

Passant la tête par l'entrebâillement de la porte, M. Hutsall a annoncé qu'il partait pour l'aéroport. Un voyage d'affaires urgent. Hum. Aucun des frères n'était à la maison. Que la Ruche et le révérend Jagger Jonze.

Je commençais à bouillir intérieurement, mais j'ai tenté de m'expliquer :

— Au nom de quoi, en devenant des êtres sexués, devrions-nous nous sentir coupables, salopes ou impures ?

— Feliza, c'est ça ? a fait Jagger Jonze en me délaissant au profit de Fee. Tu comprends, toi, pourquoi la pudeur est importante aux yeux de Dieu ?

Fee a écarquillé les yeux.

— Vous voulez une citation de la Bible ?

Jagger a ri, à la fois charmant et hypocrite.

— La pudeur féminine est importante aux yeux de Dieu parce que…

Fee a entrouvert ses lèvres magnifiques et produit une réponse boiteuse :

— Parce que nous sommes Ses enfants ?

— Oui, et… ?

Zara avait son idée.

— Je pense que Dieu nous a donné notre corps, genre, et le pouvoir sexuel, genre, et tout et tout, et qu'il est mal et irrespectueux de le gaspiller, genre. Aux yeux de Dieu, je veux dire. Alors oui. La pudeur. Je pense.

Jagger Jonze l'a gratifiée d'un large sourire.

— Bien dit, Zee !

D'abord… Bien dit ? Ah bon ? Et, en plus, ne venait-il pas de l'appeler Zee, comme s'il était de la Ruche ?

Jinny est enfin intervenue :

— J'ai essayé d'expliquer à Rory pourquoi Dieu tient à ce que nous soyons pudiques. La semaine dernière, elle est allée aux Commons en short et en bottes d'équitation. Sans blague.

J'avais accompagné Brook aux écuries. C'est la véritable écuyère de la bande, même si nous savons toutes monter à cheval. Comme tous les riches. (Dégueu, je sais.)

— Si je porte des bottes au centre commercial, qu'est-ce que je dis, au juste? ai-je demandé.

— Que tu proposes un tour de manège, a répondu Jonze.

Nous avons ri.

— Et si je ne vends pas de billets?

— Tes vêtements laissent croire que la balade est gratuite.

— Vous accordez trop de pouvoir à mes vêtements, ai-je dit. D'ailleurs, comment se fait-il que ce sont les hommes qui décident de leur sens?

— Les hommes sont visuels. Qui me donne raison? Levez la main.

Il a esquissé un autre sourire hypocrite.

Nous avons toutes levé la main.

— Alors, quel est ton but? Si tu t'habilles de façon suggestive, un homme va inévitablement y voir une suggestion.

— Justement, ai-je répliqué. Tout ce que je fais, c'est affirmer ma sexualité. Je n'envoie pas une invitation.

— Mais pourquoi cette affirmation? Penses-y un peu, Rory. Ne réponds pas de façon impulsive. C'est comme si tu abordais un garçon pour lui proposer des faveurs sexuelles et que, au dernier moment, tu disais: «Poisson d'avril! C'était seulement pour rire.» Tu ne ferais pas ça, n'est-ce pas?

— Ce serait digne d'un trou du cul.

— Pourtant, c'est l'effet qu'ont tes vêtements.

— Mes vêtements sont des trous du cul?

— Pour l'amour du ciel, Ror! s'est récriée Zee.

— Non, laisse, Zara. Nous sommes là pour ça. Pour avoir une vraie discussion. Tout ce que je dis, Rory, c'est que si tu t'habilles comme une putain, les hommes vont te traiter comme une putain.

— Je ne dirais pas que j'étais habillée comme une putain. Je portais un short parce qu'il faisait quarante et un degrés et des bottes d'équitation parce que nous rentrions des écuries. Et, pendant qu'on y est, que faites-vous du respect pour les putains? Même Jésus avait du respect pour les putains.

— On pourrait éviter le mot *putains,* s'il vous plaît? a demandé Dee.

— C'est de la publicité mensongère, a déclaré Jagger Jonze.

— Si tu tiens tellement à t'habiller comme une putain, qu'est-ce que tu fais ici? a demandé Jinny.

— Assez de *putains,* a dit Delaney. Il n'y a pas de putain, ici. C'est un mot que nous employons pour rigoler. Là, on dirait que c'est sérieux.

— Qui décide où est la limite? ai-je insisté, de plus en plus énervée. Qui décide que j'ai l'air d'une «putain»?

J'avais tracé des guillemets dans les airs.

— Toi, Rory. Et tu le sais très bien. Ne joue pas les idiotes, a dit Jagger Jonze.

Brook a tenté de me justifier:

— Ses parents sont canadiens.

— Tu te souviens des jupes que nous avons achetées au H&M, Ror? a lancé Zee. Elles étaient super suggestives. Nous étions toutes d'accord. Et nous étions parfaitement conscientes de l'image que nous projetions.

— Ce que dit Jagger, genre, a déclaré Brook, c'est, je pense, qu'il faut y aller mollo. Pas la peine de s'énerver.

— Tu entends faire le vœu de chasteté, Rory, n'est-ce pas? C'est pour cette raison que tu es ici, non? a-t-il dit.

Je me suis tortillée.

— Ouais.

Il savait que je n'étais pas sincère. Mais bon, je n'étais pas le seul imposteur dans la pièce.

À ce moment, Jinny a reçu un coup de fil – même si, en principe, nous devions laisser nos appareils dans le panier – et elle a déclaré qu'elle devait faire une mystérieuse course pour son frère qui ne l'était pas moins.

Elle partait? Quoi? Elle allait laisser les membres de la Ruche initiale seules avec ce type?

À ce stade, Jonze a promis que rien de ce que nous dirions ne sortirait de la pièce et nous a encouragées à faire preuve d'honnêteté, sans filtre. Il a ajouté qu'il était là pour s'inspirer de nous: mieux il nous comprendrait, mieux il réussirait à faire passer le message d'abstinence de Jésus. Je peux me tromper, mais il me semble que, dans la Bible, Jésus ne dit rien sur l'abstinence. Et je ne parle même pas des rumeurs selon lesquelles il s'envoyait en l'air avec Marie-Madeleine sans lui avoir passé la bague au doigt. Alors.

— Vous devez savoir que le bal a pour but de vous rendre responsables de vos actes, envers vous-mêmes et envers Dieu, a déclaré Jagger Jonze avant de marquer une pause. Vous pouvez vous exprimer sans crainte. C'est un rite fondé sur l'engagement. Votre vœu a pour effet de vous rendre votre virginité. Alors. Que celles qui sont vierges lèvent la main.

Nous avons toutes levé la main.

— La vérité, vous vous rappelez? a-t-il demandé en s'efforçant de masquer son irritation. Nous devons être honnêtes. Qui est vierge, ici?

Nous avons toutes les cinq réaffirmé notre pureté.

— Vous n'avez pas de petit copain? a-t-il demandé en regardant Fee droit dans les yeux.

Nous avons secoué la tête.

— Cinq filles du secondaire aussi sexy que vous?

Bizarre, tout de même, de l'entendre dire que nous étions «sexy».

— Sacré-Cœur, a expliqué Brooky. C'est la ceinture de chasteté des écoles.

— Nous passons nos journées à l'école, a dit Zara, puis c'est la musique ou les sports et ensuite les devoirs. Pareil les week-ends avec, en plus, l'église le dimanche. Et aussi le temps entre filles. Même si nous voulions sortir avec des garçons, nous n'aurions pas de temps à leur consacrer.

— Nous connaissons seulement mon frère et quelques-uns de ses amis, a ajouté Brook. Chase, Kyle et les musiciens du groupe de Miles. De toute façon, entre l'école et l'athlétisme, je suis beaucoup trop prise.

— Mais ne dites rien à nos pères, a fait Dee. Ils vont penser que nous participons au bal uniquement pour la robe.

— Et ce n'est pas le cas?

Nous avons secoué la tête. Sacrées menteuses.

— Vous avez de la chance, a déclaré Jagger Jonze. Ce sera moins dur pour vous que pour les filles qui sont davantage soumises à la tentation. Dans certaines écoles que j'ai visitées… disons que Dieu met ces pauvres filles à l'épreuve à tout instant.

— Mes parents sont cent pour cent d'accord pour que je participe au bal, peu importe ce que ça coûte, a dit Zara. Ils ont peur que je tombe enceinte, un de ces jours. C'est arrivé à la sœur aînée de ma mère, et la famille l'a carrément reniée.

— Parle-nous de tes expériences, Zee, a dit Jagger Jonze. De tes expériences sexuelles.

Zara, qui a toujours quelque chose à dire, s'est contentée de secouer la tête.

— Tu ne peux pas passer ton tour, a décrété Jonze. Ça ne fait pas partie des règles.

— Et le type qui t'a pelotée pendant la croisière Disney, en première année du secondaire? lui a rappelé Dee. Huston?

Depuis deux ans, Zee nous rebattait les oreilles avec Huston Bandey – le surnom que lui donnait la Ruche – et la croisière Disney. Ses textos si chauds qu'elle refusait de nous les montrer. Avec un large sourire, elle fixait l'écran de son téléphone et disait: «Quel pervers, ce Huston» ou «Huston me réclame encore des photos».

— Ouais, a ajouté Brooky. Parle-nous de Huston.

Zee a pris une profonde inspiration.

— Il n'existe pas.

Nous étions incrédules. Zara a fait cet aveu à Jagger en évitant de nous regarder.

— Je pensais à ce que vous avez dit à propos de Dieu qui aime l'honnêteté. Alors je veux être honnête. J'ai inventé le Huston de la croisière Disney. Rien de tout ça n'est vraiment arrivé.

Jagger a hoché la tête et Zara a poursuivi:

— J'ai inventé Huston à cause du garçon qui a fourré sa langue dans ton oreille à Maui, Dee, et du claviériste de Lark's Head que tu as embrassé avec la langue, Brook! Je… Je ne voulais pas être en reste.

— J'apprécie ta franchise, Zara, a dit Jagger Jonze. Dieu aime ta vérité.

Zara a joint les mains sur ses genoux en battant des cils.

Se penchant, il lui a serré le bras avant de se tourner vers Brook.

— Alors, tu as embrassé le claviériste de Lark's Head avec la langue, Bee?

— Oui, mais elles m'avaient mise au défi. Et je l'ai fait seulement avec les lèvres. J'avais peur que mon père ou mon frère me voie.

— Mise au défi, Bee? a dit Delaney. C'est plutôt toi qui as dit: «Mettez-moi au défi de l'embrasser avec la langue!»

Jagger Jonze s'est ensuite tourné vers Fee.

— Fee?

— Rien, je vous assure.

Je commençais à me faire chier. OK. Fee? Rien. Moi? Rien. Terminée, la discussion à cœur ouvert. Sauf que Jagger avait du mal à avaler la réponse de Fee.

— Tu aimes Dieu, Feliza, a dit Jagger Jonze.

— Oui.

Il a souri et, après m'avoir décoché un clin d'œil, il a dit:

— Tu n'es pas une païenne comme ton amie?

Elle a secoué la tête.

— Tu aimes Dieu, donc. Et je suis un homme de Dieu. Et tu sais ce que Dieu aime par-dessus tout? La vérité.

— La vérité?

Fee a regardé les autres filles, l'une après l'autre, en évitant de croiser mon regard. Puis elle a pris une profonde inspiration.

— J'ai fait des choses avec mon cousin Dante, l'été dernier, chez mon *abuela*.

De quoi? Merde alors. Jagger Jonze s'est perché au bord du canapé.

— Ton cousin?

— Il n'est pas vraiment mon cousin, mais c'est mon *abuela* qui l'a élevé. Il n'y a pas d'inceste.

— Quel âge a-t-il, ce Dante? a demandé Jagger.

J'étais sidérée. Non par ce qui était arrivé. Mais parce qu'elle ne nous avait rien dit. Même pas à moi.

— Dix-neuf ans.

— Il t'a obligée?

La concentration de Jagger Jonze était totale.

— Non, non.

— Il ne t'a pas du tout forcé la main?

La voix de Jagger, aussi suave que du pudding, était dénuée de toute forme de jugement. On avait le sentiment de pouvoir parler sans crainte. De pouvoir tout dire.

— Nous couchons sur des lits de camp sous la véranda. Il a cru que je dormais.

Fee est tout à coup devenue timide.

— Il a cru que tu dormais et...?

— Et il a commencé à... euh...

— Il a commencé à quoi, Fee? a insisté Jagger, même si, de toute évidence, il connaissait la suite.

Dieu merci, Jinny Hutsall n'était pas là. Fee ne se serait jamais confessée devant la juge Jinny. Mais pourquoi Jinny était-elle partie? La vraie raison, je veux dire? Pourquoi avait-il fallu qu'elle aille soudain chercher son frère? Une panne de voiture? Pourquoi, dans ce cas, n'a-t-il pas appelé un garage ou un service de Mini-Héli ou de voiturier? Je suppose que j'étais trop absorbée par les événements pour me poser la question, mais maintenant?

Jinny savait-elle qu'il nous filmait? Dans l'intention de nous faire chanter, nos parents ou nous? Jinny était-elle de mèche avec lui? Jagger espérait-il que l'une de nous allait avouer une grossesse ou un avortement? Pensait-il avoir vent d'autres actes répréhensibles qui lui permettraient de dénoncer de nouvelles conspirations liées au Marché rouge? Nos tendres petits secrets étaient-ils des épées de Damoclès suffisantes?

Il nous filmait. J'en suis sûre, désormais. De temps à autre, il jetait un coup d'œil à la bibliothèque pour s'assurer que le voyant rouge de sa caméra était allumé. Oui. Jinny s'était retirée parce que, avec elle, jamais les filles ne se seraient ouvertes. Et nous nous sommes bel et bien ouvertes. Telles des fleurs.

Jagger s'est rapproché de Fee sur le canapé.

— Il se touchait?

On aurait dit une émission de télévision: le bon policier, à la fois aimable, doux et compréhensif, interrogeait un témoin.

— Tu peux me dire la vérité, Fee. Nous sommes là pour ça. Et rien ne peut me choquer. Absolument rien. Dieu pardonne tout.

Fee était prête à tout déballer.

— Je voyais son ombre projetée sur la moustiquaire.

— Tu t'es approchée?

Elle a hoché la tête.

— Et ensuite?

— Je me suis assise au bord du lit.

— Il a continué de se toucher?

— Il... a pris ma main. Il m'a montré comment on fait.

Merde. Juste... merde. J'en tremblais.

— Tu l'as embrassé en le touchant?

— Oui.

— Tu l'as laissé te toucher?

— Oui.

— Où?

— Je n'aurais pas dû.

— Où t'a-t-il touchée?

— Sous mon haut de pyjama.

Fee a éclaté en sanglots.

— Ce n'était pas de l'inceste, hein?

— Dieu respecte ta franchise, et Dieu te trouve courageuse de te soumettre au jugement de tes amies.

Il a tapoté le genou de Fee, mais il était aussi impatient que nous d'entendre la suite.

— Et après?

— Nous avons entendu mon *abuela* ouvrir la porte de sa chambre. J'ai couru jusqu'à mon lit, mais je suis sûre qu'elle s'est doutée de quelque chose parce qu'elle m'a obligée à aller dormir avec elle. Et elle m'a regardée de travers jusqu'à la fin de mon séjour.

Fee nous avait caché des choses, avait feint d'être aussi inexpérimentée et naïve que nous. Ma meilleure amie avait caressé une queue et ne m'avait rien dit. J'avais envie de cracher.

— Mais encore, Fee? Tu as d'autres expériences à raconter?

Je me suis blindée, certaine qu'elle allait révéler que, à douze ans, nous nous étions embrassées à des fins d'apprentissage. Ou que nous avions soulevé nos chemises devant le gardien de sécurité de la pharmacie. Malibu Sunset. C'étaient nos secrets. À nous deux.

— Vous prêchez aussi l'abstinence aux garçons, Jagger Jonze? ai-je lâché.

— Je prêcherais volontiers la chasteté aux garçons, Rory, a répondu Jagger, mais jamais des adolescents n'accepteraient de participer à un bal de la pureté avec leur mère. Ils n'en verraient tout simplement pas l'intérêt. C'est donc par votre intermédiaire que Dieu s'exprime.

D'une voix tremblante, Fee a demandé:

— Notre virginité est-elle vraiment si importante pour notre futur mari?

— Elle sera importante pour ton mari, Fee, je t'assure. Et pour Dieu, elle est essentielle.

Je me décide.

— C'est vrai ce que vous avez dit pendant la soirée d'orientation? Vous ne… vous n'avez… jamais?

— Je suis abstinent. Chaste. Je le jure devant Dieu.

— Plaisir solitaire compris? ai-je poursuivi.

Effrontée. Drôlement effrontée.

— Je ne me touche jamais, a-t-il affirmé.

— Jamais?

Brooky semblait sceptique.

Il a vu à nos visages que nous ne le croyions pas. Nous ne sommes pas nées de la dernière pluie. Nous avons Internet. Nous savons que les garçons éjaculent cent fois par jour. Même les chrétiens.

— Vous n'éprouvez donc jamais de... vous savez bien...? a insisté Delaney.

— De pulsions? Mais bien sûr, Dee. Plusieurs fois par jour, même. C'est ce qu'on appelle la tentation.

— Vous avez des pulsions en ce moment? ai-je demandé.

Voulais-je vraiment le savoir? Grisée par cette discussion, je jouais avec le feu. Je me rends compte à présent – comme j'aurais dû le faire dès le lendemain de cette soirée (je m'étais réveillée avec un mal de tête carabiné) – que Jinny Hutsall, ou un complice, avait mis quelque chose dans la limonade.

— Seulement en venant ici, j'ai été visité cinq fois par de telles pulsions, a répondu Jagger en riant.

Nous étions cinq – six avec Jinny. J'étais relativement certaine d'être celle qui n'avait pas été retenue.

Je ne l'ai pas lâché.

— Je... Vous êtes donc fait... en bois mou?

Les filles ont pouffé de rire. Elles ne m'en ont pas voulu parce que c'était drôle.

Jagger s'est brusquement tourné vers moi.

— Je suis fait en acier. Voilà. Ma force me vient de mon Créateur.

— Mais l'acier, vous ne le polissez donc jamais? ai-je dit.

La question a provoqué une nouvelle vague d'hilarité chez les filles.

— Tu me traites de menteur?

Il avait pris un air de voyou.

Nous avons toutes cessé de rire.

— Rory, franchement…, s'est écriée Zara. Si Jagger dit qu'il ne fait pas ça, c'est qu'il ne fait pas ça, point final.

— C'est juste que… quand vous avez une… vous savez… Ne devez-vous pas faire quelque chose pour… y remédier? ai-je repris.

Dee aussi était intriguée.

— C'est-à-dire, est-ce que ça fait… mal? Si vous ne… vous voyez… n'évacuez pas la vapeur?

Jagger tournait la tête d'un côté et de l'autre, visiblement irrité, très irrité.

— On peut être soulagé sans se toucher, a-t-il dit. On n'a rien à faire. Ça… arrive, voilà tout. Par l'intercession de Dieu.

— Vous voulez dire que c'est Dieu qui vous branle? ai-je dit.

Les filles ont une fois de plus explosé d'un rire nerveux, mais je n'avais pas eu l'intention d'être drôle. J'étais fascinée. Dieu semblait toujours farouchement opposé au sexe, sauf aux fins de la procréation. Jagger Jonze, lui, laissait entendre qu'Il mettait la main à la pâte, si j'ose dire. Et ensuite… Quoi? Dieu le conduisait à l'orgasme par le truchement de la prière? Bon, d'accord.

— Mon Dieu, Rory, a dit Brooklyn en riant toujours. Ce n'est pas ce qu'il a voulu dire. Ce n'est pas ce que vous vouliez dire, hein?

Nous faisions celles qui passent tous leurs samedis soir à parler de cul avec un révérend célèbre.

— Oui, c'est bien ce que j'ai voulu dire, a-t-il répondu.

— Donc, vous restez là, à ne rien faire, à ne rien faire du tout, et paf! ça arrive? s'est étonnée Brooklyn.

— Je laisse Jésus tenir le gouvernail.

Dans le cas présent, le gouvernail était sa queue, et nous avons encore ri un bon coup. Mais j'ai vite compris que Jagger, incrédule, pensait que nous nous moquions de lui. Le masque qu'il portait est tombé et il s'est aussitôt changé en voyou endurci. Il n'était pas celui qu'il prétendait être. Loin de là.

— Lève-toi, Feliza, a-t-il ordonné.

Fee a obéi.

— Tourne-moi le dos.

Elle s'est exécutée.

— Penche-toi. Non. Pas comme ça. Pas comme une putain.

Sa façon de prononcer le mot…

— Un peu. Juste un peu.

Fee a fait ce qu'il lui demandait.

Nous gardions le silence, les yeux rivés sur la fermeture éclair de son jean. On se demandait à quel moment il allait sortir son instrument. Il ne l'a pas fait.

Puis il a dit à Fee de se pencher un peu plus. Aussitôt dit, aussitôt fait. Et il a suffi d'un éclair fugace de la culotte de satin blanche de Fee sous sa jupe à carreaux pour faire enfler le pantalon de Jagger.

On évitait de se regarder. Personne n'a rien dit. Personne n'a dit: C'est mal et Que se passe-t-il ici au juste, bordel? On voulait voir la suite. Même si c'était bizarre et dégueu. Un peu comme notre obsession pour les vidéos où des gens se pètent des boutons. Il fallait qu'on voie.

Sous nos yeux, Jagger Jonze, la bouche entrouverte, les lèvres flasques, la tumescence bien visible sous le jean Cavalli serré, étudiait notre amie. Franchement, son machin s'est gonflé si vite et tressautait tellement – comme un furet sous une couverture – que j'ai jeté un coup d'œil à sa main pour voir s'il ne se servait pas d'une pompe ou d'un truc du genre.

Il regardait fixement le bout de culotte de Fee, tandis qu'on était concentrées sur son entrejambe. Fee, qui ratait tout, s'est retournée et, à la vue du renflement, a semblé plutôt surprise.

Puis, sans se toucher ni se frotter contre son jean, sans bouger un muscle, Jonze a laissé entendre une longue plainte. Une tache humide est apparue et s'est répandue – comme par miracle – sur son jean. Il a frissonné. Nous aussi.

Après, il n'a semblé ni euphorique ni soulagé. Ses traits étaient durs. Il a évité de croiser le regard de Fee. Il n'a regardé aucune de nous. Il s'est levé et a foncé vers la salle de bains la plus proche.

Nous observions un silence hébété. Paralysées, à la façon des victimes d'un cataclysme. On en voit souvent à la télé – des gens assis au milieu des décombres fumants, après un ouragan ou une explosion. Ou une expérience sexuelle particulièrement tordue. Stress post-coïtal. Voilà de quoi nous avions l'air. Pas à cause de ce qu'il nous avait fait. Il y avait de ça, bien sûr, mais nous étions ébranlées et déboussolées par ce que nous lui avions fait.

De la honte – voilà ce que c'était –, inculquée par des siècles de religion et de patriarcat? L'épigénétique, à nouveau? La honte est-elle inscrite dans l'ADN de toutes les femmes? Peut-être, malgré nos rationalisations, nos manifestations, nos certitudes, n'avons-nous pas réussi à nous défaire de l'idée que nous sommes responsables des réactions sexuelles des hommes. Se pourrait-il que la honte vienne du fait que nous le désirons secrètement, ce pouvoir?

Nous attendions le retour de Jagger, prêtes à lui présenter des excuses pour l'avoir mis au défi et soumis à la tentation, quand Jinny est rentrée, sans son frère. Il était avec sa voiture dans un garage ouvert toute la nuit, a-t-elle expliqué. D'accord. En fait, c'était cousu de fil blanc, mais après l'humiliant orgasme auquel nous avions conduit le révérend Jagger Jonze, l'invraisemblance du récit de Jinny n'était qu'une goutte de plus dans un océan de mais-voulez-vous-bien-me-dire-ce-qui-se-passe-ici-bordel?

Informée que Jagger était dans la salle de bains, Jinny a cogné à la porte. Il n'a pas répondu et il n'est pas sorti. Elle n'a pas semblé trouver ça bizarre, ce qui était en soi bizarre. À travers la porte, elle a crié:

— Les filles s'en vont, révérend! Merci pour tout.

— Merci, révérend Jagger! avons-nous lancé en direction de la salle de bains, tandis que Jinny nous raccompagnait.

Juste. Bizarre.

Autre détail bizarre? Elle n'a pas demandé de quoi nous avions parlé durant son absence. Elle n'a pas non plus demandé ce que faisait Jagger dans la salle de bains. Elle a seulement dit qu'elle était très fatiguée et qu'elle allait se coucher.

Nous, les filles, avons quitté ensemble la maison des Hutsall, enfin, *fui* serait plus approprié. Je voulais que les membres de la Ruche viennent chez moi faire l'autopsie de cet étrange épisode. Il y avait tant d'éléments à analyser. Ses propos. Ses actions. Nos propos.

Nos actions. Le marécage dans son pantalon. Pouah. Brook, cependant, s'est déclarée malade, et Delaney, très fatiguée, tandis que Zara, les joues rougies par la honte ou l'excitation, préférait rentrer, elle aussi.

Nous nous sommes souhaité bonne nuit à grand renfort de câlins, puis Delaney, Brook et Zee ont mis le cap sur leurs maisons respectives, mais Fee s'est attardée. Dès que nous avons été seules, je lui ai agrippé les mains et j'ai dit :

— Malibu Sunset ou quoi?

Elle a hoché la tête, l'air distrait.

— J'ai laissé mon téléphone dans le panier du vestibule des Hutsall, a-t-elle dit.

— On ne peut pas retourner là-bas. Et s'il est sorti de la salle de bains?

— Il va probablement y retourner. C'était malade. Il doit se sentir idiot.

— Non! Tu crois?

— Je vais chercher mon téléphone.

Et elle a détalé vers la maison de Jinny.

— Attends! J'y vais avec toi! ai-je crié.

Elle ne m'a pas entendue ou elle a fait comme si. Il aurait fallu que je coure à sa suite. La vérité, c'est que je n'avais aucune envie de revoir Jagger Jonze. J'avais eu ma dose de religion pour la soirée.

Mes textos à Fee sont restés sans réponse. **Tu viens ? Tu fais quoi ?** Je l'ai attendue devant chez moi, m'imaginant que Jinny lui racontait en long et en large ses projets pour le bal. J'étais jalouse, mais pas trop inquiète.

Au bout de dix minutes, Fee n'était toujours pas de retour et mes textos étaient restés lettre morte. Je suis donc rentrée pour espionner Jinny par la fenêtre de ma chambre et m'assurer que Fee n'était pas en voie de devenir la meilleure amie d'une Croisée.

Ma mère m'attendait.

— C'était comment, Ror?

— Bien.

— Bien? Tu ne veux pas dire «consternant»?

— J'essaie de réserver mon jugement.

— Et ton père?

— Ça va.

— Ça va?

— Les pères sont surtout restés entre eux.

Elle a semblé soulagée.

— Dommage, a-t-elle pourtant dit.

— Je suis crevée.

— Et Jagger Jonze, comment est-il?

— Grand.

— Comment est-il vraiment?

— Je ne sais pas. Il est comme il est. Une célébrité. Donc plutôt bizarre.

— Bizarre comment?

Jamais je n'ai songé à dire à ma mère que le révérend Jagger Jonze avait déchargé dans son jean. Je me suis dirigée vers l'escalier.

— Je ne tiens plus debout. Je vais me coucher. Je t'aime, Shell.

— Je t'aime, Ror.

Dans ma chambre, je me suis glissée derrière les rideaux pour espionner Jinny. Elle était là. Seule. Elle était sans doute trop fatiguée pour prier, ce soir-là, car elle est restée allongée un long moment. J'ai attendu de voir si Fee allait surgir avant de me rendre compte que Jinny s'était endormie. J'ai jeté un coup d'œil par la fenêtre de devant. Seul le Tahoe de Jinny était dans l'entrée. Les lumières du rez-de-chaussée étaient éteintes. Donc Fee avait eu le temps de récupérer son téléphone et de faire demi-tour pendant que je bavardais avec ma mère?

Peut-être Fee n'avait-elle pas oublié son appareil; peut-être s'était-elle servie de ce prétexte pour retourner voir Jagger. Ou encore elle l'avait vraiment oublié et il l'a forcée à baiser quand elle a voulu le reprendre. Ou il ne l'a pas forcée du tout. Il est possible que je me trompe sur le compte de Jagger. Non, pourtant.

On n'en a pas parlé. On aurait dû en parler. On aurait dû disséquer jusqu'à la dernière intention, jusqu'au dernier mot de cette soirée, les siens comme les nôtres. On aurait dû se rétracter. Mais on ne l'a pas fait. On aurait dû dénoncer à grands cris l'indécence de son éruption magique. Mais on ne l'a pas fait.

Est-ce que Jagger nous semblait dangereux? Pas vraiment. Pas exactement. On le croyait plutôt *muy* perturbé, je pense. Et le bal? Nos robes étaient commandées. Les Hutsall avaient déjà retenu StyleMeNow. On avait acheté nos fines sandales et nos jolies pochettes de soirée. Bref, il était trop tard pour se désister. Sans en avoir discuté, on a donc décidé de ne pas parler de Jagger Jonze et on s'est laissé distraire par tous ces jolis objets.

Pourquoi les filles ferment-elles leur gueule? Les filles, mais aussi les garçons. Si vous vous demandez pourquoi on n'a rien dit, c'est forcément parce que rien de tel ne vous est jamais arrivé. La décision de ne rien dire me fait l'effet d'avoir été prise par défaut. Dans ce cas-ci? Jagger Jonze est célèbre, puissant et adulé. C'est un RÉVÉREND, pour l'amour du Christ. Nous ne sommes qu'une bande de vierges de Calabasas, gâtées et naïves. Nous n'avions aucune preuve des incidents survenus chez les Hutsall. Pas en notre possession, en tout cas. Sans compter que… Que dirions-nous, au juste? Il ne nous a pas touchées et, à bien y réfléchir, il ne nous a pas tenu de propos explicitement contraires à la loi. Après tout, nous étions là pour parler ouvertement de sexualité. Évidemment, la démarche était tordue, mais sur le papier? On ne peut tout de même pas parler de chasteté sans évoquer les gestes auxquels on renonce.

En parlant, nous perdrions au change, nous aussi. Le bal serait foutu, d'accord, mais nous aussi. Ce serait la fin de nous. De nous telles que nous étions. Nous serions salies. Souillées. On parlerait de nous à voix basse. Et il ne faut pas oublier la honte. Un sentiment puissant. Pourquoi les filles ferment-elles leur gueule? La honte, surtout, et aussi la pudeur – la dernière chose que nous voulons, c'est qu'on nous imagine dans des situations sexuelles qu'on nous forcerait à décrire, qu'on se pose des questions sur notre complicité. On ne veut surtout pas que les autres se fassent des images. Ensemble, nous avons donc enterré cette soirée dans une tombe peu profonde.

Nous aurions dû tout révéler.

Le soleil se couche sur cette horrible journée, et des bandes orange et rouges s'étirent jusqu'à l'océan. C'est le vrai coucher de soleil de Malibu, qui n'a rien à voir avec la teinte du fameux rouge à lèvres.

Tel un chat, Fee, recroquevillée à côté de Paula, dort comme une souche. Je ne peux m'empêcher de penser à ce qu'on dit dans les médias à propos de l'algorithme et du fait que notre capture serait imminente. La dernière fois que j'ai regardé par la fenêtre, j'ai aperçu, au loin, la colonne de fumée qui monte d'un nouvel incendie, qu'on surnomme le brasier de Charmlee. Il s'est déclaré dans les secondes suivant la panne de courant signalée dans une région densément boisée, à l'est d'El Matador Beach. Aux actualités, on dit que si les vents changent de direction, comme prévu, Malibu se trouvera directement dans la ligne de feu. Petit Jésus.

Sur une note positive, l'*abuelo* de Paula est toujours dans les vapes.

Sur une note moins positive, maintenant? Ma meilleure amie est enceinte. Elle veut se faire avorter et refuse d'en parler. Et je suis relativement certaine que le fumier qui a monté ce coup contre nous est le père du bébé. Tout de même, je regrette ma réaction. J'aurais dû écouter Fee sans la juger, faire preuve d'empathie.

Elle est censée pouvoir se reposer sur moi. Je suis censée la soutenir dans son choix. Son choix. J'y crois. C'est vrai. Et pourtant, cette rencontre aléatoire d'un spermatozoïde et d'un ovule à l'origine de la vie? *Miracle* est un mot déplacé quand on ne croit pas en Dieu, mais la vie a de quoi vous jeter à terre. Non? Et quand le choix en question croît dans le ventre de sa meilleure amie, on risque de perdre ses repères. Je veux dire… Merde. Ôte tes commandements de mon corps. Mon corps, mes droits. Mais pour l'amour du Christ… C'est de Fee qu'il s'agit.

Et je me rends soudain compte que nous sommes quatre dans cette remise. Quatre vies innocentes enfermées dans cette prison-refuge puante, des mouches vrombissant à l'intérieur et des hélicoptères vrombissant à l'extérieur.

Paula pose sa Patriot Girl sur ses genoux et la change pour qu'elles aient la même tenue. Elle enlève la suie de la bouche en plastique de la poupée et coiffe ses cheveux rêches. Puis elle lève les yeux et dit:

— Tu taper beaucoup. Tu as mal à tes mains?

— Oui, Paula. J'ai mal partout.

Je reviens aux informations. Chaque fois que je lis une nouvelle qui me donne de l'espoir – on enquête sur Warren Hutsall, on étudie ses liens avec Jagger et on s'interroge sur l'exemption fiscale dont bénéficie le Bal de la pureté américaine –, je me dis: Bon, OK, on est sur la bonne voie. Mais, aussitôt, la nouvelle suivante me lève le cœur. Par exemple, les routes de la vallée sont encombrées de Croisés venus manifester sur le quai de Santa Monica, où Jagger Jonze a promis de donner un concert gratuit ce soir. J'ai vu des images à la télévision: des milliers et des milliers de personnes massées sur le quai, où elles agitent des drapeaux américains et brandissent des téléphones avec Jésus-Christ comme écran de veille.

La tête de Paula n'est pas remplie de nouvelles et d'informations comme la mienne. La petite a des inquiétudes d'un autre ordre. Elle regarde par la fenêtre. Bientôt, son *abuelo* va sortir de la caravane d'un pas chancelant, encore assommé par le whisky et les pilules, et il viendra la chercher dans cette remise où il sait qu'elle a l'habitude de jouer avec ses poupées. Pourvu qu'il ne trouve pas son arme sous le fauteuil…

— M. Javier arrive tantôt, a promis Paula à voix basse pour ne pas réveiller Fee.

Paula et moi avons consulté l'application « Vauriennes en Versace » à quelques reprises. Toujours rien. On a aussi jeté un coup d'œil à celle qui signale la présence de policiers. C'est un peu plus préoccupant : quelque chose comme une centaine de véhicules d'urgence foncent vers l'incendie qui s'est déclaré sur la côte : il faut diriger la circulation et forcer les résidents à évacuer. Paula dit que l'alarme ne se déclenchera que si les policiers sont à moins de cinq kilomètres.

J'examine Fee. Autrement. Son ventre, d'habitude tout à fait plat, est légèrement bombé. Mais bon, le mien aussi. Ce détail ne m'avait probablement pas échappé : j'ai dû me dire que c'était parce que Fee, quand elle est stressée, a tendance à fréquenter le service à l'auto de Del Taco. Elle a échoué à un examen de maths il y a deux ou trois semaines et elle craignait que M. Tom soit fâché. Ne jamais sous-estimer les vertus thérapeutiques d'un *quesarito* ou deux. Petit Jésus. Pourtant, son bébé n'est sans doute pas plus gros qu'un petit pois. Merde. Désolée. Je ne veux même pas y songer. De la même façon que je ne peux pas penser à Jagger Jonze sans risquer la combustion spontanée.

Oh. Mon. Dieu. Ma mère s'est évadée!!! En route vers la Valley State Prison, Shelley Miller a échappé à la vigilance de ses gardiens – on pense qu'elle a bénéficié de complicités à l'intérieur de l'établissement – et s'est volatilisée. Bravo, Shelley Miller!

Comment la maman larmoyante, fatiguée et désemparée avec qui je vis depuis trois ans a-t-elle réussi à se débarrasser de ses menottes et de ses chaînes pour fausser compagnie à des gardiens armés? Merde. Alors. Quelle guerrière! Je l'imagine en ninja défonçant ces enculés. Comme la fois où, dans le stationnement de mon cours de ballet, une Escalade monstrueuse a failli me passer sur le corps en reculant. Aussi vive que Flash, Shelley m'a poussée hors de danger et, d'une main et par la seule force de son amour maternel, a immobilisé le véhicule. C'est du moins ce qu'il m'avait semblé, sur le coup.

Tante Lilly a dû aider Shelley à s'évader – j'en suis presque sûre. Ils ont montré ma mère menottée et enchaînée entre le palais de justice et le panier à salade de la prison. Tante Lilly était là, en arrière-plan. Pendant qu'une meute de journalistes encerclait ma mère, la bombardait de questions et prenait des photos d'elle qui grimpait maladroitement dans le fourgon, j'ai aperçu le t-shirt rose. Avant que les portières se referment, ma mère s'est tournée vers la caméra de CNN et a lancé:

— Ma fille et son amie sont innocentes. Nous sommes nombreux à croire en elles. Surtout, ne lâche pas, Rory.

J'ai réveillé Fee pour lui annoncer que ma mère s'est évadée et qu'elle nous encourage à continuer de lutter. Nous ne sommes pas seules.

Fee a repris courage. Un peu.

— Shelley est libre?

Paula a mal compris.

— Ta maman venir?

— Pas exactement. Je ne sais pas, Paula. Tout ce que je sais, c'est qu'elle va faire quelque chose. Et Javier saura comment la joindre. Non? Il va apprendre la nouvelle et communiquer avec elle. Il l'a peut-être déjà fait. Et si c'était lui qui l'avait aidée à s'enfuir?

— Ou il n'y est pour rien et il attend tranquillement que la récompense soit encore bonifiée, a dit Fee.

La grossesse engendre-t-elle le cynisme?

Paula se tourne de nouveau vers la fenêtre. Heureuse de se rendre utile, elle nous sert de sentinelle. Sans perdre de vue la porte de l'Airstream, elle épie la route dans l'espoir d'apercevoir la camionnette de Javier. Des engins volants se dirigent de notre côté, nous informe-t-elle.

— Tu connais Javier, Paula, j'ai dit. Il n'est pas du genre à attendre que les enchères montent encore. C'est un homme bon, non?

— Oui, a confirmé Paula. Mais aussi il est pauvre.

Fee s'est levée pour se mettre à côté de Paula, à la fenêtre. Elle me regarde.

— Qu'est-ce qu'on fait?

— Je ne sais pas.

C'est la plus stricte vérité.

— Si Javier est un type bien, comme je le pense, il va entrer en contact avec ma mère.

— Mais s'il est un être humain conscient de l'effet qu'une prime de deux millions de dollars aurait sur sa vie, il roule peut-être vers nous en compagnie d'amis armés. Pour éviter de se salir les mains, il n'a d'ailleurs qu'à composer le numéro d'urgence.

Je n'ai pas répondu. Je préfère ne pas envisager cette possibilité.

— On peut aller dans caravane? demande Paula. Je peux donner à *Abuelo* plus de pilules.

À l'unisson, Fee et moi répondons:

— Nooon!

Tant de trahisons ignobles, déjà.

— Je ne sais plus en qui avoir confiance. Mon père? Nos amies? Chase Mason? Si Javier nous baise à son tour, à quoi bon continuer à vivre?

— Qui est Chase Mason? a demandé Paula.

— Personne, ai-je répondu. Mais quand tout sera terminé, je vais lui régler son compte dans un blogue.

— Pourquoi? a demandé Fee.

— Pour m'avoir brisé le cœur, ai-je répondu après un moment de réflexion.

Fee m'a dévisagée d'un drôle d'air.

— Tu n'es pas sa petite amie.

— Quoi?

— Tout ce que je dis, c'est que vous ne sortez pas ensemble. Alors pourquoi tu te sens trahie? De toute façon, il n'a rien dit d'épouvantable, non?

Aïe. Juste aïe. J'ai une boule dans la gorge. Fee aurait tout aussi bien pu me gifler.

Paula avait l'air triste pour moi.

— Tu vouloir Chase Mason pour amoureux?

Je me suis raclé la gorge.

— Je suis folle de lui depuis très longtemps.

— Maintenant non?

— Plus maintenant, non.

— Il a autre fille?

— Plein, en fait.

J'ai songé à Chase Mason à la bibliothèque.

— Il a accordé une interview à la presse, Paula, et il a menti en m'accusant de choses que lui-même faisait.

— Quelles choses?

— Des filles venaient le voir à tout bout de champ, et il les emmenait dans la salle des médias pour baiser, mais il a dit que c'est moi qui me servais de la salle. C'est faux. Il a laissé entendre que j'utilisais ce local pour rencontrer des filles qui souhaitaient se faire avorter. Pour, genre, leur faire passer des messages et leur vendre des contraceptifs, la pilule du lendemain ou je ne sais pas quoi.

Puis la vérité m'a frappée en plein visage.

— C'est Chase. Oh mon Dieu. C'est Chase.

— Quoi?

— Chase. Chase Mason. C'est lui. Lui.

— Qu'est-ce que tu racontes?

— Je dis que Chase Mason n'est pas un traître. C'est un maudit… Je ne sais pas comment l'appeler… agent secret? sympathisant? Il est dans notre camp.

— Tu délires.

— Toutes ces filles qui venaient le voir à la bibliothèque? La carte qu'il m'a donnée en me faisant promettre de communiquer avec lui si j'avais des ennuis? Le nom de son groupe, Lark's Head, est devenu Larkspur. Il a changé le nom du groupe, comme ça, d'un coup, et l'a annoncé dans les médias pour me faire passer un message. Et tante Lilly? Son t-shirt avec le verset de la Bible? Ils essaient de nous aider.

— Quoi?

J'étais sûre de tenir quelque chose et vite, j'ai fait une recherche dans Google.

— Bon Dieu de merde. Fee. Paula. Les filles. Le verset sur le t-shirt, 14:34. C'est une adresse. Dans Larkspur Road. Larkspur. C'est pour ça qu'il a changé le nom du groupe. Le 1434, Larkspur Road appartient à un certain Blake Mason, l'oncle de Chase. C'est une adresse à Malibu, à quelques kilomètres d'ici. Il faut qu'on y aille. Oh. Mon. Dieu.

Fee vient de jeter un coup d'œil à l'écran.

Paula s'est détournée de la fenêtre en battant des mains et en poussant des cris stridents.

— Il vient. Pour nous emmener au Larkspur! C'est M. Javier. Il arrive! Il arrive maintenant!

ET MERDE. Le traceur VEV explose dans le téléphone de l'*abuelo* de Paula et l'alerte se déclenche.

— Des voitures de police! hurle Fee. La police! C'est la police!

C'est terminé.

Nous sommes mortes.

Euh. Ce n'est pas terminé, en fait.

Nous ne sommes pas mortes.

Selon les informations, quatre personnes le sont, cependant. Quatre personnes qui, sans nous, seraient encore vivantes et suivraient la politique à la télé. J'en suis malade.

Nous sommes toutes les trois… tous les quatre, devrais-je dire… en sécurité chez l'oncle de Chase dans Larkspur Road, au bord de la mer. Nous y sommes depuis près d'une heure.

Où en étais-je, déjà?

Je crois avoir parlé du coucher du soleil, de la camionnette de Javier qui fonçait vers la cabane, de Fee qui criait pour nous prévenir de l'arrivée de la police et du déclenchement des applications. Par la petite fenêtre, nous avons vu, sur la route de terre, six voitures de police s'engager dans le virage juste derrière la camionnette de Javier. En les apercevant, Paula m'a arraché l'ordinateur rose des mains et l'a fourré dans son sac à dos avec sa poupée à l'effigie de Hannah Good.

— Venez. Tout de suite, a-t-elle ordonné.

Fee s'est grippée comme une machine en panne. Paralysée par la peur. Vous ne me croyez pas?

J'ai moi-même été témoin du phénomène. Elle est restée figée derrière la fenêtre, refusant de faire un pas, incapable de faire un pas. Elle n'a pas crié. Elle était simplement plantée là, comme enracinée dans le sol de la remise. J'ai dû la traîner de force. Paula m'a donné un coup de main.

Nous avons fini par sortir. Et nous avons entendu, venant du ciel, une voix qui semblait sortir d'un vieux mégaphone.

— Restez. Où. Vous. Êtes.

Levant les yeux, nous avons aperçu, à une dizaine de mètres, un type aux commandes d'un Bricoptère illégal rafistolé avec du ruban adhésif en toile à plusieurs endroits, orné d'un grand drapeau américain peint à la main. Le pilote était un type énorme portant une grosse barbe en broussaille. D'une main, il tenait le manche à balai ; de l'autre, il nous mettait en joue avec un fusil d'assaut.

— Je les ai ! Je les ai ! a-t-il crié dans son casque.

Javier, en pilant dans la cour, a soulevé un nuage de poussière. Derrière le voile, son visage trahissait… l'horreur. À cet instant, il a compris qu'il n'y avait que deux scénarios possibles : le pilote allait nous abattre sous ses yeux ou la police allait nous encercler et nous emmener Dieu sait où.

Puis le pilote oublie ses commandes et l'espace aérien qui l'entoure parce qu'il voit les voitures de police s'avancer sur le chemin en terre et se rend compte que les autorités vont lui ravir ses deux millions de dollars. Il descend un peu. Au même instant, un Mini-Héli – conforme celui-ci, un biplace avec une fille et un garçon aux commandes – apparaît au-dessus de la colline. La fille, qui a notre âge, est armée d'une carabine. Elle nous met en joue et nous l'entendons crier :

— Je les descends? Là? Maintenant?

On a levé les mains en l'air comme à la télévision et j'étais sûre que j'allais mourir là, dans l'herbe haute des collines qui dominent Malibu. Ma vie n'a pas défilé devant mes yeux – peut-être parce que j'en avais déjà couché la moitié par écrit. J'ai pensé à ma mère. Et, je le dis en toute franchise, je me suis seulement dit: *C'est donc comme ça que je meurs.*

Le barbu est furieux de l'arrivée d'un autre appareil dont les occupants vont lui ravir la prime. Dans des haut-parleurs, les policiers, de plus en plus près, crient au type de s'éloigner, mais il se prépare à tirer. On se prend la main, Fee, Paula et moi, tandis que les vents se mettent à souffler en puissantes rafales et, là-haut, on voit la queue du Mini-Héli entraîné par un courant ascendant se mettre en travers des pales du Bricoptère, qui la découpent comme du papier. Des éclats atteignent le garçon et la fille aux commandes, qui se mettent à hurler, et le type au fusil d'assaut crie lui aussi, tandis que son Bricoptère tombe en vrille sur l'Airstream argenté, qu'il aplatit comme une canette de soda, avec l'*abuelo* de Paula sans connaissance à l'intérieur. L'engin explose sur le coup au milieu d'une boule de feu. Un gros fragment incandescent heurte la remise derrière nous, et elle s'enflamme à son tour. Au cœur de ce chaos, nous entendons le barbu crier à tue-tête.

L'autre hélicoptère s'écrase sur la route, juste devant les voitures de police, et explose, lui aussi. Les broussailles environnantes s'embrasent à leur tour. Les flammes sont tellement hautes, tellement vives. Dans la lueur stroboscopique des gyrophares, la fumée se teinte de rouge.

— Courez! a hurlé Paula.

Nous avons couru.

J'ai jeté un coup d'œil par-dessus mon épaule pour voir si Javier était toujours dans sa camionnette, s'il était blessé, mais la fumée était trop épaisse. Nous avons couru comme si nos vies en dépendaient. Brook l'athlète n'aurait pas pu nous rattraper, même pas Fee, sortie de sa torpeur par l'explosion et propulsée par l'adrénaline.

Paula connaissait les collines et savait où se cacher. Comme elle l'avait fait toute sa vie, en gros. Elle ne s'est jamais plainte – même pas quand nous sommes tombées dans la crevasse dissimulée par un buisson d'armoise, à deux kilomètres de la remise. Stoïque. C'est le mot qui convient.

Paula a même dit que notre chute avait été une bonne chose – «une bénédiction». Et c'est la vérité. Quelques minutes plus tard, deux hommes armés de carabines se sont profilés au sommet de la crête, mais ils ne nous ont pas vues: on avait atterri dans un fourré de chênes, sous une saillie rocheuse.

Quand, plus tard, des coyotes se sont mis à japper, Paula a dit qu'on n'avait rien à craindre: ils venaient de tuer un animal, un cerf ou un raton laveur, et ils n'auraient pas assez faim pour s'en prendre à nous. Lorsque, du sommet d'une colline, la seule manière de descendre a été de se laisser glisser dans le noir, Paula a dit que jamais nos poursuivants ne nous croiraient assez courageuses ou assez fortes pour ça. Elle marchait sans hésitation, nous guidait au milieu des fourrés, par-dessus les crêtes, le long des parois rocheuses.

Je n'arrête pas de penser aux événements de la clairière. Je ne souhaitais la mort de personne. Même pas de ceux qui voulaient nous tuer. Même pas de l'*abuelo* de Paula. Le barbu? Javier? Les noms des victimes n'ont pas encore été diffusés. Les policiers se concentrent sur l'accident aérien et je ne sais pas s'ils nous ont vues avant notre fuite dans les broussailles. Rien au sujet de la présence d'une petite fille avec nous. Rien sur l'abandon de nos robes «Versace».

En bas de la colline, nous avons parcouru quelques kilomètres au bord de la Pacific Coast Highway, tête baissée, déguisées en jardiniers tout gris, cheveux cachés sous les casquettes. Je portais le sac à dos et je tenais bien la petite main de Paula. Mille véhicules sont passés en trombe. Camions de pompiers, voitures de police, chasseurs de primes, Croisés. Personne ne faisait attention à nous. Deux femmes de ménage mexicaines pas très grandes accompagnées de leur petite Patriot Girl qui rentraient chez elles après une longue journée passée à nettoyer la grande demeure de quelqu'un d'autre.

Nous avons des brûlures sur le visage, quelques coupures et lacérations causées par les débris. Paula a de petites blessures de shrapnel dans le cou. Nos mains ont été déchirées par les épines des arbustes auxquels nous avons dû nous accrocher pour remonter après notre chute. Nous sommes épuisées, meurtries et amochées, mais ça ira.

Voilà. Ici. Le refuge. 1434, Larkspur Road. La superbe maison de bord de mer de l'oncle de Chase aux limites de Malibu, près de Paradise Cove.

Le portail en fer forgé n'était pas verrouillé. Nous avons grimacé quand il a grincé en s'ouvrant et en se refermant. La lune éclairait la cour gazonnée et les hautes haies, de part et d'autre de l'allée. Tout était silencieux. Et puis nous avons entendu le craquement d'une branche dans un chêne desséché. En levant les yeux, nous avons aperçu un gros raton laveur, qui s'est aussitôt mis à siffler. Fee a poussé un cri. Paula a plaqué ses mains sur sa bouche. Petit Jésus, Fee.

Quelques secondes plus tard, on a entendu une porte coulissante et des pas traînants dans les feuilles mortes du jardin voisin. On a retenu notre souffle pendant que la voix d'une vieille dame s'élevait au-dessus de la haie.

— Il y a quelqu'un?

On s'est regardées sans rien dire, sans broncher, dans l'espoir que la vieille rentrerait chez elle.

— Il y a quelqu'un? a-t-elle insisté.

Changeant de cible, le raton laveur a sifflé dans sa direction.

— Va-t'en! a crié la vieille.

Paula, Fee et moi étions tétanisées.

— Monty? Monty! Viens ici! Et apporte le balai!

On a entendu la porte coulisser à nouveau et d'autres bruissements dans les feuilles mortes. Peu après, le manche blanc d'un balai est apparu au-dessus de la grande haie et a tapé sur le chêne que le raton laveur n'entendait pas abandonner sans se défendre. Agité dans tous les sens, le manche était loin de toucher l'animal, mais il l'a beaucoup énervé, provoquant un nouveau sifflement. Monty aussi s'énervait.

— Sale bête, a grogné le vieil homme.

Nouveaux bruissements de feuilles mortes. On a su que c'était Monty parce que la vieille continuait de hurler de l'autre côté de la haie:

— Va-t'en!

Puis on a entendu le cliquetis métallique d'une échelle et compris que le vieux monsieur avait l'intention d'y grimper pour se rapprocher du raton laveur. Il pourrait alors nous voir par-dessus la haie.

Il s'est escrimé avec l'échelle, pendant que sa femme répétait:

— Va-t'en!

Stratégie gagnante, vraiment. Quand même… Petit Jésus. Pourquoi chasser cet animal? me suis-je dit. Ce n'est qu'un raton laveur juché dans un arbre.

L'échelle a été déployée et nous avons entendu le vieux Monty gravir les échelons. Le raton laveur, lui, est monté plus haut. Monty semblait prêt à abandonner la partie.

— Comme tu veux, Monty, a dit sa femme. Laisse-le là-haut. Mais la prochaine fois qu'il vide notre poubelle, c'est toi qui nettoies.

— Je vais chercher le tuyau d'arrosage, a annoncé Monty.

— Il est troué. Tu as oublié? Tu devais aller en acheter un nouveau, mais tu ne l'as pas fait. Va plutôt emprunter celui des Mason. Ils ne ferment jamais le portail.

On s'est regardées, Fee, Paula et moi, comme pour dire : Je rêve ou quoi? Après tout ce qui nous est arrivé, on va être vaincues par un raton laveur et un vieux chnoque du nom de Monty?

Mais avant que j'aie pu mettre au point un récit crédible pour expliquer notre présence dans la cour de Blake Mason, un cortège de voitures de police, sorti de nulle part, sirènes hurlantes et gyrophares allumés, est passé à vive allure sur la Pacific Coast Highway, de l'autre côté du portail.

Le raton laveur, peut-être perturbé par le bruit, a sauté sur une branche plus basse, puis sur la haie de troènes. Il s'est éclipsé en même temps que les voitures de police, qui fonçaient vers le nord en longeant la côte.

Monty et la vieille femme sont rentrés en traînant leurs savates dans les feuilles mortes. La porte coulissante s'est ouverte et refermée. Nous nous sommes précipitées vers le porche.

La porte était ouverte. Nous sommes entrées sans cérémonie, genre : Chérie ! C'est moi ! Hormis le bourdonnement des climatiseurs et le fracas des vagues, la maison était silencieuse.

Depuis le vestibule, on voyait l'océan noir, la portion de plage éclairée par la lune et un bateau de la garde côtière qui chevauchait les vagues en balayant le sable à l'aide de projecteurs. La propriété était protégée par un grand écran de sécurité en plexiglas qui offrait une vue imprenable sur la mer et, des deux côtés, par des murs lisses en béton hauts de trois mètres qui assuraient une parfaite intimité. Un sinueux sentier en béton séparait le jardin en deux : d'un côté, un rectangle de pelouse (un green, ai-je compris) et, de l'autre, un verger où poussaient des agrumes. Tous les arbres étaient dégarnis, sauf les pamplemoussiers, où quelques fruits bien dodus se cramponnaient encore aux branches les plus hautes. Nous sommes restées là, je ne sais combien de temps, à respirer et à contempler l'océan.

La lueur de la pleine lune s'infiltrait par la paroi vitrée et miroitait sur le sol en marbre de Carrare blanc, qui ressemblait à une patinoire, comme si on risquait de glisser et de tomber en s'y aventurant. Sous nos pas, des gravillons se répandaient partout. Parce que ma mère m'a bien élevée, je me suis dit que je trouverais un balai pour tout nettoyer plus tard.

À gauche, on pouvait voir la cuisine qui s'ouvrait sur le grand salon, deux immenses pièces tournées vers l'océan. J'ai posé le gros sac à dos sur le comptoir de la cuisine et remarqué, sur la cuisinière, un mot éclairé par une faible lumière – la seule de toute la maison. « Patientez. Pas de lumière. Pas de coups de fil entrants ni sortants. »

On était complètement assoiffées et on a fini par trouver le réfrigérateur derrière une porte – c'était un réfrigérateur de plain-pied comme on en voit dans les restaurants, avec des compartiments pour les produits laitiers et la viande remplis à craquer, le congélateur plein à ras bord, sans oublier des caisses et des caisses de bouteilles d'eau, de boîtes de jus de fruit et de canettes de soda. J'ai été frappée de stupeur devant cette abondance ; j'ose à peine imaginer l'effet sur Paula.

On a descendu deux ou trois bouteilles d'eau chacune en poursuivant notre exploration des lieux. Une autre porte s'ouvrait sur le garde-manger, de plain-pied lui aussi, où s'entassaient d'autres provisions, boîtes, conserves et contenants en tous genres. Dans Oakwood Circle, nos cuisines sont bien pourvues, mais on avait ici affaire à un mini-Whole Foods. Nous n'avons touché à rien. Nous étions trop lessivées pour avoir faim.

Fee a remarqué un calendrier punaisé à la porte du garde-manger. Paula l'a éclairé à l'aide de son téléphone. Des dates bloquées fin novembre – en ce moment, en somme – pour un voyage à Maui. L'oncle de Chase et sa famille sont donc au loin et leur maison en bord de mer à Malibu nous sert de refuge contre ceux qui souhaitent nous tuer pour un crime que nous n'avons pas commis. Voilà un énoncé à mettre au palmarès des dix phrases que je n'aurais jamais pensé écrire un jour.

Sans bruit, nous avons parcouru le rez-de-chaussée en examinant les moindres recoins. Au bout d'un couloir, une salle de projection équipée de confortables fauteuils de cinéma et d'une machine à pop-corn. Au bout d'un autre, un séjour, lui aussi doté d'un immense écran et de fauteuils moelleux. Le visage de Paula était éloquent. Elle aurait tout aussi bien pu se trouver sur la lune.

Nous avons ouvert une porte, au fond, et découvert une salle insonorisée pleine d'instruments de musique, en plus d'une console de mixage professionnelle – le studio d'enregistrement. Les murs étaient tapissés de photos de musiciens d'une autre époque et de disques d'or encadrés. Je me suis attardée à une photo. On y voyait Chase Mason, âgé d'une douzaine d'années, le visage boutonneux, sur un belvédère du Grand Canyon, en compagnie de son père, de sa mère et de sa sœur décédée qui, avec ses cheveux longs et ses yeux bruns, avait la même beauté tragique que lui. Sainte Mère.

Nous sommes retournées dans l'aire principale pour examiner plus en détail le grand salon. Au-dessus du foyer en travertin, on voit une photo de la famille de l'oncle. Chase Mason ne ressemble en rien à ce chauve trapu. Grande et blonde, l'épouse a l'air d'un mannequin (c'est sans doute le cas), et leur petite fille est tout aussi superbe.

Paula voulait visiter l'étage, mais Fee, s'étant déclarée trop crevée pour gravir des marches, s'est installée sur le canapé modulaire en cuir blanc pour contempler l'océan.

J'ai pris Paula par la main et on est allées voir les pièces du haut, dont une immense chambre principale avec un lit surdimensionné et des kilomètres de bois de chêne récupéré plein de nœuds. Sur un meuble posé près de la fenêtre se trouvait une bassine à l'ancienne et, sur la table de chevet, un vieux téléphone – un truc noir à cadran qui date d'avant l'avènement des vrais téléphones. En le montrant du doigt, Paula a murmuré, au cas où je n'aurais pas compris :

— C'est un téléphone. Je vois un dans le film.

On ne rencontre plus beaucoup d'appareils comme celui-là. Même les téléphones filaires n'ont plus la cote. Mais bon, la couverture réseau n'est pas fameuse au bord de l'océan. L'oncle de Chase a peut-être besoin d'un téléphone fixe en cas de tsunami ou de je ne sais trop quoi. Le message était clair : pas de coups de fil. Quand Paula a posé son index dans un des trous, je lui ai rappelé de ne pas soulever le combiné, au cas où l'appareil serait branché.

J'ai jeté un coup d'œil dans la bassine. Elle était remplie de lavande. De la lavande. Toute la maison embaumait la lavande. Sans doute un dispositif d'aromathérapie jumelé au système de ventilation, me suis-je dit. J'adore l'odeur de la lavande. Elle me rappelle les chandelles romantiques que Shelley et Sherman allumaient dans leur chambre. Et les sachets de lavande que mes grands-parents mettaient dans leurs tiroirs. J'ai toujours associé le parfum de la lavande à l'amour. C'est sans doute encore vrai aujourd'hui.

Dans la salle de bains principale, j'ai demandé à Paula d'éclairer les armoires, où j'espérais trouver des serviettes sanitaires. Le t-shirt que j'avais fourré dans ma culotte avait glissé le long de ma jambe et fini par disparaître. J'ai failli fondre en larmes en trouvant un emballage de serviettes de nuit maxi sous le lavabo. J'étais éperdue de reconnaissance. Paula n'a pas semblé gênée de me voir serrer la boîte contre ma poitrine.

Elle a éclairé l'intérieur de la douche géante – tout en carreaux blancs et en verre pointillé.

— La douche être plus grande que le salon d'*Abuelo*.

Nous y sommes entrées. Il y aurait eu de la place pour Fee. Et le reste de la Ruche aussi, tant qu'à y être.

— Ils ont tous les produits Sun – le savon, le gel douche, tout, ai-je dit. Oh mon Dieu, cette bouteille de shampooing vaut cent dollars.

J'ai pris le pain de savon Sun dans sa crèche et l'ai mis sous le nez de Paula – orange, pomme, eucalyptus et lavande – avant de remarquer le panneau de commande. Marche. Chaud. Impulsion. Très convivial. J'ai appuyé sur un bouton. L'eau a jailli de quatre grands pommeaux de douche, au fond, et de la vapeur est montée du sol. J'ai souri à Paula et entrepris d'enlever mes vêtements crasseux – mais Paula ne m'a pas imitée. Je savais pourquoi.

— Je chercher Fee, a-t-elle proposé.

— Elle prendra sa douche après nous, Paula. On n'en a pas pour longtemps.

Elle est restée là à regarder l'eau mitrailler les carreaux.

— Tu préfères attendre? Comme tu veux.

Paula a hésité, puis, incapable de résister, elle a dit:

— Je viens dans l'eau.

Elle s'est retournée pour ôter sa robe des Patriot Girls, sale et déchirée, et l'a jetée dans la poubelle, où j'avais déjà mis mes vêtements. J'ai eu soin de regarder devant moi quand elle est entrée dans la douche et s'est avancée vers les jets d'eau. J'aurais voulu lui dire que j'étais au courant, que je comprenais. Mais ce sera à elle d'aborder le sujet quand elle se sentira prête. Tôt ou tard, on en parlera. J'en suis persuadée. Tôt ou tard, on parlera de cette soirée et de cette nuit, et aussi de la suite. On n'est pas près d'oublier.

Cette douche... Je n'ai jamais mesuré la chance que j'avais: l'accès à une douche. Mais à présent, c'est sous un autre angle que je vois ma vie – et ce qui m'a toujours semblé aller de soi. Cette certitude de son bon droit que j'observais chez les autres, pas chez moi. Ma maison. Ma salle de bains privée. Mon eau filtrée. *Agua.* De l'eau potable non seulement pour boire et cuisiner, mais aussi pour me laver. Certains n'ont pas droit à une douche par jour, ni même par semaine. Paula? Je me demande s'il y avait une salle de bains fonctionnelle dans cette caravane. Se pourrait-il que, en fait de douche, sa seule expérience ait consisté à s'asperger d'eau polluée devant l'évier de la cuisine? Mon Dieu.

Sous les jets à impulsion brûlants, nous avons lavé la crasse et le sang. Même si Paula n'a pas de cheveux, j'ai mis un peu de shampooing Sun sur son cuir chevelu, qui devait lui piquer, et je l'ai massé. Elle a ronronné comme un chaton en raison du parfum, mais aussi parce qu'il y avait sûrement longtemps qu'on ne l'avait pas touchée de cette manière. J'ai songé à sa maman et, en pensée, je lui ai dit : *Elle est avec moi. Je vais m'occuper d'elle.* Après, nous nous sommes emmaillotées dans les énormes serviettes blanches empilées sur une tablette et nous sommes restées là un moment à regarder notre reflet dans la pièce assombrie.

— Mes cheveux vont repousser, a dit Paula.

Mon sang menstruel a taché la serviette. Merde.

Dans la penderie de la chambre principale, j'ai trouvé de la lingerie chic achetée dans une boutique de Rodeo Drive, des soutiens-gorge, des culottes et des caracos assortis, sans oublier quelques articles plus osés, puis, dans un autre tiroir, j'ai découvert une pile de culottes pour les menstruations, des trucs de grand-mère, mais assez serrés pour maintenir la serviette en place. Dans la section visiblement réservée aux vêtements de sport, j'ai choisi un pantalon molletonné et un simple kangourou noir. Merci, madame Mason, pour les vêtements, les culottes, la douche et les serviettes sanitaires.

N'ayant rien trouvé pour Paula dans la penderie de Mme Mason, on est allées dans la chambre de la petite fille. Lorsqu'on a ouvert la porte à deux battants au bout du couloir et que Paula a braqué sur le mur la lampe du téléphone, on a eu une sacrée frousse. Des poupées, sur des tablettes à n'en plus finir, des Patriot Girls aux yeux morts parées de bleu-blanc-rouge, comme dans un film d'horreur. Sur les tablettes de l'autre mur, tous leurs accessoires, jusqu'au dernier : la maison dans l'arbre, la salle de classe, toutes les voitures, la cuisine, le terrain de jeu.

Paula avait du mal à comprendre.

— Magasin de Patriot Girls?

— Non, c'est seulement la chambre de la petite fille.

— Tout pour juste une fille?

— Ouais.

— Mais comment elle jouer avec toutes ces poupées?

— Elle ne le fait pas.

Paula les a regardées.

— Katie May, Nancy Pool et Grace Chapman... Toutes les poupées.

— Gâtée, hein?

Elle m'a regardée comme si j'avais perdu la raison.

— Chanceuse.

On a déniché un survêtement noir dans la penderie et une casquette assortie, décorée de petits cœurs rouges. Il y avait encore l'étiquette et Paula se sentait mal à l'aise à l'idée de porter quelque chose de neuf, mais je lui ai dit que, dès que tout serait terminé, on rembourserait la famille pour tout ce qu'on aurait mangé, bu et emprunté – y compris les produits Sun – et qu'elle ne devait pas s'en faire. J'ai trouvé des culottes dans le tiroir de la petite et même un petit soutien-gorge du magasin pour les filles de moins de dix ans – celles qui n'ont pas besoin de soutien-gorge, mais qui veulent être comme maman. Paula a souri quand je lui ai tendu les sous-vêtements, puis je suis sortie pour lui permettre de s'habiller sans avoir à se cacher.

Au rez-de-chaussée, nous avons trouvé Fee sur le canapé modulaire, toujours à contempler la mer, une main sur son ventre. Nous lui avons parlé de la douche, mais elle s'est contentée de hocher la tête et de hausser les épaules. Paula s'est assise à côté d'elle et a tendu la main pour lui caresser les cheveux, mais elle s'est arrêtée parce que Fee est crasseuse et que ses cheveux sont emmêlés, tandis qu'elle-même est toute propre et sent les produits Sun.

— Bientôt, la *mamá* de Rory venir, dit Paula.

Fee s'est tournée vers Paula.

— Je suis désolée pour ton *abuelo.*

Paula a hoché la tête. Était-elle triste? Pas exactement. Mais elle était quelque chose.

— Elle te va bien, cette tenue, Paula.

Paula a souri en examinant son reflet dans la fenêtre.

J'ai peigné mes cheveux en regardant l'océan. Je voulais dire à Fee de monter prendre une douche *because* bonjour l'odeur. Et aussi parce qu'une douche lui ferait du bien et que j'ai besoin d'elle. Mais j'essaie de ne pas être trop intense.

Pauvre petite Paula. Je vois bien qu'elle est épuisée. J'aimerais la prendre dans mes bras et la porter jusqu'à l'immense lit de la fillette et remonter la couette sous son menton, lui chatouiller le cou, lui faire un bisou sur la joue et lui dire Bonne nuit, p'tit bout, comme le faisait ma mère, mais je pense qu'on ferait mieux de rester ensemble. La vérité, c'est qu'on ne sait pas ce qui nous attend, ni si on va devoir filer en vitesse. Ou quand.

Je suis crevée, moi aussi. Mais je sais que je ne pourrai pas fermer l'œil. Ma tête est trop pleine de craintes, d'inquiétudes et d'espoir.

-ǫ-

Jagger Jonze et Jinny Hutsall se sont volatilisés. D'après les médias, leurs comptes dans les réseaux sociaux ont été abandonnés. Ils ont disparu. Tout simplement disparu. Jagger Jonze ne s'est pas présenté au quai pour son concert gratuit. La maison de Jinny dans Oakwood Circle est sombre et déserte. Les paparazzis publient des photos de véhicules sombres en train de quitter Hidden Oaks, mais on ne distingue pas leurs occupants. Personne ne sait où ils sont. Ils se sont évaporés. Pouf! Il faut que je le dise à Fee.

— Qu'est-ce que tu racontes? Ils sont partis ensemble? a-t-elle demandé en apprenant la nouvelle.

— Personne ne sait.

— Pourquoi sont-ils partis?

— Parce qu'ils sont coupables, Fee. Je te l'ai dit. Ils ont orchestré toute cette affaire.

— Mais pourquoi?

— Tu rigoles? Il n'est question que du Marché rouge dans tout le pays. Les Croisés font les manchettes. Jagger Jonze est célèbre comme c'est pas permis. Et regarde la sympathie dont la Cause bénéficie grâce à ça.

— Ils nous ont sacrifiées?

— Si nous étions mortes dans l'explosion, personne ne poserait de questions sur Jagger Jonze. Sur Warren Hutsall non plus. On aurait dit que deux jeunes agitatrices «anti-Vie» avaient péri en posant une bombe. On aurait peut-être laissé entendre que nous étions des kamikazes ou des idiotes qui se sont fait exploser par accident.

— Je ne sais pas, Rory.

Elle affronte la logique de l'illogique – ce qu'on appelle la ferveur religieuse.

— Ils n'ont jamais pensé qu'on en réchapperait, Fee. Ils n'avaient pas prévu toutes les questions, les enquêtes et la traque.

— Oui, je suppose.

— Si nous étions mortes dans l'explosion, le problème de Jagger Jonze aurait disparu avec nous. Les preuves auraient été détruites, pas vrai?

Fee se met à cligner des yeux: elle s'efforce d'admettre que Jagger Jonze soit assez impitoyable et insensible pour tenter de supprimer l'adolescente qu'il a engrossée et, du même coup, d'accéder au statut de superstar. Ses yeux se mouillent.

— Désolée, Fee.

— Peut-être qu'ils ont reçu des menaces de mort? Jagger Jonze et Jinny? Peut-être qu'ils se cachent, comme nous?

Hum. Elle ne voit toujours pas.

— Peut-être.

— Jagger a peut-être cru qu'il risquait de se faire descendre s'il se présentait au quai.

— Ouais, peut-être bien, Fee.

J'aurais voulu la convaincre de ce qui devrait pourtant lui sauter aux yeux, mais Fee n'est pas elle-même. Son cœur est en lambeaux, forcément. J'ai constaté qu'elle retenait ses larmes en demandant:

— Et ta mère? Il y a du nouveau?

On ignore toujours où ma mère se trouve, mais j'ai la conviction que Shelley va bien et que, avec Lilly et Chase, elle est responsable de notre présence ici. Je vais la revoir. Bientôt. J'ai un pressentiment. Je vois son visage. Je sens son parfum Chanel. Ses bras autour de moi.

Sherman? Les médias l'ont suivi jusqu'à un cercle de prières dans son église d'Orange County, où lui, Boules en sucre et d'autres représentants de l'élite hollywoodienne prient pour le salut de notre âme. Euh. Merci?

La Ruche? Silence radio de ce côté-là aussi. Plus de tweets à notre sujet. Plus d'accusations, de railleries, de versets bibliques. Je pense à elles, mes meilleures amies, seules dans leur chambre, avec leur ordinateur et leur téléphone, suivant leur fil comme des maniaques. Peut-être aussi regardent-elles les informations à la télé en compagnie de leurs parents muets, angoissés. J'imagine sans mal ce qu'ils ont ressenti en voyant les images de l'incendie près de la cabane de Javier et des appareils qui se sont écrasés. De la fumée. Des morts. Du réel. Et l'enquête sur Jagger Jonze et Warren Hutsall? Au cours des dernières heures, mes amies, leurs proches et des milliers d'autres ont forcément compris qu'ils s'étaient alliés à des imposteurs. Le charme est-il enfin rompu? Zara? Delaney? Brook?

Nous patientons donc dans cette maison qui sent la lavande, conformément aux instructions que nous avons reçues. Nous attendons. Une fois de plus. De l'aide. Que quelqu'un vienne nous chercher et nous emmène. Chase? Si, avant, j'avais le béguin pour lui, qu'est-ce que je ressens, maintenant? Je ne connais pas le mot approprié, mais je le revois accueillir toutes ces filles à la bibliothèque et je repense à la peine que ça me faisait. Si j'avais su… Je n'aurais pas seulement eu le béguin pour lui, je l'aurais vénéré.

L'incendie de Charmlee fait toujours rage sur la côte. Celui de Bel Air, qui a rasé quatre-vingts hectares et cinq bâtiments, n'est maîtrisé qu'à vingt pour cent. Les actualités locales montrent tour à tour des interviews de Croisés en colère et de familles abasourdies, vacillant dans le rectangle de terre noircie où, à peine quelques heures plus tôt, se dressait leur maison. En un claquement de doigts, les flammes leur ont tout pris, sans qu'ils aient rien fait de mal. Je compatis.

Les chaînes d'information en continu tiennent le compte des minutes écoulées depuis l'explosion à Sacré-Cœur: pas besoin de me demander depuis combien d'heures, de minutes et de secondes nous sommes en cavale.

J'ai encore l'ordinateur rose de Nina, Dieu merci. Dans cette maison, il y a une douzaine de stations de recharge, évidemment. La batterie est au max et je peux écrire toute la nuit. Et si personne ne vient, c'est ce que je ferai. Si je ne pouvais pas coucher notre histoire par écrit, je ne sais pas ce que je ferais. Décrire les événements m'aide-t-il à les comprendre? Absolument. Sans ça, je me roulerais en boule à côté de Fee et je perdrais carrément les pédales.

Je ne sais pas qui lira ce blogue lorsque je le publierai. Ce sera peut-être déjà de l'histoire ancienne. Tôt ou tard, les Croisés vont quitter le quai, rentrer, retourner au travail. Les chasseurs de primes vont passer au prochain hors-la-loi sur la liste d'*America's Most Wanted*. Maintenant que Jagger Jonze est *incommunicado*, qui peut croire qu'il va verser la récompense? L'affaire va s'éteindre. Ou s'embraser de nouveau.

Un jour, dans un avenir très, très lointain, je ferai lire ce blogue à mes enfants. Je leur raconterai la folle aventure que nous avons vécue, ma meilleure amie, cette autre enfant et moi: Nous avons survécu et voici le compte rendu, minute par minute, que j'ai établi pour la postérité. Peut-être le monde sera-t-il encore sens dessus dessous lorsque j'aurai des enfants. Raison de plus de leur parler de résistance. Je veux élever des enfants qui n'ont pas peur de prendre la parole, de poser des questions, de se remettre en question, eux et les autres, d'aller au fond des choses. J'espère que je serai un modèle en la matière. Je suppose aussi que je devrai leur dire qu'il est permis de dire des gros mots vu que leur mère était mal embouchée.

De temps à autre, je lâche un peu l'ordinateur. Je dis quelques mots à Paula. Je flatte le dos de Fee. Je me sens comme une entraîneuse qui encourage son équipe, genre: On est dans la dernière ligne droite, restons positives, on va y arriver. Je leur ai fait part des dernières nouvelles, mais tout ce qu'elles veulent savoir, c'est quand Shelley va débarquer. Moi aussi, d'ailleurs.

La dernière nouvelle, justement, c'est que Warren Hutsall a disparu des écrans radar, au même titre que son absente et mystérieuse épouse. Son jet privé a été vu pour la dernière fois à Aruba. Il fait l'objet d'une enquête pour fraudes boursières et commerce illicite, notamment pour trafic humain. La liste est longue. La fuite est un aveu de culpabilité, non? N'est-ce pas ce qui a été martelé à propos de nous? Il est certainement coupable de quelque chose. Jinny est-elle complice? Et Jagger Jonze? Inutile de parler à Fee de Warren Hutsall. Tout indique qu'elle va garder ses illusions sur Jagger Jonze jusqu'au bout.

Avec toutes ces nouvelles informations, on pourrait penser que les Croisés remiseraient leurs carabines et renonceraient à la traque. Non, pourtant. Les gens croient ce qu'ils veulent, se bouchent les oreilles et font *lalala* quand les membres de l'autre camp prennent la parole. Personne, moi y compris, ne sait ce qui s'est passé lors du bal, mais la disparition de tous nos accusateurs ne devrait-elle pas entraîner un temps d'arrêt? Non. Pas du tout. Ils se disent plus déterminés que jamais. Si j'allais sur la plage, j'apercevrais la foule des Croisés sur le quai de Santa Monica, à quelques kilomètres d'ici. Je me demande s'il y aura des feux d'artifice à minuit, comme promis. J'ai l'impression que ça plairait à Paula.

Paula triture les rubans qui ornent le chemisier de sa poupée des Patriot Girls. Depuis le jour où son *abuelo* l'a ramenée dans sa caravane, me dit-elle, elle demande à Dieu d'envoyer quelqu'un pour la secourir. La délivrer du mal.

J'ai songé à Javier. J'espère qu'il n'est pas mort.

— Je prier pour M. Javier, a dit Paula, comme si elle avait lu dans mes pensées.

— Tu ne penses pas qu'il nous a vendues?

Paula a haussé les épaules.

— Je prier quand même.

— Ta mère t'emmenait à l'église? lui ai-je demandé.

— Pas d'église. Seulement prière.

— Et ta mère t'a appris à lire?

— Oui. Et aussi à écrire, un peu. Et elle m'apprendre l'anglais, mais surtout j'apprendre avec la télé.

— *Dancing Dina.* J'aimais cette émission quand j'étais petite, moi aussi. On faisait la chorégraphie avec nos amies, Fee et moi.

Paula a ri.

— Ma mère danse avec moi aussi. Elle est bonne danseuse. Elle est bonne chanteuse. Intelligente. Elle nettoyer les maisons, mais son rêve est être l'infirmière. Elle prie pour ça. Elle veut s'occuper des autres.

— Son cancer… Elle ne s'est pas fait soigner?

— Pas d'argent. Pas d'assurance. Pas de papiers. Pas d'aide. Elle prie.

— Mais Dieu n'a pas exaucé ses prières?

Paula a grimacé.

— Il répond aux prières.

Je me suis demandé si la mère de Paula était au courant pour Paula. Oui, bien sûr. Et Paula a «le câble et le Twitter». Elle sait donc ce que sont les transgenres. Elle a dix ans. Elle a peut-être fait des recherches dans Google. Ou vu les reprises de *L'incroyable famille Kardashian* avec Caitlyn Jenner. Et si Paula sait ce que sont les transgenres, elle sait aussi ce qu'est la haine. Les Croisés en particulier en ont long à dire sur les LGBTQ et les mille morts qu'ils méritent. Le mot *abomination* revient souvent dans leur discours. Je ne comprends pas comment Paula peut être croyante, elle que de si nombreux croyants détestent à mort.

— J'espère que Dieu répondra à tes prières, Paula.

— Toujours Il répond.

— Ah bon?

J'aimerais la secouer un peu. Comment soutenir une chose pareille? Elle n'a qu'à regarder sa vie de merde.

— Mais… Comment, Paula? Tu as des exemples de prières auxquelles Il a répondu?

— Quand je suis dans le camion pour venir aux États-Unis rejoindre ma mère, je prier pour que les gardiens regardent pas dans la valise.

— Tu es entrée au pays dans une valise?

— Je suis petite. J'ai sept ans. Je fais comme ça, explique Paula en adoptant la position fœtale.

— Oh mon Dieu. Pendant combien de temps?

— Peut-être une heure? Je dors un peu. À la frontière, je prie pour plus d'air. Lui donner. La fermeture brise. Je meurs pas.

— Tu es donc venue en camion?

— Oui. De mon village.

— Seule.

— Oui. Mon père donner argent à un homme. Près des États-Unis, il met moi dans la valise. J'ai peur que l'homme tue moi et prend l'argent. Je prie.

— Et il ne l'a pas fait.

— Oui. Et quand ma mère a le cancer, je prie Dieu de guérir elle, puis de prendre elle, pour arrêter avoir mal.

— Une fois ta mère… Quelqu'un t'a laissée chez ton *abuelo*? Même s'il est… même s'il était… comme il était?

— Personne d'autre.

— Tu as pensé à t'enfuir?

— Oui. Souvent, la nuit, je vais dans les collines. Je me dire que je vais jusqu'à la mer, mais je reviens. J'ai peur du noir. J'ai peur des coyotes et des lions de montagne et de ce qu'*Abuelo* va faire s'il m'attrape. Chaque jour, je prie Dieu. Envoie de l'aide à moi.

— Et nous sommes venues, ai-je dit.

— Oui. Toujours Il répond à mes prières.

— Hum.

— Il prendre Blackie, mon chien, quand je demande que lui plus souffrir.

— Hum.

— Et Il donner à moi M. Javier.

— Pourquoi M. Javier ne t'a-t-il pas emmenée dans un endroit sûr?

— Il demande à *Abuelo* si je peux vivre avec lui dans la chambre à Nina. *Abuelo* dit non et cherche revolver.

— Hum.

— Dieu voit. Dieu aime.

— Hum.

— Dieu voit toi aussi, Rory.

— OK. Mais je ne suis pas très portée sur la Bible, tu comprends, Paula? Je respecte tes croyances, mais…

Paula a touché ma main. Elle voyait mon visage dans le clair de lune qui inondait les fenêtres et elle a senti que je pleurais, puisqu'elle a dit:

— Dieu aime toi.

— Mais je ne suis pas croyante.

— Dieu aime tout le monde. Même s'ils ne connaissent pas Lui. Et Il veut que nous aimons entre nous. Il est voie, vérité et lumière. Comme une boule d'amour et lumière.

J'ai besoin d'une minute. Paula n'est pas stupide. C'est peut-être la bonne approche: voir Dieu comme une grosse boule de lumière et d'amour dans laquelle on peut puiser. C'est ainsi que je perçois ma mère. Et tante Lilly. Ma grand-mère et mon grand-père. Ça ne me déplaît pas.

Paula a recommencé à jouer avec sa poupée. Je me demande si les membres de la famille qui habitent cette splendide demeure ont prié pour avoir autant de chance et s'ils ont le sentiment d'être bénis. Je me demande s'ils sont croyants. Pas de crucifix sur le mur. Pas de bibles sur les tablettes. En tout cas, ils savent que nous sommes ici, sauf s'il s'agit d'un piège – possibilité que je refuse d'envisager –, ce qui veut dire que les Mason sont simplement de bonnes personnes qui viennent en aide à des semblables injustement accusées.

D'un autre côté, je me rends compte que ceux qui ont travaillé fort et accumulé plus de biens que les autres ne doivent pas être traités comme des trous du cul et qu'ils n'en sont pas nécessairement. Même pas si leurs parents sont riches et qu'ils ont hérité de leur train de vie. Ça, je le conçois. Le problème, ce sont les inégalités. Quand, dans notre pays et dans le reste du monde, des gens n'ont ni abri, ni nourriture, ni eau, les excès des vies comme la mienne sont carrément répugnants. Je sais bien que c'est du caca à la sauce communiste. Seulement, nous ne naissons pas tous avec les mêmes privilèges. Shelley dit que certains voient le jour au troisième but, d'autres loin du stade, et que le trajet jusqu'au marbre n'est pas le même pour tout le monde. Ne vaudrait-il pas mieux trouver un moyen de permettre à tout le monde de jouer?

Fee reste là, la tête de Paula posée sur son épaule. Elle se caresse le ventre sans rien dire. Ce geste – tracer des cercles concentriques sur son ventre –, elle le faisait déjà hier. J'ai cru que c'était parce qu'elle était malade. Je me demande maintenant si une sorte d'instinct s'est déclenché, si elle obéit à un besoin maternel de nourrir et de protéger. Je prends peut-être mes désirs pour des réalités. Et penser de cette manière fait peut-être de moi une espèce de moralisatrice.

Paula demande où je pense que nous irons en partant d'ici. Où ma mère – ou quiconque viendra nous aider – va nous emmener.

Je n'en sais rien. Je suppose que c'est la même chose pour tout le monde. Personne n'a la moindre idée de ce qui vient après.

Mais je parle à Paula de Vancouver. Je lui dis que je ne serais pas étonnée de nous voir aboutir là-bas, pendant au moins un moment. Lilly nous hébergerait. On serait en sécurité au Canada. Loin de la presse. Paula sourit quand je lui dis qu'on pourrait marcher ensemble au bord de la mer, faire les magasins de Robson Street, voir des films, manger dans des restaurants exotiques. Et il y a aussi l'Aquarium.

— Après, nous revenons à la maison?

— Oui.

— Tu as place pour Paula?

Nous avons de la place pour vingt Paula dans notre maison d'Oakwood Circle. Mais notre chez-nous n'en est plus un. Et il ne le sera jamais plus. Je ne pourrai jamais rentrer à Oakwood Circle. La bulle est crevée. Dieu merci. Façon de parler. Non. Dieu merci tout court.

— L'avortement est légal au Canada, a dit Fee.

— Oui.

— Dans ce cas, j'espère que nous irons là-bas.

— Ouais.

— On va peut-être nous offrir l'asile ou quelque chose comme ça, a dit Fee. Ta mère pourrait aider la mienne à y aller aussi.

— Sûrement. Elle trouvera un moyen. C'est une sorte de superhéroïne, à ce qu'il paraît.

Fee secoue la tête à quelques reprises.

— C'est comme un rêve, non? On est ici, où c'est mille fois mieux que dans la remise, mais on n'est nulle part et je suis toujours enceinte, Rory. Et j'ai peur. J'ai vraiment peur.

— Moi aussi, ai-je dit.

— Moi aussi, a ajouté Paula en se levant pour se diriger vers la fenêtre.

— Fee? Je sais que tu n'as pas envie d'en parler, mais tu devrais discuter avec ma mère et la tienne avant de prendre une décision.

Paula s'est écartée de son poste d'observation près de la fenêtre.

— Je vois gens dehors.

Je me suis levée pour aller vérifier, mais je n'ai vu personne. Nous sommes toutes un peu tendues. C'est fréquent chez les fugitifs qui tentent de rester en vie.

Non, attendez. Merde.

Il y a des gens sur la plage. Je viens de les apercevoir. Merde.

Merde merde merde merde merde. J'ai merdé.

Si on nous surprend ici à cause de ce que je viens de faire, je ne me le pardonnerai jamais.

Donc ces gens sur la plage? Deux vagues silhouettes qui traînaient les pieds dans le sable le long des maisons du front de mer. Nous les avons observées en pensant qu'il pouvait s'agir de chasseurs de primes, de policiers, peut-être de garde-côtes – nous les distinguions assez mal. Puis deux petites silhouettes se sont mises à galoper derrière. De plus près, nous avons compris que nous avions affaire à une famille de sans-abri, un père et une mère à peine plus âgés que nous et deux petites filles, pieds nus, mais vêtues de multiples couches de manteaux et de pantalons molletonnés en lambeaux. Tous, les petites y compris, portaient un sac à dos et tenaient des sacs de poubelle vides à la main. Les yeux rivés au sol, ils ramassaient tout ce qui pouvait servir, à la façon des glaneurs de partout. La mère avait autour du cou une luxueuse serviette de plage qu'on avait sans doute mise à sécher sur une clôture ou oubliée au bord de l'eau. Le père était grand et maigre comme un clou. Ils se sont immobilisés derrière l'écran de plexiglas pour jeter un coup d'œil dans la cour des Mason. Nous nous sommes éloignées des fenêtres.

— Pourquoi s'arrêtent-ils ici? demande Fee.

J'ai vu une des petites désigner les gros pamplemousses encore accrochés dans l'arbre. Le père l'a prise et l'a soulevée à bout de bras, tandis qu'elle s'étirait au maximum dans l'espoir d'attraper un fruit. Au moment où elle allait l'atteindre, le vent a secoué la branche et le pamplemousse est tombé par terre, derrière le mur de plexiglas.

Le père a déposé la petite. Elle a pris sa sœur cadette par la main et elles ont appuyé le visage contre le mur de verre. Elles regardaient le fruit tombé comme un bonbon dans une vitrine.

— C'est trop triste, a dit Fee.

La petite a commencé à pleurer. Sa plainte aiguë transperçait les vitres. Je me suis demandé si le vieux Monty allait venir les chasser avec son balai.

C'est peut-être ça... L'idée des voisins obligeant ces gens à déguerpir... Je ne sais pas ce qui m'a pris. Je n'ai pas beaucoup réfléchi, je suppose. J'ai couru dans le garde-manger, où j'ai fourré dans un sac, pris au dos de la porte, des boîtes de céréales et des barres tendres, puis j'ai prélevé dans le réfrigérateur une brassée de bouteilles d'eau froide et je les ai mises dans un autre sac.

— Qu'est-ce que tu fais? Où tu vas? ont demandé Paula et Fee.

Je n'ai pas répondu.

Quand j'ai ouvert la porte coulissante et que la brise marine s'est engouffrée dans la maison, la petite fille a cessé de pleurer et la famille s'est figée. J'ai fait un pas sur la terrasse et ils ont détalé en direction de la mer.

— Attendez! Ne partez pas! ai-je dit tout bas.

Je brandissais les sacs. Ils se sont immobilisés.

Le père a été le premier à rebrousser chemin, avec prudence, suivi par la mère et les fillettes. J'ai levé les yeux vers le ciel, tandis qu'ils attendaient de l'autre côté. Un hélicoptère s'approchait, mais j'avais une seconde. J'ai cueilli sur une branche basse un pamplemousse dodu et gras et je l'ai lancé à la fillette, qui l'a attrapé au vol en souriant. Elle l'a aussitôt donné à sa petite sœur. J'ai cueilli un autre fruit, qu'elle a aussi attrapé et commencé à peler avec des mains avides. Puis j'ai fait passer aux parents les sacs contenant l'eau et les provisions.

Le type m'a regardée d'un drôle d'air et je me suis demandé s'il avait reconnu en moi une des fugitives qu'on voyait partout à la télé, mais je me suis rendu compte que non. Pour lui, j'étais seulement une jeune fille riche qui habitait une maison de rêve et qui donnait à manger à des indigents – acte singulier et *verboten* car, comme l'a si bien dit Jinny Hutsall, chacun sait qu'ils ne s'en iront jamais si vous les nourrissez.

J'entends l'hélicoptère se rapprocher, le battement des pales semblable à celui d'un cœur, mais je ne peux pas m'éloigner parce que la petite se met à crier et à sauter sur un de ses pieds nus : elle a marché sur un objet pointu. Je ne peux rien faire. Je ne peux pas l'aider. Et maintenant, j'ai peur de courir parce que l'hélicoptère s'apprête à passer au-dessus de nous. Je m'aplatis contre l'écran de protection, je me fonds dans le décor. Et tout à coup, la sirène de la terrasse se met à hurler et des projecteurs de sécurité, l'équivalent de milliers de watts, s'allument et inondent la propriété. Au grand jour.

J'ai levé les yeux, mais l'hélicoptère avait viré à gauche en direction de la vallée. Impossible qu'on m'ait vue. Ensuite, j'ai pensé à Monty et à la vieille femme d'à côté. Concluraient-ils que c'était le raton laveur qui avait déclenché le système d'alarme ? Préviendraient-ils la police ? Ensuite, j'ai pensé aux gardiens de sécurité armés qui, d'une minute à l'autre, prendraient la maison d'assaut.

Tout a duré moins de cinq secondes. Les lumières se sont éteintes et la sirène s'est tue. En me retournant, j'ai constaté que la petite famille s'était éclipsée. Volatilisée. J'ai couru jusqu'à la maison.

Paula s'est contentée de me regarder.

Fee a soupiré et a dit :

— Le service de sécurité va réagir. À moins que ce soit la police. Certains systèmes sont directement reliés au poste. Nous sommes foutues, Rory.

Paula a proposé de remettre nos vêtements crasseux et d'aller nous cacher sur la plage, près de l'eau. L'idée m'a paru mauvaise. Pas d'abri du tout ? Et les hélicoptères ? Et la garde côtière ? J'ai songé à Anne Frank et je me suis demandé si la maison avait un grenier. Je ne me souvenais pas d'avoir vu de trappe au plafond. Mais je me suis rappelé que la penderie de Mme Mason était immense et que ses vêtements, sur leurs cintres en feutrine, étaient serrés les uns contre les autres, à la façon des couches de sédiments qui me fascinent le long des routes de montagne.

J'étais relativement certaine qu'on pourrait se cacher derrière les robes rangées par couleurs, comme lorsque je me tapissais derrière les présentoirs du Target quand j'étais petite. On est montées en vitesse et on a trouvé une bonne cachette derrière les chemisiers au parfum de lavande. On est restées là pendant ce qui m'a semblé une éternité. Il faisait noir et chaud, et nous étions trop tassées. Au bout d'un moment, Fee a dit :

— Si quelqu'un devait venir, ce serait déjà fait, non ?

Du temps pour répondre à une alerte dans une maison de Malibu? Ou même pas de réponse du tout? Les médias avaient prévenu que les policiers étaient débordés à cause du rassemblement sur le quai de Santa Monica et des fermetures de routes dans les environs des incendies. C'est pour ça qu'ils n'étaient pas encore là?

À coup sûr, l'oncle de Chase a reçu une alerte et un appel. Peut-être a-t-il dit que tout allait bien et qu'il était inutile d'aller voir. Peut-être qu'il se trouve à bord d'un yacht au large d'Hawaï, où la réception est pourrie. Peut-être qu'il a laissé son téléphone à l'hôtel et qu'il ignore ce qui s'est produit dans la maison où il cache des fugitives.

Et d'ailleurs, d'où elle sort, cette alarme? De toute évidence, quelqu'un a désactivé le système à l'intérieur de la maison. Alors, je ne sais pas pourquoi l'alarme de la cour s'est enclenchée, tout comme j'ignore qui l'a éteinte et si la police va venir.

Et comme si ce n'était pas suffisant, j'ai peur que la petite sans-abri ait marché sur une seringue souillée. Merde.

Nous avons décidé de quitter la penderie et de regagner le canapé en cuir blanc avec vue sur l'océan. Aucun signe de Monty ni de son épouse. Les policiers n'ont pas défoncé le portail, mais on ne doit pas en conclure qu'ils ne viendront pas. Nous sommes sur un pied d'alerte, à l'affût des sirènes, des bruits de bottes et du cliquetis des armes.

Ce soir, en sortant de chez Nobu, Kimmy K, ma favorite, a dit quelques mots à TMZ. Elle a d'abord déclaré à l'intention du monde entier que les sushis servis par ce restaurant étaient « une tuerie », puis, quand le type lui a demandé ce qu'elle pensait des Vauriennes en Versace, elle a répondu :

— Euh... Elles ne portaient pas du Versace.

Quand il a voulu savoir si elle nous croyait coupables, elle est devenue sérieuse. Elle a dit qu'elle s'était sentie persécutée toute sa vie, qu'elle avait été insultée et malmenée par les trolls simplement parce qu'elle avait l'audace d'être elle-même. Elle a dit comprendre ce que nous ressentions, où que nous soyons, mais elle nous a invitées à nous livrer. Elle est convaincue que la vérité triomphera. Et, quoi qu'il advienne, Dieu est du côté de la vérité.

Paula a regardé l'interview avec moi.

— Elle être magnifique, a-t-elle dit.

— Toi aussi, tu es magnifique, Paula.

— *Mi mamá* le dit.

— C'est la vérité.

— Mais je veux avoir des cils longs.

J'ai ri.

— Comme je te comprends.

— Et des pieds jolis.

J'aurais aimé emmener Paula et ses gros pieds moches jouer dans l'eau. Mais si nous marchions sur une méduse ? Ou sur un objet pointu, comme la petite fille ? Mon Dieu, j'espère que ce n'était pas une seringue. Il y a tant de déchets sur les plages, de nos jours.

J'observe le va-et-vient dans le ciel. Il y a des répits – des moments où l'océan et le ciel sont limpides. Plusieurs hélicoptères ont dû, comme les policiers, être détournés vers les incendies, et ils sont très nombreux en vol stationnaire au-dessus des manifestations du quai de Santa Monica. Nous y serions bien cachées. À la vue de tous.

Sacré-Cœur organise chaque année une journée à la plage. C'est un truc caritatif où nous invitons des enfants sans statut ou sans abri à passer un moment avec nous à Zuma. Nous mangeons un bon repas sous une tente et nous secouons la tête, tss-tss, en apprenant que ces enfants vivant à quelques kilomètres de l'océan ne sont jamais venus sur la plage. Ça paraît impossible. Pourtant, c'est la vérité. Pour des raisons évidentes, les enfants sans statut et sans abri de notre âge nous haïssent à mort, et donc nous nous concentrons sur les plus petits en les éclaboussant, en faisant de la planche avec eux et le reste. Ensuite, nous les enveloppons comme des burritos dans les énormes serviettes de plage de Sacré-Cœur, qu'ils sont autorisés à rapporter chez eux – même s'ils ne reverront sans doute jamais la mer. Nous nous félicitons assez lourdement de nos efforts. Le pasteur Hanson, qui n'est là que pour se faire valoir, balance sur ses genoux plein de petits anges à la peau brune et s'assure que les mamans accompagnatrices prennent plein de photos pour le compte Instagram de l'école.

Je suis complètement crevée. Pourtant, je continue d'aller en ligne.

Les autorités ont enfin autorisé la diffusion des images de l'école et du stationnement prises par les caméras de surveillance. Elles ne prouvent pas notre culpabilité, mais elles ne nous disculpent pas non plus. Elles ne font qu'étaler au grand jour la démence de la soirée d'hier. Je comprends mieux maintenant pourquoi on nous a demandé de laisser nos téléphones à la porte. Et pourquoi nos sacs ont été fouillés – c'est devenu fréquent *because* les armes à feu. Et les bombes.

Jagger ne faisait pas que protéger son image. En fait, il contrôlait l'ensemble de la manifestation et il s'est assuré que les événements ne seraient pas documentés par deux cents téléphones. Il est certain que Warren Hutsall est impliqué dans l'affaire. On affirme qu'il est l'« agent de facto » de Jagger et qu'il touche un pourcentage sur les gains du révérend à titre d'artiste et sur les revenus du Bal de la pureté américaine. Et tout ça pour quoi? L'argent? La justesse de sa cause? Les deux?

Il semble que M. Hutsall se servait de Jinny comme recruteuse pour les Croisés et le Bal de la pureté américaine. Un reportage a révélé que Jinny a dix-huit ans, et non seize. Son dossier scolaire montre que les Hutsall ont souvent déménagé et que Jinny a redoublé sa huitième année et sa première année de secondaire. Il paraît aussi que Jinny a été mêlée à un certain nombre d'incidents dans d'autres écoles. Victime d'intimidation anti-Croisés sur Internet dans l'une. Victime d'une violente agression physique dans une autre. De quoi? Warren Hutsall était-il au courant de la relation du révérend avec sa fille? J'en doute. Mais qui sait?

Jinny était-elle en réalité une espionne? Chargée de débusquer et de discréditer des agitateurs tels que moi? De monter des scénarios dramatiques destinés à générer de la publicité gratuite pour la Cause et à alimenter la machine de propagande, selon l'habitude des Croisés, du moins si j'en crois ma mère? Comme toute cette histoire de Marché rouge. Comme la bombe du Bal de la pureté américaine.

C'est Jinny qui nous a poussées à dire à la sécurité qu'on avait laissé nos téléphones à la maison. Elle a dit qu'on n'aurait qu'à les glisser dans nos soutiens-gorge et nos corsages pour prendre des *selfies* rigolos dans les toilettes après la cérémonie. J'aurais dû me demander pourquoi Jinny se préoccupait de *selfies,* elle qui publiait uniquement des commentaires antiavortement dans les forums des Croisés. Jamais de photos. Je pense que j'étais plutôt contente d'avoir mon appareil avec moi. C'était mon téléphone, quand même. J'ai aussi compris que je pourrais prendre quelques photos clandestines pour mon blogue. Je n'envisageais pas de dénoncer Jagger Jonze, de le démasquer. J'avais trop peur pour me lancer là-dedans toute seule. En même temps, je voulais le défier, peut-être publier quelques photos interdites de lui en train de baver devant des adolescentes virginales.

Chez les Hutsall, pendant qu'on se préparait pour le bal, personne n'en a voulu à Jinny d'avoir chipé la bouteille de Dom Pérignon dans le refroidisseur et de l'avoir montée en douce dans son fourre-tout Louis, en même temps que six coupes en cristal.

En servant le champagne, elle a dit :

— C'est enfin le moment. Je n'arrive pas à y croire. Et ne vous en faites pas, Dieu nous pardonnera pour le champagne.

Dee, inquiète à cause du cocktail alcool-bupropion, a tout de même accepté la coupe que Jinny lui tendait.

— Nos pères ne vont pas sentir l'alcool dans notre haleine, au moins? a demandé Zara.

— Il sera masqué par l'alcool dans la leur, ai-je répondu.

— D'ailleurs, a dit Jinny en riant, le champagne n'est pas de l'alcool. C'est juste des bulles. Et je pense qu'on a besoin de bulles, avant cette soirée. En plus, je suis horriblement nerveuse.

Je la regardais en me disant : Hier soir, tu te faisais perler l'anneau par Jagger Jonze et aujourd'hui, tu es nerveuse à l'idée de recevoir un anneau en perle de ton père? Sans blague? Je me disais aussi : Sais-tu que je connais ton secret, Jinny?

— Champagne, Rory?

J'ai accepté la coupe. La veille, j'avais à peine fermé l'œil : je me demandais si Jinny et Jagger savaient que je les avais filmés et, le cas échéant, comment ils allaient réagir. Je m'attendais à tout moment à entendre Jinny sonner, puis monter à toute vitesse pour me prendre à partie.

Jinny a tenu à porter un toast. Pouah. Nous avons formé un cercle, brandi nos verres étincelants et attendu qu'elle réprime quelques larmes. Je me sentais tellement hypocrite ! Jinny n'arrivait pas à croire que ce moment était enfin arrivé ? Et moi, alors ? Plus exactement, j'étais incrédule à l'idée d'aller jusqu'au bout.

— Buvons à la santé de Jésus-Christ notre Sauveur.

Je sais que Jinny m'a vue grimacer.

— Nous Te sommes reconnaissantes de Ta bonté et nous sommes excitées à la pensée de l'engagement que nous prendrons ce soir. Pardon pour les bulles, Seigneur.

Nous avons gloussé.

— Veille sur nous toutes et en particulier sur Rory. Nous savons que Tes voies sont impénétrables. Que cette soirée marque un tournant pour notre amie.

Les filles ont cru que Jinny me taquinait, mais chacun de ses mots était lourd de sens, au contraire.

J'ai bu une gorgée de champagne, savourant sa morsure sur ma langue. Il a légèrement embrumé mon cerveau et j'ai un peu moins haï Jinny. Du moins jusqu'à ce qu'elle se penche pour ajuster les courroies de ses sandales Lacroix. Là, j'ai été seulement jalouse. Après avoir tenté de déplacer ma commode pour récupérer ma caméra, j'avais l'orteil enflé et je n'avais pas pu enfiler les miennes. Je portais des chaussures de sport.

M. Sharpe avait offert à Fee les Miu Miu qu'elle convoitait, mais, le jour du bal, elle m'avait textée pour me dire que les sandales ne lui faisaient pas! Elle les avait achetées des semaines plus tôt, quand Delaney et elle étaient allées voir des robes, mais elle n'arrivait plus à y glisser les pieds, et elle allait devoir mettre ses Keds blanches. Je ne me suis pas dit: Mais oui, c'est l'évidence, Fee est enceinte et fait de la rétention d'eau, c'est pour ça que ses lèvres sont plus charnues, ses seins plus gros et ses chaussures trop petites. Non. Je me suis seulement dit qu'il ne faut jamais essayer de chaussures le matin, quand nous sommes plus minces et moins hydratées. Merci mon Dieu pour les chaussures de sport. Nous n'aurions jamais pu atteindre la cabane de Javier en talons hauts.

En nous voyant lacer nos chaussures dans sa chambre, Jinny s'est montrée encourageante:

— On ne les voit pas. Et c'est plus commode pour danser.

Nous n'avons pas dansé.

Après la cérémonie, notre petit groupe s'est de nouveau dispersé. Sherman est allé rejoindre des pères que je ne connaissais pas pour fumer des cigares dehors. Jinny s'est faufilée derrière moi et m'a chuchoté à l'oreille qu'elle allait dans la limousine prendre l'autre bouteille de champagne qu'elle avait cachée dans son fourre-tout. En grande conspiratrice, elle m'a entraînée dans un couloir. Nous ne voulions surtout pas nous faire prendre en possession d'alcool. Nous avons donc convenu de nous retrouver dans les toilettes les plus éloignées, derrière le gymnase, à l'autre bout du campus.

— Bee et Zara se font photographier avec leurs pères, ai-je dit en montrant la queue qui s'était formée devant le photographe. Je ne sais pas où sont Fee et Delaney.

J'ai dit que j'allais les texter pour leur donner rendez-vous dans les toilettes, mais Jinny a dit:

— Oh mon Dieu. Ne sors pas ton téléphone, Rory! Ne texte personne. Quelqu'un risque d'entendre le vibreur. Et on ne peut pas toutes se diriger de ce côté en même temps, ça paraîtrait louche.

— OK.

— Je les préviendrai.

— OK.

— Vas-y maintenant. On te retrouve dans un moment, Dom et moi.

Dom et moi? Elle plaisantait? Avec moi? Était-elle ivre?

— OK.

Je me réjouissais d'avoir un prétexte pour quitter la salle de bal.

— Les toilettes derrière le gymnase, m'a-t-elle rappelé.

— Je sais.

Je me suis engagée dans le long couloir qui conduit à la porte du fond, d'où part le sentier du gymnase. C'est là que j'ai découvert Fee, sur un banc, la tête enfouie dans les mains. Je me suis assise à côté d'elle et j'ai passé mon bras autour de ses épaules.

— Ça va, a-t-elle dit.

— Je te ramène, si tu veux.

— Je ne peux pas. Ça va. Ça va.

Je voyais bien que ça n'allait pas du tout.

— Où est Dee?

Elle a haussé les épaules.

— Tu es sûre de ne pas vouloir rentrer?

— M. Tom va être furieux. Tu sais combien coûte cette soirée?

— Mais tu es malade.

— Je vais bien.

J'ai raconté à Fee que Jinny nous avait donné rendez-vous avec la bouteille de champagne dans les toilettes du gymnase et qu'il fallait faire preuve de discrétion. Elle m'a dit d'y aller toute seule : elle devait d'abord retrouver M. Tom et lui demander pardon pour la bague trop petite. Et il voulait se faire photographier avec elle. Puisqu'elle y tenait…

En route vers les toilettes, j'ai recommencé à jouer à « Jinny sait-elle que je sais ? », le jeu qui rend folle. Qu'est-ce que j'allais dire si elle m'entreprenait là-dessus ? J'avais bricolé une explication à la seconde où j'ai laissé tomber la caméra. *Je ne vois pas de quoi tu parles, Jinny. Je filmais les roses devant ma fenêtre pour envoyer une vidéo à tante Lilly. Tu as cru que je te filmais dans ta chambre ? Quoi ? Jamais de la vie ! Pourquoi ? Tu t'épilais, tu te changeais ou un truc du genre ? Je n'ai rien vu, Jinny. Je te jure.* Je réussirais à la convaincre. J'avais l'impression, déjà, que ma vie en dépendait.

Quelques pères causaient près des terrains de basket-ball. Ça sentait le cigare. J'ai entendu Sherman s'esclaffer et j'ai décidé de contourner par le terrain de jeu de l'école primaire. Ça m'a pris une éternité. À chaque instant, il me semblait entendre des pas derrière moi dans l'obscurité. Si j'avais été dans un film d'horreur, des spectateurs m'auraient crié : T'es folle ou quoi ? Ne va pas là ! Pas là !

J'ai trouvé la porte des toilettes verrouillée ou coincée. Génial. J'ai sorti mon téléphone de sa cachette dans mon corsage. Pas de messages. J'allais texter Jinny et les autres quand j'ai entendu un bruit de l'autre côté de la porte, celui d'un objet métallique qui aurait heurté la porcelaine du lavabo.

— Il y a quelqu'un ?

J'ai entendu des pas rapides, puis Fee s'est mise à crier que la porte était coincée et que je devais tirer. C'est ce que j'ai fait et on a fini par l'ouvrir.

— Où étais-tu? a demandé Fee. Je t'attends depuis cinq minutes.

— J'ai fait un détour. Comment as-tu pu arriver si vite?

— M. Tom devait parler avec le révérend. Où sont les autres?

— Je ne sais pas.

— On les texte?

— Non. Si nos pères se rendent compte que nous avons gardé nos téléphones, ils seront furieux. Tu imagines?

J'ai calé la porte à l'aide d'une poubelle. Et j'ai constaté que Fee avait les yeux bouffis et enflés. Elle a sorti sa trousse de beauté de son sac dans l'intention de retoucher son maquillage. Je me souviens de lui avoir dit de ne pas poser sa maudite pochette en métal sur le comptoir trempé: elle risquait de rouiller.

— Qu'est-ce qui se passe, Fee? lui ai-je demandé.

— Tu as dit que Jinny allait apporter du champagne, non?

— Je te parle de toi.

— Rien.

— Mon cul.

— Je ne me sens pas bien. Rien de plus. Mon ventre.

— C'est tout?

— M. Tom est furieux contre moi.

— Pourquoi?

— Il a dépensé une petite fortune pour des chaussures que je n'ai même pas pu mettre.

— Tu n'auras qu'à les retourner.

— Il est furieux pour la bague, aussi. En plus, c'est moi qui lui ai donné la taille.

— Il est fâché pour ça?

— C'était gênant, Rory. Tout le monde nous regardait.

— OK.

— En plus, je me sens super mal.

— Hum. Ne bois pas de champagne, alors.

— Où est Jinny? Où sont les filles? a demandé Fee en jetant un coup d'œil à son téléphone. Pas de textos. Ma batterie est à quelque chose comme dix pour cent.

L'odeur m'a alors frappée de plein fouet.

— Oh mon Dieu. Tu as pété?

— J'ai la chiasse. Ne ris pas. C'est grave. Je me sens toute drôle. Comme si je pissais avec mon cul.

— Trop d'informations, *chica,* ai-je dit.

Je n'en pensais pas un mot. Il n'y a jamais trop d'informations pour moi.

— Qu'est-ce que tu as mangé, aujourd'hui?

— Rien. De toute la journée.

À part ces truffes en chocolat, mais je n'y ai pas pensé sur le coup.

— Mon Dieu, Fee.

— Je sais.

J'ai fini par envoyer un texto collectif. **Où vous êtes, les filles ?** J'ai attendu une seconde. Rien. Je me suis dit qu'elles se trouvaient sûrement dans un endroit où elles ne pouvaient pas répondre. La queue pour les photos était interminable. Puis je me suis demandé si Jinny s'était fait prendre avec le champagne. Ça ne m'aurait pas déplu.

Brusquement, Fee a retroussé sa robe en se précipitant dans une des cabines. Il nous est tous arrivé de chier liquide à cause de la nervosité ou d'un truc qu'on a mangé, par exemple. J'avais mal pour elle, et aussi pour moi, *because* bonjour l'odeur. À son arrivée, Jinny Hutsall s'arrangerait pour que Fee se sente répugnante parce qu'elle est humaine.

Pendant que Fee était dans la cabine, j'ai eu envie de pipi, et c'est là que j'ai vu des taches de sang sur ma belle culotte toute neuve. En sortant de la cabine, j'ai constaté que la distributrice de serviettes sanitaires était vide et j'ai demandé à Fee si elle avait des tampons dans son sac. Elle a paniqué. Puis elle a tiré la chasse et, oh mon Dieu, la toilette s'est bouchée et a débordé. Nous portions de longues robes blanches. Ne commencez pas, s'il vous plaît. J'ai attrapé Fee par la main et on est sorties en criant et en riant parce qu'on a seize ans et que la situation était complètement délirante. Au passage, j'ai fait tomber la poubelle et la porte s'est refermée avec fracas.

— Mon sac! a crié Fee, qui ne riait plus. J'ai besoin de mon sac, Rory!

Elle était dans tous ses états. Franchement excessif, comme réaction.

On a secoué la porte, mais pas moyen d'entrer. On a balayé les environs des yeux – toujours aucune trace de Jinny ni des autres.

— Où sont-elles?

— Allons les attendre dans les gradins, ai-je proposé. Nous reviendrons chercher ton sac ensuite.

Nous avons couru, mais l'idée de son sac l'obsédait.

— Il y a tes papiers dans ton sac? ai-je dit. C'est ça? On va te le rendre. C'est Sacré-Cœur, ici, bordel.

— Non. Il n'y a rien qui permette de m'identifier.

Fee a secoué la tête. Avec le recul, je me rends compte qu'elle était soulagée.

On s'est assises sur un banc d'où on pouvait voir la porte des toilettes, au cas où les filles viendraient. On a attendu. Puis Fee a sorti son téléphone. Pas de réseau. Maudites montagnes. Sous l'effet d'une crampe, elle s'est pliée en deux.

— Mais qu'est-ce qui m'arrive?

— Grippe intestinale, peut-être, en fin de compte? Allez, viens, je te ramène.

Quittant les gradins, nous nous sommes mises en route vers la salle de bal, mais Fee a dû s'arrêter pour dégueuler.

C'est alors que les messages collectifs ont afflué, de quoi faire péter nos appareils.

DEE : **Klk choz dans le stationnement.**

MOI : **Quoi ?**

ZARA : **Quoi ?**

BROOKLYN : **Sortez les filles.**

DEE : **Pasteur tàt dans tous ses états.**

J'ai tapé : **On arrive.**

Je fais du cross-country, mais j'ai horreur de marcher. Et Fee était malade comme un chien. Nous avons donc pris un raccourci en contournant la piscine olympique pour revenir sur le sentier derrière les courts de tennis et remonter la crête du côté nord du stationnement. Je lisais les messages à voix haute :

ZARA : **Qqn sur une banquette arrière.**

DEE : **OMG ! Des mamours ?**

BROOKLYN : **Baise au bal !**

ZARA : **Y a que des pères ici.**

MOI : **Parf. Inceste au BPA. Vidéo svp.**

ZARA : **Yola et le gars de St. James ? Il vit à côté.**

DEE : **C grave. Jinny dmd aide.**

ZARA : **Fee ? Rory ?**

MOI : **On arrive.**

ZARA : **Où vous êtes ? ? ?**

DEE : **OMG. Où vous êtes ?**

ZARA : **Je te vois D. Tu me vois p de la limous ? Je te fais des signes. OMG.**

DEE : **Larmes.**

MOI : **Larmes ?**

ZARA : **Camy Jarvis dans les pommes.**

BROOKLYN : **Je vois RIEN ! ! !**

ZARA : **Rory et Fee, où vous êtes ? ! ! !**

DEE : **Grouille, Ror. Ils regardent dans ta Prius.**

Il y a eu comme un glissement. J'ai senti une énergie sombre franchir la crête, tandis que Fee et moi suivions le sentier jusqu'à un plateau dominant le stationnement. Une voix intérieure me recommandait de rester cachée dans l'ombre des rochers et des buissons. J'ai entraîné Fee près de moi.

Nous avons vu l'attroupement qui se formait en contrebas. Les papas en smoking et les petites vierges en robe longue faisaient cercle autour de ma Prius. Les murmures gutturaux des pères s'élevaient jusqu'à nous. Quelque chose – quelqu'un – gigotait à l'arrière de la voiture. C'était l'une de nous, l'une des fiancées.

On distinguait sa robe blanche. Quelqu'un s'envoyait en l'air dans ma Prius? Oui, apparemment. Les pères n'auraient-ils pas dû voiler les yeux de leurs enfants? Probablement.

Le bourdonnement de la foule s'est intensifié, et puis…

Oh mon Dieu. Jinny Hutsall s'est extirpée de la banquette arrière, ses maudits cheveux blonds soulevés par le vent, si chic dans sa robe blanche. Et je me suis dit: Oh mon Dieu, Jagger enfilait Jinny dans ma voiture et ils ont été pris sur le fait! Pendant une seconde, j'ai éprouvé du soulagement: Jinny s'en irait et ce serait comme si nous ne l'avions jamais connue. Et le révérend? Il serait crucifié et ce serait bien fait pour lui.

Avec le reste des badauds, nous avons longuement attendu de voir qui souillait Jinny sur la banquette arrière, mais personne d'autre n'est sorti de la voiture. La superbe Jinny Hutsall était seule. Mais attendez…

Les curieux ont poussé un hoquet collectif en constatant qu'elle tenait quelque chose dans ses bras – un petit paquet blanc emmailloté dans son pashmina taché de sang.

Les murmures ont débuté – si forts qu'on les entendait depuis notre cachette. *C'est un bébé. Oh mon Dieu, c'est un bébé. Elle a un bébé. Il y a un nouveau-né vivant dans ses bras.* J'avais vraiment entendu ça ou bien je l'avais moi-même dit? Ou Fee? Je me souviens que nous avons échangé un regard avant de nous enfoncer plus profondément dans l'ombre, puis Fee m'a pris la main et l'a serrée, et ensemble nous avons assisté à la scène. C'était l'impression que ça donnait: j'avais sous les yeux une scène de cinéma et non la vie – et certainement pas MA vie.

Nous observions de loin, et je regrettais de ne pas avoir ma caméra avec son téléobjectif. Écartant le pashmina, Jinny a révélé la chose. Un bébé. Un bébé immobile. Un bébé mort? Fee m'a serré la main. À la broyer. C'était si affreux et si triste que nous avons cru en mourir.

— Mon Dieu, qu'est-ce qui se passe? a chuchoté Fee.

On ne pouvait pas le voir de là où on était, mais les images des caméras de surveillance tout juste diffusées le révèlent, une grosse larme glissait sur la joue de Jinny Hutsall tandis qu'elle brandissait le bébé emmailloté dans le pashmina blanc ensanglanté. Pendant une minute, nous avons eu droit à une image de film d'horreur ou de magazine de mode. Fee me serrait la main si fort que j'en avais mal.

Personne ne savait comment réagir. Jinny pressait l'objet ensanglanté contre ses seins parfaits. Puis, sortis de nulle part, deux des frères de Jinny ont empêché les gens, les pères y compris, de s'approcher du bébé et de leur sœur.

Soudain, la foule s'est ouverte comme la mer Rouge et nous avons vu Jagger Jonze accourir vers Jinny. À la vue du bébé immobile dans les bras de la jeune femme, il est tombé à genoux. Jinny lui a dit quelques mots que nous n'avons pas saisis. Sous les yeux des spectateurs médusés, bouche bée, Jagger Jonze a baissé la tête le temps de compter jusqu'à dix, puis il l'a redressée, comme s'il entendait une voix. Ensuite, il s'est levé et a posé sa main sur le front du bébé et a levé l'autre vers Dieu.

Jinny a brandi sa main libre, elle aussi, et c'est alors que c'est arrivé – un tout petit cri.

On est tombées dans les bras l'une de l'autre, Fee et moi. J'ai cru mourir de soulagement en voyant que la petite chose ensanglantée était vivante.

Mais ma voiture ! Au nom du Seigneur, qui avait pu mettre ce bébé dans ma voiture ? Les pleurs se sont intensifiés. Et encore. À mes oreilles, les vagissements du bébé n'étaient pas ceux d'un nouveau-né, mais ils ont bientôt été noyés sous les applaudissements et les acclamations de la foule.

Fee a voulu descendre retrouver les amies pour mieux se rendre compte. Je n'avais pas tout saisi, mais, à première vue, tout indiquait que Jinny avait sorti un bébé mort de la banquette arrière de ma voiture et que Jagger Jonze et elle l'avaient miraculeusement ressuscité. Confusément, je sentais que j'allais avoir des ennuis. J'ai retenu Fee.

— Il faut qu'on aille voir, Rory.

— Non. Non. On est dans la merde, là.

— Tu crois ?

— Fee, c'est... C'est mauvais, tout ça. Bizarre.

Fee s'est pliée en deux, victime d'une nouvelle crampe. Sinon, je crois qu'elle se serait détachée de moi pour descendre en courant.

De sa démarche de mannequin en plein défilé, Jinny, un tout petit bébé dans un bras, a parcouru la distance d'au moins cinq voitures qui la séparait d'un jeune garçon maigre, blond, sale, et ayant visiblement pris trop de méthamphétamine, retenu par deux de ses solides frères. D'où il sortait, celui-là ?

— À moi ! Elle être à moi ! a crié le garçon à travers ses larmes.

Il avait l'air torturé et le cerveau embrumé.

— Nous penser qu'elle morte. Elle ne pas respire.

— C'est lui qui a mis le bébé dans la Prius! a crié un des frères.

— Je l'ai vu! a confirmé l'autre sur le même ton.

Le garçon drogué pleurait.

— Elle ne pas respire…

Les frères l'ont fouillé comme s'ils étaient des policiers. Ils ont trouvé un gros rouleau de billets de banque retenus par un élastique.

— Où as-tu pris cet argent?

— Sur la banquette derrière, a répondu le garçon. Elle dit qu'elle laisse là.

D'un geste de la main, Jagger Jonze a intimé le silence à la foule.

— Qui ça, «elle»?

Les mots sont montés vers nous en flottant, comme si tout était amplifié. On aurait dit une pièce de théâtre, aux répliques apprises par cœur.

L'ado agité de soubresauts a dit:

— Elle texte de la laisser dans voiture. Celle avec le décalque tortue.

On murmurait, on secouait la tête.

— Qui t'a texté?

Jagger semblait incrédule.

— Une coursière, a répondu le garçon.

— Une coursière? Tu as bien dit «coursière»?

Jagger Jonze a marqué une pause.

— Voudrais-tu insinuer qu'il y a une coursière parmi nous?

La foule est redevenue silencieuse.

— C'est la voiture de Rory Miller, a constaté Jagger Jonze, déboussolé.

— Je ne pas savoir son nom, a dit l'adolescent.

— Tu veux dire que Rory Miller est une coursière?

Se tournant vers la foule, Jinny a répété la réplique.

Un des frères de Jinny a poussé le garçon.

— Et Feliza Lopez aussi.

— Je… Je ne pas connaître les noms.

Nous nous sommes regardées, Fee et moi. Quelle insanité!

Prenant le bébé des mains de Jinny, Jagger Jonze l'a posé contre son épaule. On sentait monter des ondes de chaleur, la rage et l'indignation de la foule. Au loin, les sirènes stridentes des véhicules d'urgence résonnaient.

Dans tout ce brouhaha, les pleurs du bébé se faisaient quand même entendre, j'ignore comment, tandis que Jagger Jonze fendait la foule, la chose minuscule emmaillotée de façon à cacher son petit visage. Ensuite, il l'a brandi dans les airs, genre Simba dans *Le Roi lion,* ce qui ne m'a pas semblé l'idée du siècle, puis il a fait signe aux frères de Jinny de libérer le garçon.

Jagger a eu une autre mauvaise idée, à mon sens: déposer la petite dans les bras de son père qui, essentiellement, venait d'avouer qu'il l'avait vendue au plus offrant.

Sherman. Je l'ai vu se faufiler dans la foule. Au début, j'ai cru qu'il me cherchait, qu'il voulait s'assurer que j'étais saine et sauve, me rassurer. Nan. Il fuyait. La Maserati de Boules en sucre s'est arrêtée devant le guichet de sécurité, à la lisière du campus. Et Sherman s'est éclipsé.

Tout d'un coup, deux autres frères de Jinny ont surgi. Ils avaient emprunté le sentier qui conduit aux toilettes du gymnase, où nous avions failli être enfermées. Ne nous ayant pas trouvées prises au piège, ils avaient l'air paniqués. J'ai vu l'un d'eux faire un signe de tête à Jinny.

Jagger a crié à la foule :

— Trouvez-les !

On entendait de plus en plus distinctement les sirènes des premiers répondants. Sans même échanger un regard, Fee et moi avons détalé. On a rebroussé chemin au pas de course, longé la crête, dépassé la piscine, le terrain de soccer et le gymnase, puis emprunté l'allée qui va jusqu'aux sentiers de randonnée en montagne derrière l'école. On a trébuché sur des racines, des rochers et des branches, dans notre cavale vers la cabane de Javier, même si notre destination n'était pas encore claire.

On n'était pas rendues très loin quand la terre s'est dérobée sous nos pas, nous faisant culbuter au milieu du sentier rocailleux. Un tremblement de terre ? Regardant l'école par-dessus nos épaules, on a vu de la fumée monter d'un des coins du gymnase. Ça nous a pris une minute pour comprendre qu'une bombe avait explosé dans les toilettes. La bombe, la bombe de Jinny avait soufflé une partie du toit, et des flammes jaillissaient par les fenêtres fracassées et les puits de lumière. Même pas le temps de dire : Merde.

On a couru. Et couru. Et couru encore. Fee, tenace, a tenu jusqu'au bout. Seigneur, merci pour ces cinq années de cross-country. Et merci pour la pleine lune.

On a entendu des aboiements – peut-être des chiens policiers. J'ai entraîné Fee vers un ruisseau et, en retroussant nos robes, on a pataugé dans l'eau dans l'espoir qu'ils perdraient notre trace. Sur l'autre rive, j'ai pris une pierre de la taille d'une balle de baseball et je l'ai enduite de sang menstruel avant de la lancer le plus loin possible du côté de l'école – dans une émission de télé, j'avais vu un assassin disperser des pierres portant son odeur pour tromper les chiens. Fee a craché sur une roche avant de la lancer – son bras n'est pas mal non plus. On a continué à semer des pierres empreintes de notre odeur jusqu'à ce que les chiens soient tout près. Puis on est montées dans les collines, au milieu des buissons épineux et des herbes piquantes. Chaque montée était suivie d'une descente sur des roches sèches et friables, des carrés de ronces au duvet blanc.

On courait depuis je ne sais combien de temps quand j'ai réalisé qu'on se dirigeait vers la maison du cousin de notre jardinier dans les collines. À un moment, on est passées par un secteur où on captait bien. Les messages collectifs ont repris de plus belle.

Je connaissais le principe du Ping et je savais que nous ne devions pas répondre. On s'est arrêtées, cependant, et j'ai lu quelques textos à Fee.

BROOK : **Vous nous recevez, les filles ? OMG ! Qu'avez-vous fait ?**

DELANEY : **Vous, des coursières ?**

ZARA : **On va vous tirer dessus. Rendez-vous.**

BROOK : **Rendez-vous, Ror.**

DEE : **On offre une récompense d'un million de $ pour votre capture.**

BROOK : **Vrai. Le révérend Jagger vient de l'annoncer sur Twitter.**

ZARA : **Rendez-vous à la police. Que Dieu ait pitié de vos âmes.**

DEE : **J'y crois pas. Pourquoi elles auraient fait ça ?**

ZARA : **Ror est sans Dieu. Fee est sans le sou.**

DEE : **Mon père FOU DE RAGE.**

ZARA : **OMG, les filles. Reçu une alerte. On nous voit partout.**

Dans la lueur de la lune, on s'est regardées, Fee et moi, blêmes et couvertes d'égratignures dans nos robes crasseuses et déchirées. Attendez. Quoi?

BROOK : **On est sur TMZ en ce moment. Ouvrez. On a l'air géniales dans nos robes. Ror et Fee ont gâché le bal – visage renfrogné.**

DEE : **Rendez-vous !**

ZARA : **Ma mère dit que Shelley est sûrement dans le coup. Pas étonnant. Des communistes.**

BROOK : **Vos parents reçoivent des menaces de mort. Rendez-vous !**

ZARA : **OMG, les filles ! C fou.**

ET, ENFIN, JINNY HUTSALL : **Que la volonté de Dieu soit faite.**

Merde.

— Il faut se débarrasser des téléphones, ai-je dit.

— Non! s'est écriée Fee.

— Oui. Sinon, on va pouvoir nous suivre.

Je me suis rappelé qu'il y avait un autre ruisseau peu profond, droit devant. J'ai attrapé l'appareil de Fee et j'ai couru dans l'idée de le noyer avec le mien. Seulement, il n'y avait plus d'eau du tout là où bouillonnait autrefois un torrent. J'ai fracassé nos téléphones sur un rocher avant de les enterrer dans la vase. Fee s'est contentée de me regarder.

— Oh mon Dieu, Rory. Dis-moi que ce n'est pas vrai. Je n'y comprends rien. Pourquoi ils disent des horreurs pareilles sur nous? Pourquoi ce type a mis un bébé dans ta voiture?

— Aucune idée. Ça n'a pas de sens.

Je croyais alors que le bébé était vrai. Maintenant que j'ai vu les images, je suis sûre que c'était un accessoire – une animatronique. Les gestes saccadés et le visage ne mentent pas. Je parie que quelqu'un va s'apercevoir qu'on peut acheter ce bébé mécanique en ligne, pour le cinéma ou pour des cinglées qui veulent jouer à la maman. C'est repoussant, mais moins que s'ils avaient utilisé un vrai bébé pour leur petite supercherie. Dans quelle catégorie ranger un crime pareil? Quoi qu'il en soit, on n'a pas retrouvé le «bébé miracle».

Pendant que je bloguais, Fee et surtout Paula ont surveillé les portes et les fenêtres. Les policiers? Les agents du service de sécurité? Toujours rien. Mais chaque fois qu'une sirène retentit sur la Pacific Coast Highway, c'est-à-dire à peu près toutes les dix minutes, nous grimaçons en nous demandant s'il ne faudrait pas retourner dans la penderie.

Les médias sociaux et les chaînes d'information s'emploient à décortiquer les images des caméras de surveillance. Au moins, quelques personnes laissent entendre que la chose abandonnée sur la banquette arrière de ma voiture était un accessoire, un faux fœtus comme ceux que Jinny avait apportés au palais de justice de Pasadena. L'adolescent drogué? Un acteur, de toute évidence. Assez doué. Certains papas présents au bal soutiennent qu'ils nous ont vues arracher le bébé qui n'était pas un bébé des mains de son «père» et nous enfuir avec dans les collines. D'autres affirment que l'adolescent s'est volatilisé, tout simplement. Au sujet du bébé, rien. Il est intéressant de constater que personne n'a lancé de campagne de sociofinancement pour retrouver l'ado toxicomane ou le bébé.

C'est la Guerre sainte. Dans toute guerre, il faut des méchants. Et les méchants doivent mourir. Mais nous sommes vivantes.

Je viens de voir une image montrant Garth, un des frères de Jinny, qui n'est peut-être pas son frère du tout, qui sort des toilettes des filles, beaucoup plus tôt dans la journée. Longtemps avant l'explosion. Mais on ne peut interroger ni Garth ni les autres Chippendales parce que – je vous le donne en mille – ils ont aussi disparu. Garth aurait donc posé la bombe? Va chier, Garth.

Paula m'a demandé de cesser de taper pour partir à la recherche de Fee. Elle a quitté la pièce sans que je m'en aperçoive.

Fee n'était nulle part au rez-de-chaussée. Nous l'avons trouvée assise sur le sol en marbre de la salle de bains de la chambre principale.

— Ça va?

Elle n'a même pas levé les yeux.

— Non.

— Fee?

— J'ai eu des crampes… violentes. Pas des crampes d'estomac. Des crampes pour en mourir. J'espérais trouver du sang. Faire une fausse couche…

— Oh, Fee…

— Mais non.

— OK.

— Qu'est-ce que je vais faire, Ror?

Je n'en avais aucune idée.

Un bruit dehors. J'ai regardé par la fenêtre de la salle de bains, mais il n'y avait personne sur la plage. Pas de vagabonds près des arbres fruitiers. C'était peut-être Monty, le voisin, occupé à chasser le raton laveur. Paula a dit qu'elle allait jeter un coup d'œil par les fenêtres du rez-de-chaussée.

Je me suis assise par terre à côté de Fee.

— Malibu Sunset, ai-je dit.

Elle a esquissé un demi-sourire.

— Je suis là, Fee. Et si tu veux… tu sais… on trouvera un moyen… On a encore beaucoup de temps.

— Pas tant que ça, Ror.

— Quand même.

— J'ai déjà trois mois de retard.

Attends. Quoi? Comment c'est possible?

— Au début, je me suis dit: Bah, des fois je saute un mois quand je suis stressée. J'ai cessé de compter. Puis j'ai sauté un autre mois et… Je ne sais pas. J'étais en plein déni, je suppose. Je me disais que c'était impossible. Et puis… la semaine dernière, j'avais les boules enflées et je me suis sentie différente…

— Attends. Tu es en train de me dire que tu es enceinte de trois mois?

— Plus ou moins.

— Plus ou moins?

— Ror…

— Mais nous venons de le rencontrer. Nous avons posé les yeux sur lui pour la première fois il y a, quoi, cinq semaines?

— Jagger Jonze n'est pas le père, a-t-elle dit en me regardant dans les yeux. Ce n'est pas lui.

Je n'aime pas me tromper. Tout de même, j'ai été soulagée. Mais qui était-ce, alors?

— Il a dit que je ne risquais rien parce qu'il s'est retiré…

Oh mon Dieu.

— *Qui* s'est retiré? Qu'est-ce que tu me racontes?

— Je… Je ne veux pas lui causer d'ennuis.

— Tu ne veux pas causer d'ennuis à qui, Fee?

— Je l'aime, Ror. Et il m'aime. C'est compliqué, mais nous allons finir par vivre ensemble.

— Dante? ai-je dit.

— Non!

— Miles? C'est Miles?

— Ror?

— Fee? Qui t'a mise enceinte, bordel?

Elle est restée un long moment silencieuse, puis, sans me regarder, elle a murmuré:

— M. Tom.

J'étais bouche bée. Le nom est resté en suspension entre nous. À la façon d'un orage.

M. Tom. Tom Sharpe? Le père du bébé de Fee? Non. Juste… Non. Tom Sharpe? Fee avait cette manière de le regarder, cette adoration respectueuse que j'ai toujours associée à l'amour d'une fille pour son père. Et lui la chouchoutait au point d'attiser la jalousie de sa propre fille, mais je croyais que c'était parce que Fee était sa fille.

— Tu ne me fais pas marcher? ai-je fini par dire. Tom Sharpe est le père de ton bébé? Tu as couché avec Tom Sharpe?

— Oui.

— Si c'est une blague, elle n'est pas drôle.

— Je ne plaisante pas.

— Et il est au courant?

— Je lui ai dit il y a quelques semaines que j'avais peur d'être enceinte. Mais il a dit que j'étais stupide, que c'était impossible parce qu'il s'était retiré.

— Mon Dieu.

— Et hier, avant le bal, je lui ai dit que j'avais fait le test.

— Petit Jésus. C'est pour ça qu'il était aussi énervé?

— Il pense que je l'ai trompé.

— Quoi?

— Il m'a dit: «Mettons que tu sois enceinte. Qu'est-ce qui me prouve que le bébé est de moi?»

— Quoi?

— Jagger Jonze a répété à M. Tom ce que j'ai raconté sur Dante. Il me prend pour une fille facile.

— Pourquoi Jagger Jonze a-t-il parlé de toi avec M. Tom?

— Pour s'assurer que M. Tom veillait bien sur moi, peut-être?

— C'est ta lecture des événements?

— Qu'il me soupçonne de l'avoir trompé… Ça me tue. Ce qui est arrivé avec Dante, c'était avant que nous…

— De l'avoir trompé? Mais qu'est-ce que tu me chantes là? Il est marié. Tu es comme sa fille.

— Non. Je suis son âme sœur.

Elle a vraiment dit ça. *Âme sœur.*

— Oh mon Dieu. Et c'est pour ça que tu pleurais après les vœux? Parce qu'il t'avait accusée de l'avoir cocufié?

— Ouais, ça, et le fait que je suis enceinte, imbécile.

— OK. Bon. C'est ridicule à chier.

— Tu crois qu'il s'est confessé à Jagger Jonze? Je les ai vus se parler. Tu crois qu'il lui a dit que je suis enceinte?

Révélation : ce n'était pas exclu. Puis je me suis dit que Tom Sharpe pouvait être de mèche avec Jagger Jonze et Warren Hutsall. Que c'était Tom Sharpe et non Jagger qui devait se débarrasser d'une preuve gênante. Je n'ai pas pu faire part à Fee de ma nouvelle théorie. Juste. Trop. Diabolique.

— J'ai tout gâché, a dit Fee.

— Oh mon Dieu, Fee.

— Tout est de ma faute, tu comprends ?

— Non. Mais comment est-ce…

— La première fois ?

— Quoi ? Tu veux dire que c'est arrivé plus d'une fois ?

— Nous étions seuls à la maison. Il m'aidait avec mes maths à la table de la cuisine et, une chose en amenant une autre… J'étais consentante.

Je n'ai rien trouvé de mieux que de secouer la tête.

— Il n'y est pour rien.

— Des gens racontent que ta mère et lui…

— Je ne suis pas sa fille, Rory.

— Tu avais confiance en lui. Il t'a trahie, Fee.

— C'était consensuel.

— Tu as seize ans. Ça ne change rien : tu aurais pu lui sauter dessus et tortiller les fesses sous son nez, il est adulte.

— Ça change tout, au contraire.

— C'est un viol.

— Si ça se sait, sa vie sera ruinée. Et n'emploie pas le mot *viol*. Il m'aime, Rory.

— Kinga ?

— Ce mariage a été une grossière erreur. C'est moi qu'il aime. Et nous allons être ensemble.

Paula nous a fait sursauter en s'encadrant dans la porte de la salle de bains. Elle avait jeté un coup d'œil au rez-de-chaussée : tout était tranquille. Sans savoir de quoi on avait parlé, Fee et moi, elle s'est assise par terre à côté de nous et a dit :

— Sois pas triste. L'aide arriver.

Fee a dit qu'elle voulait se reposer, et Paula et moi l'avons bordée dans le lit moelleux de la chambre, puis nous sommes redescendues sans bruit dans le grand salon.

Paula surveille la plage depuis la fenêtre. Quant à moi, j'ai sauté sur l'ordinateur pour coucher par écrit la confession de Fee.

Sur l'écran, les mots n'ont pas plus de sens. Tom Sharpe. Merde. Alors.

Fee a raison. Le monde de son *âme sœur* va s'écrouler si cette histoire est ébruitée, et celui de ses proches avec lui. Imaginez la réaction de Delaney, qui a déjà perdu sa mère et qui en veut à mort à son père d'avoir trompé sa mère, si elle apprend qu'il a engrossé une de ses meilleures amies. Il faudra qu'elle double ou triple sa dose de médicament. Kinga aura des envies de suicide. Non. De meurtre. Tom Sharpe ira en prison. Et la petite sœur de Dee perdra son père. Jésus-Christ de merde.

Paula montre la fenêtre du doigt. La famille de sans-abri est sans doute de retour.

— Éloigne-toi de la fenêtre, Paula, ai-je dit à voix basse. On ne doit surtout pas ressortir.

Elle ne bronche pas.

— Arrête taper, s'il te plaît, Rory, dit-elle.

— Il y a quelqu'un?

— Oui.

— Qui?

— Jésus.

J'ai su. Avant même de lever les yeux de l'ordinateur. J'ai su que Paula avait vu Chase Mason. Il était entré par la plage sans déclencher le système d'alarme et sans que les projecteurs inondent la cour.

Lorsque je suis arrivée devant la fenêtre, il était déjà sur la terrasse, tout sourire. *Rory,* a-t-il articulé silencieusement. J'ai ouvert.

Nous ne nous sommes pas précipités l'un vers l'autre, mais j'avoue que j'en ai eu envie.

— J'ai reçu ton message, dis-je.

— J'en étais sûr. Les Corinthiens.

— Et Larkspur.

— Bien vu.

— Aussi, tante Lilly n'aurait jamais mis un t-shirt rose. Un col en V. Et encore moins une casquette de baseball.

— On s'est dit que ces bizarreries te mettraient la puce à l'oreille.

Paula est sortie de l'ombre, à la grande surprise de Chase, qui ne l'avait pas vue en entrant. J'ai tendu la main à Paula. Elle s'est approchée, les yeux rivés sur Chase.

— Voici Paula, notre amie. Paula, je te présente Chase Mason. Il est là pour nous aider.

— Salut, Paula.

— Salut, Chase Mason.

Les yeux de Paula ont brillé.

— Chase Mason.

Je lui ai demandé de monter prévenir Fee.

Dès que nous avons été seuls, j'ai voulu parler :

— Chase, je…

Mais je n'ai pas pu terminer parce que je me suis mise à pleurer.

Et c'est là qu'il m'a embrassée. Chase Mason m'a embrassée. Juste pour m'empêcher de pleurer, peut-être, je ne sais pas; mais j'ai été triste quand il s'est arrêté et vraiment heureuse d'avoir pris une douche.

— C'était bon? demande-t-il.

— Euh. Oui.

— On peut dire que tu es dans la merde, Rory Miller.

— Jusqu'au cou, Chase Mason.

J'ai vu le raton laveur – le même ou un copain à lui – grimper dans le pamplemoussier et j'ai songé au système d'alarme.

Devinant ma question, Chase a dit :

— Je l'ai désarmé. Désolé pour tantôt. Vous avez dû avoir une peur bleue.

— Tu es au courant?

— Mon oncle a fait réacheminer les appels de la centrale sur mon téléphone. J'ai informé l'entreprise que c'était une fausse alerte.

On est allés dans le grand salon où, à la clarté de la lune, on se voyait mieux. Je lui ai tout raconté sur Paula, qu'elle avait été maltraitée, qu'elle était au pays illégalement, qu'elle était orpheline et que je n'irais nulle part sans elle. Je lui ai parlé de Javier et de la remise puante où on crevait de chaleur, du délirant écrasement des hélicoptères, de notre chute dans la crevasse, de Monty et de son balai. Je lui ai aussi dit que j'avais raconté toute ma vie, ou presque, dans l'ordinateur rose. Je lui ai surtout parlé de Jagger Jonze et du stupide Bal de la pureté américaine. J'étais intarissable. Il m'a donc embrassée de nouveau.

— Tout va bien. Tout va très bien, a-t-il dit.

J'avais du mal à y croire, malgré sa présence.

— OK.

Puis je l'ai embrassé. Et les mots *en pâmoison* m'ont traversé l'esprit. Quand nous nous sommes enfin séparés, j'ai dû m'asseoir sur le canapé modulaire.

Il m'a rejointe.

— Si tu savais depuis combien de temps j'en ai envie, a-t-il dit.

— Et moi donc, ai-je répondu.

Ou quelque chose d'aussi idiot.

— Mais tu frayais avec les chrétiennes, alors…

— Ouais.

— Alors quand tout sera terminé?

— Ouais?

— Toi et moi? On va, disons, lire quelques livres ensemble et voir où ça nous mène?

J'ai ri. Pour de vrai.

— Bien sûr.

Ensuite, parce que j'étais convaincue qu'il savait, je lui ai demandé:

— Et ma mère?

— Elle arrive. Elle est en route.

J'ai vu le visage de ma mère dans la lueur de la lune. Ses yeux. Son sourire. Shelley allait venir nous chercher. Évidemment. Mais en avoir la confirmation de la bouche de Chase? Oh mon Dieu. Mon menton s'est mis à trembler.

Peut-être parce qu'il craignait que je recommence à chialer, Chase m'a embrassée une fois de plus.

— Sois forte. Ce n'est pas terminé.

— Non?

— Ça va être méta, Rory.

— Oh.

— Plein de gens vont vouloir te parler.

— Les autorités, tu veux dire?

— La presse. Tout le monde va vouloir entendre ta version.

— C'est dans mon blogue. Tout. Là-dedans.

Il a consulté l'horloge accrochée au mur avant de se tourner vers moi d'un air grave.

— Ta mère, en ce moment même, se dirige vers nous à bord d'un bateau de la garde côtière. Elle sera là dans une heure environ. Il y aura un homme avec elle. C'est le pilote, un ami.

— OK.

— Ils vont vous emmener quelque part sur la côte. Je ne sais pas où. Ta tante Lilly vous attendra avec une fourgonnette.

J'ai éprouvé un grand soulagement à l'idée de revoir ma tante Lilly.

— Où irons-nous?

— Elles ont parlé de Vancouver. C'est tout ce que je sais pour le moment.

— Fee et Paula aussi, hein?

— Fee et Paula aussi.

Il fallait que je sache.

— Et toi? Comment es-tu… Je veux dire… Pourquoi fais-tu…?

Il a hésité.

— Ma sœur.

— Celle qui est morte dans un accident de voiture?

— Ce n'était pas un accident de voiture.

— Oh.

— En Iowa, on venait d'interdire l'avortement après la détection des premiers battements du cœur, à six semaines. Elle en était à huit. Je l'ai trouvée dans le garage, en train de se vider de son sang.

J'étais sans mots.

— Quand on a déménagé ici, j'ai voulu tout oublier. Mais, à l'école, j'entendais des choses. Des filles qui étaient dans l'embarras, tu comprends, et qui avaient besoin d'un endroit sûr. Tout ça à cause de la difficulté de se procurer des contraceptifs, c'est vraiment stupide. En tout cas, j'ai écouté et noué des contacts, je me suis engagé et…

— Tu es mêlé à tout ça… depuis tes quatorze ans?

Il a hoché la tête.

— Ton amie? Feliza? Elle est vraiment enceinte?

— Oui.

— Le père?

— Je… Ce n'est pas le moment. Mais cet enculé ne va pas s'en tirer comme ça.

— L'enculé sait qu'elle est enceinte?

J'ai hoché la tête.

— Je peux l'aider, si elle fait ce choix.

Nous avons entendu les pales d'un hélicoptère. Puis l'appareil a viré au-dessus de l'océan et obliqué vers le quai de Santa Monica.

— Les chasseurs de primes sont encore là, ai-je dit. Même si Jagger, Jinny et son père ont foutu le camp.

— Quand les agents fédéraux et les médias auront démêlé toute cette affaire, les Croisés vont devoir changer de refrain. Ne te fais pas de souci pour les chasseurs de primes. On s'occupe de toi.

— OK.

Le téléphone de Chase a vibré.

— Il faut que je me sauve, a-t-il dit après avoir consulté l'écran.

— Tu es sûr?

Il a pris mon visage entre ses mains.

— Tout va bien, Rory. Je t'assure.

— OK.

— On se voit dans quelques jours. Quelques semaines max. Fais-moi confiance.

— Je te fais confiance.

C'est la vérité.

Après avoir répondu au texto, il a de nouveau regardé l'horloge.

— Dans une heure, sur le coup de minuit, tu prends Fee et la petite et vous descendez sur la plage. Sans vous arrêter. Vous allez jusqu'à l'océan.

— Sur le coup de minuit.

— Au quai, on va tirer les feux d'artifice. Il y aura des milliers de personnes et une foule difficile à contrôler. Tout le monde va être distrait.

— Je me demande si Paula a déjà vu des feux d'artifice.

— Elle va en voir cette nuit. Depuis le bateau. Rendez-vous jusqu'au bateau, c'est tout.

— OK.

— Vous allez devoir patauger un peu dans l'eau.

— Elle va être froide.

— Elle va être froide, mais, à bord, il y aura des couvertures, des bottes et tout le reste.

— Pour Paula aussi?

— Pour Paula aussi.

— Et mon ordinateur?

— Prends-le. Tu n'auras pas à nager, mais, juste au cas, mets-le dans un sac en plastique. Mon oncle en a sûrement dans la cuisine. Là où tu vas, continue d'écrire. Ton histoire n'est pas finie, non?

— Hum. Il me reste le prologue.

Il a voulu partir, mais, se ravisant, il est revenu vers moi et nous nous sommes étreints comme des amoureux dans un aéroport. Puis il a chuchoté dans mes cheveux:

— Tu vas trouver ça cucul, mais…

— Quoi?

Il a approché sa bouche de mon oreille.

— Je t'aime comme un fou, Rory Miller.

Je l'ai regardé dans les yeux.

— Je t'aime comme une folle, Chase Mason.

Il a reculé d'un pas en repoussant les cheveux qui barraient ses grands yeux bruns.

— On se donne rendez-vous de l'autre côté.

Et il est parti.

Je suis impatiente de revoir ma mère, tante Lilly et Chase, de me sentir à nouveau en sécurité, bien dans ma peau et, euh, peut-être pas normale, mais pas comme maintenant.

Après le départ de Chase, Paula est réapparue dans l'escalier. À son sourire, j'ai compris qu'elle avait surpris une bonne partie de la conversation.

— Nous va être en sécurité? a demandé Paula.

En sécurité. Oui, en sécurité. Voilà ce dont les humains ont besoin. La sécurité. Merde à la notion de bonheur. On doit vivre auprès de personnes en qui on a confiance. De proches sur qui on peut compter. De maris qui ne nous trompent pas. De figures paternelles qui n'abusent pas de leur pouvoir. On a besoin de vivre dans des pays dont les dirigeants sont honnêtes. Besoin d'un toit sur la tête et d'eau potable. En sécurité.

— Ouais, Paula. On va être en sécurité.

Paula et moi sommes montées dire à Fee que ma mère était en route sur un bateau de la garde côtière.

Elle était recroquevillée près de la tête du lit et c'est à peine si elle a réagi en apprenant qu'on allait partir dans moins d'une heure. Qu'on devait descendre sur la plage sur le coup de minuit.

— Shelley vient.

Elle a hoché la tête en regardant l'océan par la fenêtre.

— Fee. Qu'est-ce qu'il y a, Fee?

— J'ai besoin d'une minute.

— Tu as le temps pour une douche rapide.

— Arrête avec ça.

— Ma mère est en route, Fee. Nous sommes sauvées. Tu le comprends, ou pas?

— Oui. C'est génial. Je suis très heureuse, Rory. Super soulagée. Je suis juste fatiguée.

— Moi aussi, mais Fee, Chase Mason?

— Je sais.

— Tu sais qu'il m'a embrassée?

Elle a souri et, pendant une seconde, ma meilleure amie était de retour.

— Quoi?

— Beaucoup de fois, a laissé tomber Paula avant de se couvrir la bouche avec la main.

Fee m'a taquinée:

— Tu t'es servie de lui? Comme d'un *joystick*?

— En fait, je me suis fait la réflexion que c'est un mot sexiste et humiliant. Si on veut que les garçons cessent de nous traiter de salopes et de putes, on devrait éviter cette expression.

Fee a levé les yeux au ciel.

— Pas maintenant, Ror.

— Tout ce que je dis, c'est que…

— Garde ça pour ton blogue.

Paula a hoché la tête.

— Tu mettre dans blogue.

— Nous avons une heure? demande Fee.

— Moins d'une heure, ai-je répondu.

— Et nous partons en bateau?

— Oui.

— Où ça?

— Vancouver? Je n'ai pas tous les détails.

— Pour combien de temps?

— À voir.

— OK.

— Redescends, Fee.

— OK.

— Ne lâche pas. C'est presque fini.

— OK. Donne-moi juste une minute.

Je veux bien l'accommoder, mais le temps file, et ses yeux vides me font peur.

OMG! J'entends des voix dehors. Il faut que j'aille voir.

Mon cœur a bondi dans ma poitrine parce que, pendant un moment, j'ai cru que Chase était de retour. Je suis sûre d'avoir entendu des voix venant du côté de la maison, mais je n'ai rien vu. Pas de raton laveur sifflant. Pas de vieux couple armé d'un balai. C'était peut-être mes doigts sur le clavier. Ça m'est déjà arrivé: entendre des bruits de pas, puis m'apercevoir que c'est seulement le cliquetis des touches ou les battements de mon cœur.

Chase a raison, je sais. Ce n'est pas encore terminé. Pourtant, je me sens étonnamment optimiste. Parce que je sais qu'un jour tout ça sera derrière nous et que nous serons en sécurité. Dans une vie nouvelle. Une vie réelle. Une vie qui n'est pas un mensonge.

Paula et moi sommes remontées voir où Fee en était. Elle s'était redressée. Elle avait l'air déterminée et prête à partir. Dieu merci.

— N'écris rien sur M. Tom, Rory, s'il te plaît, a-t-elle dit.

— Ne pense pas à ça, d'accord? Il faut que tu descendes. On doit s'installer dans les blocs de départ, comme Brook avant une course. Être prêtes.

Elle a posé ses pieds sur le sol.

— OK. Mais jure-moi que tu n'as rien dit sur M. Tom dans ton blogue.

Fee avait gravement besoin d'être déprogrammée. Comment a-t-elle pu coucher avec un homme qui est comme son père et tomber enceinte de lui tout en continuant de l'appeler «M. Tom»? Ça l'excitait, ce salaud? Quel cochon.

— J'ai parlé de lui, ai-je avoué. Mais je vais réviser plus tard. OK?

— Promis?

— Juré.

Je mens. Désolée.

Paula a remarqué que le téléphone rétro posé sur la table de chevet était décroché. Elle a remis le combiné en place et a montré à Fee le fonctionnement du cadran en mettant son petit doigt dans le trou et en laissant le disque revenir à sa position initiale.

La démonstration n'a même pas arraché un sourire à Fee. De toute façon, nous n'avons pas le temps.

Campées devant la fenêtre du grand salon, Paula et Fee épient la mer, à la recherche des feux d'un bateau.

— Tu crois que les gens vont finir par oublier?

— À propos de nous? Sûrement.

— D'ici notre dernière année à l'école?

— Là, je ne sais pas. Mais tôt ou tard, sûrement.

— Tôt ou tard, a-t-elle répété.

Paula a glissé sa robe des Patriot Girls dans le sac à dos. Près de la fenêtre, elle se balance d'un pied sur l'autre, impatiente de partir. Je le suis, moi aussi. J'ai dit à Paula qu'elle pourrait marcher dans le sable pieds nus puisque nous avons jeté nos chaussures avec nos habits souillés et que, selon Chase, il y aurait des bottes et des couvertures à bord. Le rêve de Paula va donc se réaliser. Elle posera ses pieds dans le sable. Et elle découvrira l'océan iodé. Elle ne le sait pas encore, mais elle aura la plus merveilleuse des vies. Pareil pour Fee. Nous allons nous en sortir. C'est un engagement que j'ai la ferme intention de tenir.

Les feux d'artifice viennent de débuter. On aurait dit une explosion et on a toutes eu une décharge de stress post-traumatique jusqu'à ce que les lumières bleu-blanc-rouge jaillissent au-dessus du quai. Paula adore les feux d'artifice.

Je sais que nous allons devoir parler du Bal de la pureté américaine et de notre fuite à la police ou à je ne sais trop qui, mais je prends un autre engagement: je ne dirai pas un mot à la presse. Je n'enverrai pas de tweets. Je ne publierai pas de photos. Pas d'interviews aux émissions d'information. Pas de commentaires pour TMZ. Je vais laisser parler mon blogue. Je sais que, par moments, il contient trop d'informations.

Mais j'ai dit la vérité. C'est tout ce que j'ai.

Va-t-on nous oublier? Oui. Nous n'allons pas faire le buzz pour l'éternité. Dieu merci. Parce que la célébrité, c'est de la merde.

Ça me fait un drôle d'effet de me préparer à conclure et à mettre l'ordinateur dans un sac en plastique. Cet objet est devenu pour moi un organe vital. Je devrais peut-être le transporter dans une glacière. Je ne veux pas m'arrêter d'écrire. J'ai encore beaucoup de choses à raconter.

Merci encore, Nina. Et M. Javier. J'espère que Dieu a entendu la prière de Paula et que vous allez bien, même si c'est vous qui avez alerté la police, ce que je ne crois pas. Et merci à tous ceux qui ont foi en nous depuis le début. Merci à Kim et au reste de la famille d'avoir parlé de la vérité. Et merci à toutes les femmes qui ont mis une robe de mariée et pris des photos d'elles-mêmes fuyant au milieu d'un nuage de fumée. Je vous suivrais volontiers sur les réseaux sociaux, mais je ferme boutique pendant un moment.

Delaney? Brook? Zara? Quand le sort que vous a jeté Jinny se dissipera – c'est peut-être déjà fait –, vous allez vous sentir comme des salopes finies. Je vous pardonne. Car vous ne savez pas ce que vous dites. La Ruche. Pour toujours. Je vous aime, les filles, parce que c'est humain. Et que je suis encore humaine.

Sherman. Je m'avise à l'instant que mon père a peut-être joué un rôle dans l'évasion de ma mère. Il est avocat. Il a des contacts au palais de justice. Il s'est peut-être arrangé pour qu'elle ait les clés des menottes ou qu'une voiture l'attende. Pensée magique? Peut-être, mais je m'en fous. Je vais m'y accrocher jusqu'à preuve du contraire. Et si tu n'as rien fait, Sherman? Je vais croire que tu as voulu faire quelque chose, que tu as essayé de faire quelque chose et que, depuis le début des événements, tu n'as pas cessé de penser à moi. Je vais croire que tu es mort de peur et d'inquiétude pour Shelley et pour moi. Je te déteste, Sherman, mais je t'aime aussi.

Dépêche-toi, maman.

Paula vient de dire qu'elle distingue les feux d'un bateau au loin. Comme quoi il arrive que les prières soient exaucées.

C'est presque le moment.

— Que Dieu nous protège, a dit Fee.

— Amen, a répondu Paula.

Dieu? Hum.

Je vais écrire une super longue mise à jour lorsque nous serons à Vancouver ou ailleurs, et j'espère que cette portion de notre périple sera sans histoire.

Je déborde d'espoir, de confiance et d'optimisme. En ce moment, en cette nuit, j'éprouve de la joie.

CETTE PETITE LUEUR

BILLET DE BLOGUE : Shelley Miller	29-11-2024 – 15 h 08

Ma fille magnifique, Rory Anne Miller, seize ans, a été abattue ce matin à l'aube. Ont aussi perdu la vie Paula Hernandez, dix ans, Feliza Lopez, seize ans, et l'enfant qu'elle portait. Elles ont été tuées par balle sur la plage, non loin de Paradise Cove, en Californie.

Rory et ses amies couraient sur le sable en direction du bateau à bord duquel je me trouvais quand elles ont été fauchées par de multiples projectiles tirés à bout portant. J'ai été témoin de leur exécution. Le partisan qui pilotait le bateau de sauvetage a appréhendé le tireur.

Selon les informations télévisées, les relevés téléphoniques indiquent que dans l'heure précédant notre arrivée, l'homme qui a tué ces enfants innocents a reçu trois coups de fil de la part de Tom Sharpe, de Calabasas, en Californie. Des relevés montrent aussi qu'un appel a été fait, depuis la maison en bord de mer où les filles avaient trouvé refuge, au téléphone portable de Tom Sharpe, environ cinquante minutes avant les assassinats.

J'ai lu deux fois le blogue de Rory et je le publie, non censuré et dans son intégralité. Je pense que c'est ce que ma fille aurait voulu.

Rory Miller ne croyait pas en Dieu, mais elle croyait à la vérité, à l'honnêteté, à l'humilité et à l'humanité. Inlassablement, elle se remettait en question et interrogeait le monde dans lequel on vit. Elle, qui avait beaucoup de raisons de vivre et beaucoup à donner, sera cruellement regrettée par moi, son père, Sherman Miller, et tous ceux qui l'ont connue et aimée.

Rory est morte dans mes bras, le clair de lune dans ses yeux. «Maman. Je. Aime.» Telles ont été ses dernières paroles.

Les Croisés continuent d'affluer sur le quai de Santa Monica pour célébrer ce qu'ils appellent la justice. Lorsque la vérité sera connue, j'espère qu'ils cesseront de demander que la volonté de Dieu soit faite et que, pour nous tous, ils imploreront plutôt Sa miséricorde.

Je vous invite à partager l'histoire de Rory.

Pour Feliza. Et Paula. Et Rory. Et toutes les autres filles.

Je me souviens.

DÉJÀ PARUS CHEZ ALTO

Sophie BEAUCHEMIN
Une basse noblesse

Deni ELLIS BÉCHARD
Remèdes pour la faim
Dans l'œil du soleil
Blanc

Alexandre BOURBAKI
Traité de balistique
Grande plaine IV

Patrick BRISEBOIS
Catéchèse

Eleanor CATTON
Les Luminaires

Sébastien CHABOT
Le chant des mouches

Nick CUTTER
Troupe 52
Little Heaven

Richard DALLAIRE
Les peaux cassées

Martine DESJARDINS
Maleficium
La chambre verte

Patrick deWITT
Les frères Sisters
Le sous-majordome
Sortie côté tour

Nicolas DICKNER
Nikolski
Tarmac
Le romancier portatif
Six degrés de liberté

Nicolas DICKNER et
Dominique FORTIER
Révolutions

Hélène DORION
Pas même le bruit d'un fleuve

Christine EDDIE
Les carnets de Douglas
Parapluies
Je suis là
Un beau désastre

Max FÉRANDON
Monsieur Ho
Un lundi sans bruit
Hors saison

Isabelle FOREST
Les laboureurs du ciel

Dominique FORTIER
Du bon usage des étoiles
Les larmes de saint Laurent
La porte du ciel
Au péril de la mer
Les villes de papier

Dominique FORTIER
et Rafaële GERMAIN
Pour mémoire (Petits miracles
et cailloux blancs)

Mark FRUTKIN
Le saint patron des merveilles

Steven GALLOWAY
Le soldat de verre

Karoline GEORGES
Sous béton
Variations endogènes
De synthèse

Tom GILLING
Miles et Isabel

Rawi HAGE
Parfum de poussière
Le cafard
Carnaval
La Société du feu de l'enfer

Julie HÉTU
Pacific Bell

Emma HOOPER
Les chants du large

Clint HUTZULAK
Point mort

Clifford JACKMAN
La Famille Winter

Toni JORDAN
Addition

Andrew KAUFMAN
Minuscule
Les Weird

Serge LAMOTHE
Le Procès de Kafka et
Le Prince de Miguasha
Tarquimpol
Les enfants lumière
Mektoub
Oshima

Lori LANSENS
Les Filles
Un si joli visage
Les égarés
Cette petite lueur

Margaret LAURENCE
Une maison dans les nuages

Catherine LEROUX
La marche en forêt
Le mur mitoyen
Madame Victoria

Marina LEWYCKA
Une brève histoire du tracteur
en Ukraine
Deux caravanes
Des adhésifs dans le monde
moderne
Traders, hippies et hamsters
Rien n'est trop beau pour
les gens ordinaires

Annabel LYON
Le juste milieu
Une jeune fille sage

Howard McCORD
L'homme qui marchait
sur la Lune

Anne MICHAELS
Le tombeau d'hiver

Sean MICHAELS
Corps conducteurs

David MITCHELL
Les mille automnes
de Jacob de Zoet
L'âme des horloges
Cette maison

Claire MULLIGAN
Dans le noir

Heather O'NEILL
La vie rêvée des grille-pain
Hôtel Lonely Hearts
Mademoiselle Samedi soir

Elsa PÉPIN
Les sanguines

Annie PERREAULT
La femme de Valence

Marie Hélène POITRAS
Griffintown

Steven PRICE
L'homme aux deux ombres

Paul QUARRINGTON
L'œil de Claire

Charles QUIMPER
Marée montante

C S RICHARDSON
La fin de l'alphabet
L'empereur de Paris

Diane SCHOEMPERLEN
Encyclopédie du monde visible

Emily SCHULTZ
Les Blondes

Matthieu SIMARD
Ici, ailleurs
Les écrivements

Neil SMITH
Boo
Big Bang

Emily ST. JOHN MANDEL
Station Eleven

Tanya TAGAQ
Croc fendu

Madeleine THIEN
Nous qui n'étions rien

Larry TREMBLAY
Le Christ obèse
L'orangeraie
L'impureté
Le deuxième mari

Élise TURCOTTE
Le parfum de la tubéreuse
L'apparition du chevreuil

Hélène VACHON
Attraction terrestre
La manière Barrow
Santa
Le complexe de Salomon

Christiane VADNAIS
Faunes

Dan VYLETA
Fenêtres sur la nuit
La servante aux corneilles

Sarah WATERS
L'Indésirable
Derrière la porte

Thomas WHARTON
Un jardin de papier
Logogryphe

Alissa YORK
Effigie

DÉJÀ PARUS DANS LA COLLECTION CODA

Deni ELLIS BÉCHARD
Vandal Love ou Perdus
en Amérique

Alexandre BOURBAKI
Traité de balistique

Nick CUTTER
Troupe 52

Martine DESJARDINS
Maleficium
L'évocation
La chambre verte

Patrick deWITT
Les frères Sisters

Nicolas DICKNER
Nikolski
Tarmac
Six degrés de liberté

Christine EDDIE
Les carnets de Douglas
Parapluies
Je suis là

Max FÉRANDON
Monsieur Ho

Dominique FORTIER
Du bon usage des étoiles
Les larmes de saint Laurent
La porte du ciel
Au péril de la mer

Jonas GARDELL
N'essuie jamais de larmes
sans gants

Karoline GEORGES
Ataraxie
De synthèse

Rawi HAGE
Parfum de poussière
Le cafard

Emma HOOPER
Etta et Otto (et Russell et James)

Andrew KAUFMAN
Tous mes amis sont des
superhéros

Lori LANSENS
Les Filles
Un si joli visage
La ballade des adieux
Les égarés

Margaret LAURENCE
Le cycle de Manawaka
L'ange de pierre
Une divine plaisanterie
Ta maison est en feu
Un oiseau dans la maison
Les Devins

Catherine LEROUX
La marche en forêt
Le mur mitoyen
Madame Victoria

Annabel LYON
Le juste milieu

Andri Snær MAGNASON
LoveStar

David MITCHELL
Les mille automnes de Jacob
de Zoet

Heather O'NEILL
La vie rêvée des grille-pain
Hôtel Lonely Hearts

Marie Hélène POITRAS
Griffintown
La mort de Mignonne
et autres histoires

C S RICHARDSON
La fin de l'alphabet

Matthieu SIMARD
Les écrivements

Neil SMITH
Boo

Emily ST. JOHN MANDEL
Station Eleven

Larry TREMBLAY
Le Christ obèse
L'orangeraie
La hache
Le mangeur de bicyclette
L'impureté

Christiane VADNAIS
Faunes

Thomas WHARTON
Un jardin de papier
suivi de Logogryphe

Composition : Hugues Skene
Conception graphique : Antoine Tanguay et Hugues Skene (KX3 Communication)
Correction d'épreuves : Julie Robert

Éditions Alto
280, rue Saint-Joseph Est, bureau 1
Québec (Québec) G1K 3A9
editionsalto.com

ACHEVÉ D'IMPRIMER
CHEZ MARQUIS IMPRIMEUR
EN FÉVRIER 2020
POUR LE COMPTE DES ÉDITIONS ALTO

L'impression de *Cette petite lueur* sur papier
Rolland Enviro100 Édition plutôt que sur du papier vierge a permis
de sauver l'équivalent de 56 arbres, d'économiser 16 m^3 d'eau
et d'empêcher le rejet de 3 628 kilos de CO_2
et de 18 kilos d'émissions atmosphériques.

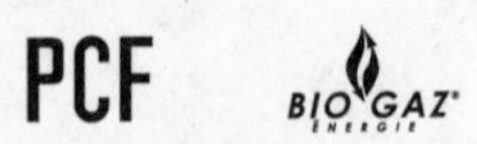

Dépôt légal, 2e trimestre 2020
Bibliothèque et Archives nationales du Québec
Bibliothèque et Archives Canada